Du Mont Kunst ⇌ Praxis

DuMont-international

On Art

Artists' Writings
on the Changed Notion of Art After 1965

Edited by Gerd de Vries

Verlag M. DuMont Schauberg

DuMont-international

Über Kunst

Künstlertexte
zum veränderten Kunstverständnis nach 1965

Herausgegeben von Gerd de Vries

Verlag M. DuMont Schauberg

Übertragung aus dem Englischen: Wilhelm Höck und Gerd de Vries

Nachdruck verboten. Alle Rechte vorbehalten
© 1974 by Verlag M. DuMont Schauberg, Köln
Druck Gebr. Rasch & Co., Bramsche

Printed in Germany   ISBN 3-7701-0712-8

Contents

Inhalt

Beautiful is that which we see,
more beautiful that which we know,
but by far the most beautiful that
which we do not comprehend.

Nicolaus Steno, 1673

The artist is the creator of beautiful things.

Wilde

Beauty though is the only possible expression of freedom in manifest form.
. . . for it is beauty through which one reaches freedom.

Schiller

Usefulness without use $=$ structure of beauty
Lawfulness without laws $=$ structure of freedom

Marcuse [after Kant]

Der Künstler ist der Schöpfer schöner Dinge.

Wilde

Schönheit aber ist der einzig mögliche Ausdruck der Freiheit in der Erscheinung.
. . . weil es die Schönheit ist, durch welche man zu der Freiheit wandert.

Schiller

Zweckmäßigkeit ohne Zweck = Struktur der Schönheit
Gesetzmäßigkeit ohne Gesetz = Struktur der Freiheit

Marcuse [nach Kant]

Form is everything.

Wilde

In a truly beautiful work of art content should do nothing, form, however, everything. . . . true aesthetic freedom is only to be expected from form.

Schiller

All that is beautiful and noble is the result of reason and calculation.

Baudelaire

The hand guided by the intellect can really archieve something.

Michelangelo

The artist who wants to develop art beyond its painting possibilities is forced to theory and logic.

Malevič

Today more than ever, it is necessary that the artist be also an intelligent person and know a lot of things outside his own field.

Liszt

Form ist alles.

Wilde

In einem wahrhaft schönen Kunstwerk soll der Inhalt nichts, die Form aber alles tun.
... nur von der Form ist wahre ästhetische Freiheit zu erwarten.

Schiller

Alles Schöne und Edle ist das Ergebnis von Verstand und Überlegung.

Baudelaire

Die Hand, die dem Intellekt folgt, kann Leistungen vollbringen.

Michelangelo

Der Künstler, der die Kunst über ihre malerischen Möglichkeiten hinaus entwickeln will, ist auf Theorie und Logik angewiesen.

Malevič

Mehr als je ist es heutzutage nötig, daß der Künstler auch ein intelligenter Mensch ist und eine Menge Dinge weiß, die außerhalb seines Kunstgebietes liegen.

Liszt

All art is at once surface and symbol.
Those who go beneath the surface do so at their peril.
Those who read the symbol do so at their peril.

Wilde

Never yet has a true work of art been grasped except where it inescapably presented itself as a secret.

Benjamin

Whereof one cannot speak one must be silent.
There is indeed the inexpressible. This *shows* itself; it is the mystical.

Wittgenstein

The true artist helps the world by revealing mystic truths.

Nauman

Philosophical person has even the presentiment that beneath this reality in which we live and have our being lies hidden another one quite different, that even the former might be an illusion.

Nietzsche

Alle Kunst ist zugleich Oberfläche und Symbol.
Wer unter die Oberfläche dringt, tut es auf eigene Gefahr.
Wer das Symbol liest, tut es auf eigene Gefahr.

Wilde

Niemals noch wurde ein wahres Kunstwerk erfaßt, denn wo es unausweichlich als Geheimnis sich darstellte.

Benjamin

Wovon man nicht sprechen kann, darüber muß man schweigen.
Es gibt allerdings Unaussprechliches. Dies *zeigt* sich, es ist das Mystische.

Wittgenstein

Der wahre Künstler hilft der Welt durch Enthüllen mystischer Wahrheiten.

Nauman

Der philosophische Mensch hat sogar das Vorgefühl, daß auch unter dieser Wirklichkeit, in der wir leben und sind, eine zweite ganz andre verborgen liege, daß also auch sie ein Schein sei.

Nietzsche

The true secret of the world is in the visible not the invisible.

Wilde

Not *how* the world is, is the mystical, but *that* it is.

Wittgenstein

Das wahre Geheimnis der Welt liegt im Sichtbaren, nicht im Unsichtbaren.

Wilde

Nicht *wie* die Welt ist, ist das Mystische, sondern *daß* sie ist.

Wittgenstein

To reveal art and conceal the artist is art's aim.

Wilde

Man should not be present.

Cézanne

Let us always remember that depersonalization is a sign of strength ... We must be mirrors which reflect the truth outside ourselves.

Flaubert

But in art we do not deal with just a pleasant or useful plaything but ... with an unfolding of truth.

Hegel

Die Kunst zu offenbaren, den Künstler zu verbergen – das ist das Ziel der Kunst.

Wilde

Der Mensch soll nicht anwesend sein.

Cézanne

Denken wir immer daran, die Entpersönlichung ist ein Zeichen der Kraft ... Wir müssen Spiegel sein, die die Wahrheit außer uns reflektieren.

Flaubert

Denn in der Kunst haben wir es mit keinem bloß angenehmen oder nützlichen Spielwerk, sondern ... mit einer Entfaltung der Wahrheit zu tun.

Hegel

Art never expresses anything but itself. It has an independent life, just as thought has, and develops purely on its own lines. It is not necessarily realistic in an age of realism, nor spiritual in an age of faith. So far from being the creation of its time, it is usually in direct opposition to it, and the only history that it preserves for us is the history of its own progress.

Wilde

Each work of art may only account for itself, i. e. its own code of beauty, and is not subject to any other demand.

Schiller

Art no longer cares to serve the state and religion, it no longer wishes to illustrate the history of manners, it wants to have nothing further to do with the object, as such, and believes that it can exist, in and for itself, without things.

Malevič

The one eternal, permanent revolution in art is always a negation of the use of art for some purpose other than its own.
All progress and change in art is toward the one end of art as art-as-art.

Reinhardt

Kunst stellt nichts dar außer sich selbst. Sie führt ein unabhängiges Leben, gerade wie das Denken, und entwickelt sich völlig auf eigenen Bahnen. Sie ist nicht unbedingt realistisch in einer Zeit des Realismus, geistig in einer Zeit des Glaubens. Weit davon entfernt, ein Kind ihrer Zeit zu sein, steht sie normalerweise in direktem Widerspruch zu ihr, und die einzige Geschichte, die sie uns überliefert, ist die ihres eigenen Fortschritts.

Wilde

Jedes Kunstwerk darf nur sich selbst, das heißt seiner eigenen Schönheitsregel Rechenschaft geben und ist keiner anderen Forderung unterworfen.

Schiller

Kunst hat kein Interesse mehr daran, Staat und Religion zu dienen, sie wünscht nicht länger, Illustration der Kulturgeschichte zu sein, sie will weiter nichts mehr mit dem Objekt als solchem zu tun haben, und glaubt, daß sie, in und für sich, ohne Objekte existieren kann.

Malevič

Die eine ewige, ständige Revolution in der Kunst ist immer eine Verneinung des Gebrauchs der Kunst zu einem anderen als ihrem eigenen Zweck.
Jeder Fortschritt und jede Veränderung in der Kunst ist auf das eine Ziel der Kunst gerichtet: Kunst als Kunst.

Reinhardt

No artist desires to prove anything.

Wilde

Art is to change what you expect from it.

Siegelaub

Art should raise questions.

Nauman

Do you think Pop Art is –?
No.
What?
No.
Do you think Pop Art is –?
No. No, I don't.

Warhol

Kein Künstler will etwas beweisen.

Wilde

Kunst wird gerade das nicht tun, was man von ihr erwartet.

Siegelaub

Kunst sollte Fragen stellen.

Nauman

Glauben Sie, Pop Art ist –?
Nein.
Wie bitte?
Nein.
Glauben Sie, Pop Art ist –?
Nein. Nein, ich glaube nicht.

Warhol

It is none the less true that life imitates art far more than art imitates life.

Wilde

What we need is a use of our art which alters our lives—is useful in our lives.

Cage

Someone who does not care about real change betrays art and change. But he who gives up art as something supposedly bourgeois falls into a bad state of affairs, that is: he is reactionary in the real sense of the word.

Marcuse

Everything I do is probably doomed to failure, but I do it anyway because it has to be done.

Sartre

Es ist darum nicht weniger wahr, daß das Leben die Kunst weit mehr nachahmt, als die Kunst das Leben.

Wilde

Wir müssen unsere Kunst so gebrauchen, daß sie unser Leben ändert – unserem Leben nützt.

Cage

Wer sich nicht um die reale Veränderung kümmert, verrät die Kunst und die Veränderung. Wer aber die Kunst als angeblich bürgerlich aufgibt, verfällt dem schlechten Bestehenden, und das heißt: er ist im objektiven Sinn reaktionär.

Marcuse

Alles, was ich tue, ist wahrscheinlich zum Scheitern verurteilt, aber ich tue es trotzdem, weil es getan werden muß.

Sartre

Carl Andre

Questions and Answers

1. Who is an artist?
   A. An artist is one who says he is an artist
   B. An artist is one who has a diploma from an art academy
   C. An artist is one who makes art
   D. An artist is one who makes money from art
   E. An artist is none of these things, some of these things, all of these things

2. What is art?
   A. Art is what an artist says is art
   B. Art is what a critic says is art
   C. Art is what an artist makes
   D. Art is what makes money for an artist
   E. Art is none of these things, some of these things, all of these things

3. What is quality in art?
   A. Quality in art is a fiction of the artist
   B. Quality in art is a fiction of the critic
   C. Quality in art is the cost of making art
   D. Quality in art is the selling price of art
   E. Quality in art is none of these things, some of these things, all of these things

4. What is the relationship between politics and art?
   A. Art is a political weapon
   B. Art has nothing to do with politics
   C. Art serves imperialism
   D. Art serves revolution
   E. The relationship between politics and art is none of these things, some of these things, all of these things

5. Why do I continue?
   A. I continue because art is my life work
   B. I continue because art is my commercial business
   C. I continue because art will die if I stop
   D. I continue because art will continue unchanged if I stop
   E. I continue because none of these things, some of these things, all of these things

Carl Andre

Fragen und Antworten

1. Wer ist ein Künstler?
   A. Ein Künstler ist jemand, der sagt, er sei ein Künstler
   B. Ein Künstler ist jemand, der ein Diplom von einer Kunstakademie hat
   C. Ein Künstler ist jemand, der Kunst macht
   D. Ein Künstler ist jemand, der mit Kunst Geld verdient
   E. Ein Künstler ist nichts von dem, etwas von dem, alles von dem

2. Was ist Kunst?
   A. Kunst ist das, was ein Künstler Kunst nennt
   B. Kunst ist das, was ein Kritiker Kunst nennt
   C. Kunst ist das, was ein Künstler macht
   D. Kunst ist das, was dem Künstler Geld einbringt
   E. Kunst ist nichts von dem, etwas von dem, alles von dem

3. Was ist Qualität in der Kunst?
   A. Qualität in der Kunst ist eine Fiktion des Künstlers
   B. Qualität in der Kunst ist eine Fiktion des Kritikers
   C. Qualität in der Kunst sind die Kosten, Kunst zu machen
   D. Qualität in der Kunst ist der Verkaufspreis von Kunst
   E. Qualität in der Kunst ist nichts von dem, etwas von dem, alles von dem

4. Was für eine Beziehung besteht zwischen Politik und Kunst?
   A. Kunst ist eine politische Waffe
   B. Kunst hat nichts mit Politik zu tun
   C. Kunst dient dem Imperialismus
   D. Kunst dient der Revolution
   E. Die Beziehung zwischen Politik und Kunst ist nichts von dem, etwas von dem, alles von dem

5. Warum mache ich weiter?
   A. Ich mache weiter, weil Kunst meine Lebensaufgabe ist
   B. Ich mache weiter, weil ich mit Kunst mein Geld verdiene
   C. Ich mache weiter, weil die Kunst stirbt, wenn ich aufhöre
   D. Ich mache weiter, weil die Kunst unverändert weitergeht, wenn ich aufhöre
   E. Ich mache weiter wegen nichts von dem, etwas von dem, all dem

Introduction

This editorial is not intended to serve as a thorough compendium of the activity within the field of conceptual art, if it was, it would possess lamentable shortcomings. Neither does it presume to represent conceptual artists in the U.S.A., nor many of those in Britain. There are three contributions from American artists in this issue; it is hoped that contributions from American artists will be maintained and increased and it is also an aim of this magazine to furnish a comprehensive report of conceptual art in the U.S.A. in one of the future issues this year. The essay below is specifically directed toward indicating the development of a number of artists in Britain who have worked in this field for the past two years. The formation of this magazine is part of that development and the work discussed in this essay is the work of the founders of this magazine. The essay will point out some differences in an indirect way, between American and British conceptual art, but it should not be seen to indicate a clear and definite boundary between them; there are British artists working in this field who show more affinity with American conceptual art than with what is, here, called British conceptual art. The editor-founders of this magazine have, for example, maintained close contact over the past year and a half with Sol LeWitt and Dan Graham. Their position is not at all seen by them to be one of isolation.

Suppose the following hypothesis is advanced: that this editorial, in itself an attempt to evince some outlines as to what 'conceptual art' is, is held out as a 'conceptual art' work. At first glance this seems to be a parallel case to many past situations within the determined limits of visual art, for example the first Cubist painting might be said to have attempted to evince some outlines as to what visual art is, whilst, obviously, being held out as a work of visual art. But the difference here is one of what shall be called 'the form of the work'. Initially what conceptual art seems to be doing is questioning the condition that seems to rigidly govern the form of visual art – that visual art remains visual.

During the past two years, a number of artists have developed projects and theses, the earliest of which were initially housed pretty solidly within the established constructs of visual art. Many of these projects etc. have evolved in such a manner that their relationship to visual art conventions has become increasingly tenuous. The later projects particularly are represented through objects, the visual form of which is

Art & Language

Einleitung

Dieser Leitartikel soll nicht als umfassendes Kompendium der Tätigkeiten auf dem Gebiet konzeptueller Kunst dienen; in dem Fall wiese er beklagenswerte Mängel auf. Er beansprucht weder, konzeptuelle Künstler in den USA noch viele von den britischen vorzustellen. Dieses Heft enthält drei Aufsätze amerikanischer Künstler; wir hoffen, daß Beiträge amerikanischer Künstler weiterhin und in größerer Zahl erscheinen, und es ist ebenso ein Ziel dieser Zeitschrift, in einem späteren Heft in diesem Jahr einen umfassenden Bericht über konzeptuelle Kunst in den USA vorzulegen. Der folgende Essay möchte vor allem die Entwicklung einer Anzahl britischer Künstler aufzeigen, die in den beiden letzten Jahren auf diesem Gebiet gearbeitet haben. Die Entstehung dieser Zeitschrift ist ein Bestandteil jener Entwicklung, und die in diesem Essay behandelten Arbeiten stammen von denen, die diese Zeitschrift gegründet haben. Der Essay wird indirekt auf einige Unterschiede zwischen amerikanischer und britischer konzeptueller Kunst hinweisen, aber man sollte ihn nicht so verstehen, als zeige er eine klare und eindeutige Grenze zwischen ihnen; es gibt auf diesem Gebiet tätige britische Künstler, die mehr Affinität zur amerikanischen konzeptuellen Kunst aufweisen als zu dem, was hier britische konzeptuelle Kunst genannt wird. Die Herausgeber und Gründer dieser Zeitschrift hielten beispielsweise in den letzten anderthalb Jahren engen Kontakt zu Sol LeWitt und Dan Graham. Sie verstehen ihre Position keinesfalls als eine der Isolation.

Angenommen, es werde die folgende Hypothese vorgebracht: Dieser Leitartikel – an sich ein Versuch, einen Umriß dessen sichtbar zu machen, was ›konzeptuelle Kunst‹ ist – werde als ein Werk ›konzeptueller Kunst‹ ausgegeben. Auf den ersten Blick erscheint dies als eine Parallele zu vielen früheren Situationen in den festgelegten Grenzen bildender Kunst. So könnte man zum Beispiel sagen, das erste kubistische Gemälde habe versucht, einen Umriß dessen sichtbar zu machen, was bildende Kunst ist, während es offensichtlich als ein Werk bildender Kunst ausgegeben wurde. Doch der Unterschied liegt hier in dem, was wir ›die Form des Werkes‹ nennen wollen. In erster Instanz scheint es der konzeptuellen Kunst darum zu gehen, die Forderung in Frage zu stellen, die offenbar die Form bildender Kunst so unnachgiebig beherrscht: daß bildende Kunst visuell bleibe.

In den vergangenen zwei Jahren haben etliche Künstler Projekte und Modelle entwickelt, die anfänglich noch fest innerhalb der etablierten Bauformen bildender Kunst

governed by the form of the conventional signs of written language (in this case English). The content of the artist's idea is expressed through the semantic qualities of the written language. As such, many people would judge that this tendency is better described by the category-name 'art-theory' or 'art criticism'; there can be little doubt that works of 'conceptual art' can be seen to include both the periphery of art criticism and of art theory, and this tendency may well be amplified. With regard to this particular point, criteria bearing upon the chronology of art theory may have to be more severely and stringently accounted for, particularly in terms of evolutionary analogies. For example the question is not simply: 'Are works of art theory part of the kit of the conceptual artist, and as such can such a work, when advanced by a conceptual artist come up for the count as a work of conceptual art?' But also: 'Are past works of art-theory now to be counted as works of conceptual art?' What has to be considered here is the intention of the conceptual artist. It is very doubtful whether an art theoretician could have advanced one of his works as a work of 'conceptual art' (say) in 1964, as the first rudiments of at least an embryonic awareness of the notion of 'conceptual art' were not evident until 1966. The intention of the 'conceptual artist' has been separated off from that of the art theoretician because of their previously different relationships and standpoints toward art, that is, the nature of their involvement in it.

If the question is formed the other way round, that is, not as 'Does art-theory come up for the count as a possible sector of »conceptual art«?' but as, 'Does »conceptual art« come up for the count as a possible sector of art-theory?' then a rather vaguely defined category is being advanced as a possible member of a more established one. Perhaps some qualification can be made for such an assertion. The development of some work by certain artists both in Britain and the U.S.A. does not, if their intentions are to be taken into account, simply mean a matter of a transfer of function from that of artist to that of art theoretician, it has necessarily involved the intention of the artist to count various theoretical constructs as art works. This has contingently meant, either (1) If they are to be 'left alone' as separate, then re-defining carefully the definitions of both art and art theory, in order to assign more clearly what kind of entity belongs to which category. If this is taken up it usually means that the definition of art is expanded, and art theoreticians then discuss the consequences and possibilities of the new definitions, the traditional format of the art theoretician discussing what the artist has implied, entailed etc., by his 'creative act'. Or (2) To allow the peripheral area between the two categories some latitude of interpretation and consequently account the category 'art theory' a category which the category 'art' might expand to include. The category 'maker of visual art' has been traditionally regarded as solely the domain of the visual-art object producer (i.e. the visual-art artist). There has been a hierarchy of languages headed by the 'direct read-out from the object' language which has served as the creative core, and then various support languages acting as explicative and elucidatory tools to the central creative core. The initial language has been what is

angesiedelt waren. Viele dieser Projekte etc. haben sich derart fortentwickelt, daß ihre Beziehungen zu den Konventionen bildender Kunst zunehmend schwächer wurden. Die späteren Projekte vor allem werden durch Objekte repräsentiert, deren visuelle Form von den herkömmlichen Zeichen geschriebener Sprache (in diesem Fall der englischen) beherrscht wird. Der Inhalt des künstlerischen Gedankens wird durch die semantischen Eigenschaften der geschriebenen Sprache ausgedrückt. Bei dieser Sachlage dürften viele zu dem Urteil kommen, diese Tendenz werde besser durch die Kategorienbezeichnung ›Kunsttheorie‹ oder ›Kunstkritik‹ ausgedrückt; es kann kaum ein Zweifel daran bestehen, daß sich Arbeiten ›konzeptueller Kunst‹ so verstehen lassen, daß sie den Umkreis von Kunstkritik und Kunsttheorie miteinschließen, und diese Tendenz mag sich sehr wohl noch verstärken. In Anbetracht eben dieses Umstandes muß sorgsame und strenge Rechenschaft über Kriterien abgelegt werden, die die Chronologie der Kunsttheorie betreffen, zumal im Sinn evolutionärer Analogien. Zum Beispiel lautet die Frage nicht einfach nur: ›Gehören Arbeiten der Kunsttheorie zum Repertoire des konzeptuellen Künstlers und läßt sich demgemäß eine solche Arbeit, wenn sie von einem konzeptuellen Künstler vorgelegt wird, zu den Werken konzeptueller Kunst rechnen?‹, sondern auch: ›Sind frühere Arbeiten der Kunsttheorie nun unter die Werke konzeptueller Kunst zu rechnen?‹ Zu berücksichtigen ist hier die Absicht des konzeptuellen Künstlers. Es ist sehr zweifelhaft, ob ein Kunsttheoretiker etwa 1964 eine seiner Arbeiten als ein Werk ›konzeptueller Kunst‹ hätte vorlegen können, da die ersten Ansätze für ein bestenfalls embryonales Bewußtsein für den Begriff ›konzeptuelle Kunst‹ nicht vor 1966 zutage traten. Die Intention des ›konzeptuellen Künstlers‹ war von derjenigen des Kunsttheoretikers aufgrund der von vornherein anderen Einstellung zur Kunst verschieden, das heißt aufgrund der Natur ihrer inneren Beziehung.

Wird die Frage andersherum gestellt, also nicht: ›Kommt Kunsttheorie als möglicher Sektor »konzeptueller Kunst« in Betracht?‹, sondern: ›Kommt »konzeptuelle Kunst« als möglicher Sektor der Kunsttheorie in Betracht?‹, dann ist eine verhältnismäßig unscharf definierte Kategorie als möglicher Bestandteil einer besser bekannten eingeführt. Vielleicht läßt sich für eine derartige Behauptung eine gewisse Qualifizierung erreichen. Die Entwicklung in einigen Arbeiten bestimmter britischer und amerikanischer Künstler bedeutet, wenn man ihre Intentionen in Betracht zieht, nicht einfach die Verlagerung der Funktion vom Künstler auf den Kunsttheoretiker, sie beinhaltet vielmehr unumgänglich die Absicht des Künstlers, etliche theoretische Konstrukte unter die Kunstwerke zu rechnen. Dies kann, je nachdem, zweierlei bedeuten. 1): will man sie ›für sich allein‹, als getrennte Bereiche lassen, müßte man die Definitionen sowohl von Kunst als auch von Kunsttheorie sorgfältig neu bestimmen, damit sich klarer feststellen läßt, was zu welcher Kategorie gehört. Wird das gemacht, bedeutet es normalerweise, daß die Definition von Kunst erweitert wird. Und dann diskutieren Kunsttheoretiker die Konsequenzen und Möglichkeiten der neuen Definitionen nach dem traditionellen Vorgehen von Kunsttheoretikern: zu erörtern, was der Künstler durch seinen ›schöpferischen Akt‹ impliziert, was er in Gang gesetzt hat, etc. Oder 2): Man räumt dem Grenz-

called 'visual', the support languages have taken on what shall be called here 'conventional written sign' language-form. What is surprising is that although the central core has been seen to be an ever evolving language no account up to the present seems to have taken up the possibility of this central core evolving to include and assimilate one or other or all of the support languages. It is through the nature of the evolution of the works of 'conceptual art' that the implicated artists have been obliged to take account of this possibility. Hence these artists do not see appropriateness of the label 'art theoretician' necessarily eliminating the appropriateness of the label 'artist'. Inside the framework of 'conceptual art' the making of art and the making of a certain kind of art theory are often the same procedure.

With a context such as this the initial question can be posed with a view to a more specific enquiry. The question: 'Can this editorial, in itself an attempt to evince some outlines as to what »conceptual art« is, come up for the count as a work of conceptual art?' Firstly, the established notions of what the presentation of art and the procedures of art-making entail have to be surveyed. The question 'Can this editorial come up for the count as a work of art within a developed framework of the visual art convention?' can only be answered providing some thorough account is given of what is meant by 'developed' here. At the present we do not, as a norm, expect to find works of visual art in magazines, we expect critical, historical, etc. comment upon them, photographic reproductions etc. The structures of the identity of art-objects have consecutively been placed under stress by each new movement in art, and the succession of new movements has become more rapid this century. In view of this phenomena perhaps the above question can be altered to: 'Can this editorial come up for the count as a member of the extended class »visual art work«?' Here 'extended' replaces 'developed' and can, perhaps, be made to point out the problem as follows:

Suppose an artist exhibits an essay in an art exhibition (like a print might be exhibited). The pages are simply laid out flat in reading order behind glass within a frame. The spectator is intended to read the essay 'straight', like a notice might be read, but because the essay is mounted in an art ambience it is implied that the object (paper with print upon it) carries conventional visual art content. The spectator being puzzled at not really being able to grasp any direct visual art read-out meaning starts to read it (as a notice might be read). It goes as follows:

'On why this is an essay'

The appearance of this essay is unimportant in any strong sense of visual-art appearance criteria. The prime requirement in regard of this essay's appearance is that it is reasonably legible. Any decisions apart from this have been taken with a view to what it should not look like as a point of emphasis over what it should look like. These

bereich zwischen den beiden Kategorien einen gewissen Interpretationsspielraum ein und versteht infolgedessen die Kategorie ›Kunsttheorie‹ als eine Kategorie, die von einer erweiterten Kategorie ›Kunst‹ mit umfaßt sein könnte. Die Kategorie ›Hersteller bildender Kunst‹ galt traditionell ausschließlich als Domäne des Produzenten von sichtbaren Kunstobjekten (also Künstlern der bildenden Kunst). Es gab eine Hierarchie von Sprachen, angeführt von der ›unmittelbaren Äußerung durch das Objekt‹, die als schöpferischer Kern diente, und dazu verschiedene Hilfssprachen, die als erklärende und erhellende Werkzeuge im Hinblick auf den zentralen schöpferischen Kern dienten. Die primäre Sprache war das, was man ›visuell‹ nennt, die Hilfssprachen haben das übernommen, was hier Sprachform ›herkömmlicher geschriebener Zeichen‹ heißen soll. Überraschend dabei ist, daß man zwar den zentralen Kern als eine sich fortwährend entwickelnde Sprache verstand, daß aber bis zur Gegenwart niemals in Betracht gezogen wurde, dieser zentrale Kern könne sich so entwickeln, daß er diese oder jene oder alle Hilfssprachen mit umfaßte und assimilierte. Eben durch die Art und Weise, wie sich die Arbeiten ›konzeptueller Kunst‹ entwickelten, fühlten sich die betreffenden Künstler verpflichtet, diese Möglichkeit in Betracht zu ziehen. Daher sehen diese Künstler nicht ein, warum die Angemessenheit des Etiketts ›Kunsttheoretiker‹ notwendig die des Etiketts ›Künstler‹ ausschließen sollte. Innerhalb des Rahmens ›konzeptuelle Kunst‹ sind die Anfertigung von Kunst und die Anfertigung einer bestimmten Art von Kunsttheorie häufig ein und derselbe Vorgang.

Bei einem derartigen Zusammenhang läßt sich die anfängliche Frage im Hinblick auf eine spezifischere Fragestellung aufwerfen; die Frage: »Kann dieser Leitartikel – an sich ein Versuch, einen Umriß dessen sichtbar zu machen, was ›konzeptuelle Kunst‹ ist – als ein Werk konzeptueller Kunst gelten?« Zunächst einmal sind die etablierten Vorstellungen von dem zu prüfen, was die Präsentation von Kunst und die Verfahren der Kunstherstellung mit sich bringen. Die Frage: ›Kann dieser Leitartikel in einem entwickelten Rahmen der Kunstkonvention als Kunstwerk gelten?‹ läßt sich nur unter der Voraussetzung beantworten, daß man eine gründliche Darstellung dessen liefert, was hier unter ›entwickelt‹ zu verstehen ist. Im Augenblick erwarten wir normalerweise nicht, Arbeiten bildender Kunst in Zeitschriften zu finden; wir erwarten vielmehr kritische, historische und andere Kommentare darüber, fotografische Reproduktionen und dergleichen. Die Identitätsstrukturen von Kunstobjekten werden ständig durch jede neue Kunstbewegung einer Belastung ausgesetzt, und die Aufeinanderfolge neuer Bewegungen in unserem Jahrhundert hat sich beschleunigt. Angesichts dieses Phänomens läßt sich die obige Frage vielleicht folgendermaßen modifizieren: »Kann dieser Leitartikel als Bestandteil der erweiterten Klasse ›Werke bildender Kunst‹ gelten?« Hier steht ›erweitert‹ statt ›entwickelt‹, und das kann vielleicht dazu dienen, das Problem folgendermaßen zu fassen:

Angenommen, ein Künstler stelle in einer Kunstausstellung einen Essay aus (wie sich ein Druck ausstellen ließe). Die Seiten seien einfach flach in Leseanordnung unter Glas in einem Rahmen ausgelegt. Vom Beschauer werde erwartet, er lese den Essay ›einfach-

secondary decisions are aimed at eliminating as many appearance similarities to established art-objects as possible.

Thus if the essay is to be evaluated in terms of the content expressed in the writing (WHICH IT IS), then in an obvious established sense many people would say that if it has a connection with art at all, that it fits better into the category 'art-criticism' or 'art theory'. Such a statement at least admits the observation that when an artist uses '(a piece of) writing' in this context then he is not using such an object in the way that art audiences are accustomed to it being used. But further it admits of a rather more bigoted view, that is this essay belongs more to art criticism or art theory because it is formed of writing and in this sense it looks more like art criticism or art theory than it looks like art; that is, that this object (a piece of writing) does not have sufficient appearance criteria to be identified as a member of the class 'art object' – it does not look like art. This observation has a strong assumption behind it that the making of a traditional art object (i.e. one to be judged within the visual evaluative framework) is a necessary condition for the making of art. Suppose there are some areas (say) pertaining to art at present which are of such a nature that they need not, maybe cannot, any longer meet the requirements which have previously been required as a necessary mode of an object coming up for the count as a member of the class 'art work'. This necessary mode is formulated as follows, (say) the recognition of art in the object is through some aspect(s) of the visual qualities of the object as they are directly perceived.

The question of 'recognition' is a crucial one here. There has been a constantly developing series of methods throughout the evolution of the art whereby the artist has attempted to construct various devices to ensure that his intention to count the object as an art object is recognised. This has not always been 'given' within the object itself. The more recently established ones have not necessarily, and justifiably so, meant the obsolescence of the older methods. A brief account of this series may help to illuminate matters further.

(1) To construct an object possessing all the morphological characteristics already established as necessary to an object in order that it can count as an art work. This would of course assume that such established categories (e.g. painting, sculpture) had already evolved through a period in which the relevant rules and axioms had initially to be developed.

(2) To add new morphological characteristics to the older established ones within the framework of one object e.g. as with the advent of the technique of collage, where certain of the morphological characteristics of the object could be recognised as the type criterion for assigning the objects of the category 'painting' and other (newer) ones grafted onto them could not be so easily placed (e.g. in the introduction of Cubist

hin‹, wie man eine Zeitungsmeldung liest, doch weil der Essay in einem Kunstambiente angebracht ist, wird impliziert, daß das Objekt (Papier mit Gedrucktem darauf) einen konventionellen Inhalt bildender Kunst vermittelt. Der Betrachter, verwirrt darüber, daß er nicht wirklich imstande ist, eine unmittelbar ablesbare Bedeutung im Sinn bildender Kunst zu erfassen, fängt an zu lesen (wie man eine Zeitungsnotiz liest). Das geht folgendermaßen vor sich: ›Warum dies ein Essay ist‹.

Die Erscheinungsform dieses Essays ist in jeglichem strengen Sinn von Kriterien für die Erscheinungsform bildender Kunst unwichtig. Die grundlegende Forderung im Hinblick auf die Erscheinungsform dieses Essays ist die, leicht lesbar zu sein. Alle Entscheidungen darüber hinaus wurden in Hinsicht darauf getroffen, wie er nicht aussehen sollte – was bedeutsamer ist als das, wie er aussehen sollte. Diese sekundären Entscheidungen zielen darauf ab, möglichst viele Ähnlichkeiten in der Erscheinungsform mit etablierten Kunstobjekten auszuschalten.

Ist der Essay also nach dem im Geschriebenen ausgedrückten Inhalt zu bewerten (WAS ER IST), dürften viele Leute von einer offensichtlich etablierten Warte aus sagen, falls er überhaupt in Zusammenhang mit Kunst stehe, passe er besser in die Kategorie ›Kunstkritik‹ oder ›Kunsttheorie‹. Eine derartige Feststellung gestattet aber zumindest die Beobachtung, daß ein Künstler, wenn er ›(ein Stück) Geschriebenes‹ in diesem Kontext verwendet, ein derartiges Objekt nicht so verwendet, wie das Kunstpublikum es gewöhnt ist. Doch darüber hinaus gestattet sie eine noch engstirnigere Auffassung: dieser Essay gehöre nämlich mehr zur Kunstkritik oder zur Kunsttheorie, weil er aus Geschriebenem gebildet sei und in diesem Sinn eher nach Kunstkritik oder Kunsttheorie aussähe als nach Kunst; dieses Objekt (ein Stück Geschriebenes) weise nicht genügend Kriterien in der Erscheinungsform auf, um als Angehöriger der Klasse ›Kunstobjekt‹ identifiziert zu werden: es sähe nicht nach Kunst aus. Hinter dieser Beobachtung steht die entschiedene Annahme, daß die Anfertigung eines traditionellen Kunstobjekts (also eines, das sich innerhalb des visuellen Bewertungsrahmens beurteilen läßt) eine notwendige Voraussetzung für die Anfertigung von Kunst sei. Angenommen, es gäbe gegenwärtig einige der Kunst zugehörige Bereiche, die so beschaffen sind, daß sie nicht mehr die Erfordernisse erfüllen müssen, vielleicht nicht erfüllen können, die vordem als notwendiger Modus eines Objekts unerläßlich waren, das als Angehöriger der Klasse ›Kunstwerk‹ gelten sollte. Dieser notwendige Modus sei etwa folgendermaßen formuliert: die Wahrnehmung von Kunst in dem Objekt geschieht vermittels gewisser Aspekte in den visuellen Eigenschaften des Objekts, wie man sie unmittelbar aufnimmt.

Entscheidend ist hier die Frage der ›Wahrnehmung‹. Es gab und gibt in der ganzen Entwicklung der Kunst eine sich ständig entwickelnde Abfolge von Methoden, mit denen der Künstler versuchte, verschiedene Mittel zu schaffen, die sicherstellen sollten, daß seine Absicht, ein Objekt unter die Kunstobjekte zu rechnen, auch anerkannt wird. Dies war nicht immer innerhalb des Objekts selber ›gegeben‹. Die in jüngerer Zeit etablierten Methoden bedeuteten nicht unbedingt – und dies zu Recht – das Veraltetsein

collages and the collages made by Schwitters). This now historical controversy should be carefully distinguished, and such a distinction is relevant here, from that main controversy concerning Cubist paintings. Cubist paintings were paintings by definition, that is, they are constructed by adhering paint to a surface (two-dimensional by definition) and as such fulfilled the requirements of entry to the category 'painting'. The controversy concerning Cubist paintings was not primarily about whether or not they were (physically) paintings, but rather whether or not their form (in paint) was viable, Cubist collages were questioned on both levels.

(3) To place an object in a context where the attention of any spectator will be conditioned toward the expectancy of recognising art objects. For example placing what up to then had been an object of alien visual characteristics to those expected within the framework of an art ambience, or by virtue of the artist declaring the object to be an art object whether or not it was within an art ambience. Using these techniques what appeared to be entirely new morphologies were held out to qualify for the status of members of the class 'art object'. For example Duchamp's 'Readymades' and Rauschenberg's 'Portrait of Iris Clert'. There is some considerable overlap here with the type of object mentioned in No. (2), but here the prime question seems to emphasise even more whether or not they count as art objects and less and less whether or not they are good or bad (art objects). David Bainbridge's 'Crane' which shifted status according to his 'sliding scale' intentions as to where it was placed at different times, threw up an apparently even thicker blanket of questions regarding the morphology of art objects. In contrast to Duchamp's 'Readymades', which took on art object status according to Duchamp's act of (say) purchase (e.g. 'Bottle Rack') entailing an asymmetrical transfer or rather superimposition of the identity 'art object' onto that of 'bottle rack', Bainbridge's 'Crane' sometimes is a member of the class 'art object and crane' and sometimes simply is only a member of the class 'crane'. Its qualification as a member of the class 'art object' is not conceived as being reliant upon the object's morphological characteristics but on Bainbridge's and Atkinson's list of intentions acknowledging two kinds of ambience, art and not-an-art ambience. Here the identity (art object or crane) is symmetrical. Some other aspects concerning 'Crane' will be discussed further on.

(4) The concept of using 'declaration' as a technique for making art was used by Terry Atkinson and Michael Baldwin for purposes of the 'Air-Conditioning Show' and 'Air Show' which were formulated in 1967. For example the basic tenet of the 'Air Show' was a series of assertions concerning a theoretical usage of a column of air comprising a base of one square mile and of unspecified distance in the vertical dimension. No particular square mile of the earth's surface was specified. The concept did not entail any such particularized location. A quote from some of the preliminary notes from the 'Air Show' will perhaps serve to elucidate the concept further:

der älteren Methoden. Ein knapper Überblick über diese Abfolge kann helfen, die Angelegenheit weiter zu erhellen.

1) Man fertigt ein Objekt an, das sämtliche morphologischen Merkmale besitzt, die bereits als notwendig feststehen, damit ein Objekt als Kunstwerk gilt. Das würde natürlich voraussetzen, daß derartige etablierte Kategorien (beispielsweise Malerei, Skulptur) bereits im Lauf einer Periode entstanden sind, in der die relevanten Regeln und Axiome erst entwickelt werden mußten.

2) Man fügt den älteren, etablierten neue morphologische Merkmale im Rahmen eines einzelnen Objekts hinzu, beispielsweise beim Aufkommen der Collagetechnik, bei der sich bestimmte morphologische Merkmale des Objekts als Typuskriterium für die Zuschreibung in die Kategorie ›Malerei‹ feststellen ließen, während andere (neuere), die ihnen aufgepfropft waren, sich nicht so leicht unterbringen ließen (z. B. bei der Einführung kubistischer Collagen und den von Schwitters angefertigten). Diese nun schon historische Kontroverse sollte man sorgfältig – und diese Unterscheidung ist hier sehr wichtig – von der Hauptkontroverse um kubistische Malerei unterscheiden. Kubistische Bilder waren per definitionem Bilder, das heißt, sie wurden durch den Auftrag von Farbe auf eine (per definitionem zweidimensionale) Fläche angefertigt, und dergestalt erfüllten sie die Vorbedingungen für den Eintrag in die Kategorie ›Malerei‹. Die Kontroverse um kubistische Gemälde ging in erster Linie nicht darum, ob sie (materiell) Gemälde seien oder nicht, sondern eher darum, ob ihre Form (in der Farbe) lebensfähig sei; kubistische Collagen hingegen wurden auf beiden Ebenen in Frage gestellt.

3) Man stellt ein Objekt in einen Kontext, in dem die Aufmerksamkeit des Betrachters auf die Erwartung eingestellt ist, Kunstobjekte wahrzunehmen: wenn man beispielsweise etwas, das bis dahin ein Objekt mit fremdartigen visuellen Merkmalen war, mit solchen Objekten zusammenbringt, die man im Rahmen eines Kunstambiente erwartet, oder dadurch, daß der Künstler das Objekt zum Kunstobjekt erklärt, ob es sich nun in einem Kunstambiente befindet oder nicht. Bei Verwendung dieser Techniken wurde das, was als völlig neue Morphologie erschien, hergenommen, um den Status von Angehörigen der Klasse ›Kunstobjekt‹ zu bestimmen. Beispiele dafür sind Duchamps ›Ready-mades‹ und Rauschenbergs ›Porträt of Iris Clert‹. Hier liegt eine beträchtliche Überschneidung mit dem unter Punkt 2) erwähnten Objekttypus vor, aber hier scheint die grundsätzliche Frage noch mehr Gewicht darauf zu legen, ob es sich um Kunstobjekte handelt oder nicht, und immer weniger darauf, ob die Objekte (als Kunstobjekte) gut oder schlecht sind. David Bainbridges Arbeit ›Crane‹, die ihren Status entsprechend seinen Intentionen einer ›gleitenden Skala‹ danach verschob, wo sie jeweils untergebracht war, warf eine offensichtlich noch undurchdringlichere Schicht von Fragen zur Morphologie von Kunstobjekten auf. Im Gegensatz zu Duchamps ›Ready-mades‹, die den Status von Kunstobjekten etwa dadurch annahmen, daß Duchamp sie kaufte (beispielsweise den ›Flaschentrockner‹), wodurch es zu einer assymetrischen Übertragung der Identität ›Kunstobjekt‹ auf jene des ›Flaschentrockners‹ oder eigentlich zu einer Überlagerung kam, ist Bainbridges ›Crane‹ manchmal ein Angehöriger der

»A persistent objection that there has so far been no indication that the 'Air Shows' etc. are any more than fictional entities (in-so-far as it doesn't seem to matter if that is what they are), whereas paintings, sculptures, etc. are real things–concrete entities, offering actual concrete experiences, can be answered only by the evincing of possible instrumental 'tests' etc. (observations): when an assertion is made to the effect that a sculpture, say, is made of 'real' gold etc. there is an implication that it is not made of an imitation, or that it is not defective in some way. Something like that can be said of the 'Air Show'–but not about the situation (i.e. the described state of affairs)–it is said of the concept: the question as to whether or not one can say that something is 'real' here, is not one that comes up naturally, the circumstances in which such a question might arise might be those in which one is looking for concept defects (being fictional).

The objector is just asserting that these 'things' don't occur in a series of persual (perceptual) situations.«

No. (4) differs from Nos. (1), (2) and (3) in the following way. The first three methods use a concrete existential object, the latter simply a theoretical one. This factor of 'use' is important here. The existential object upon which the 'content' of No. (4) is formulated (i.e. paper with print upon it) is not the art object, the art object is not an object which can be directly perceived, the 'object' component is merely specified. Once having established writing as a method of specifying points in an enquiry of this kind, there seems no reason to assume that enquiries pertaining to the art area should necessarily have to use theoretical objects simply because art in the past has required the presence of a concrete object before art can be thought of as 'taking place'; having gained the use of such a wide-ranging instrument as 'straight' writing, then objects, concrete and theoretical, are only two types of entity which can count, a whole range of other types of entities become candidates for art usage. Some of the British artists involved in this area have constructed a number of hypotheses using entities which might be regarded as alien to art. Most of these enquiries do not exhibit the framework of the established art-to-object relationship and (if you like) they are not categorically asserted as members of the class 'art object', nor for that matter is there a categorical assertion that they are art ('work'); but such a lack of absolute assertion does not prohibit them from being tentatively asserted as having some important interpellations for the art area.

This concept of presenting an essay in an art gallery, the essay being concerned with itself in relation to it being in an art gallery, helps fix its meaning. When it is used as it is in this editorial, then the art gallery component has to be specified. The art gallery component in the first essay is a concrete entity, the art gallery component in the second case (here) is a theoretical component, the concrete component is the words 'in an art

Klasse ›Kunstobjekt und Kran‹ und manchmal einfach ein Angehöriger der Klasse ›Kran‹. Seine Qualifizierung als Angehöriger der Klasse ›Kunstobjekt‹ ist nicht so gedacht, daß sie von den morphologischen Eigenschaften des Objekts abhängig wäre, sondern von Bainbridges und Atkinsons Intentionenliste, die zwei Ambientearten gelten läßt: Kunst- und Nicht-Kunst-Ambiente. Hier ist die Identität (Kunstobjekt oder Kran) symmetrisch. Andere Aspekte im Zusammenhang mit ›Crane‹ werden später erörtert.

4) Das Konzept, die ›Deklaration‹ als Technik zur Herstellung von Kunst zu verwenden, benützten Terry Atkinson und Michael Baldwin in der ›Air-conditioning Show‹ und der ›Air Show‹, die 1967 formuliert wurden. Der Grundzug der ›Air Show‹ beispielsweise war eine Reihe von Aussagen über eine theoretische Verwendung einer Luftsäule über einer Basis von einer Quadratmeile und mit nicht festgelegter Ausdehnung in der Vertikalen. Eine bestimmte Quadratmeile der Erdoberfläche war nicht festgelegt. Das Konzept zog keine derartig spezifizierte Ortsbestimmung nach sich. Ein Zitat aus den einführenden Bemerkungen der ›Air Show‹ hilft vielleicht mit, das Konzept weiter zu erhellen:

»Der hartnäckige Einwand, bislang habe es kein Anzeichen dafür gegeben, daß die ›Air Show‹ und dergleichen mehr als fiktive Entitäten seien (insofern als es gleichgültig zu sein scheint, falls sie eben fiktiv sind), während Gemälde, Skulpturen etc. wirkliche Dinge sind – konkrete Entitäten, die wirklich konkrete Erfahrungen ermöglichen –, läßt sich nur durch das Aufzeigen möglicher instrumentaler ›Tests‹ etc. (Beobachtungen) beantworten: Wird eine Feststellung dahingehend getroffen, daß eine Skulptur etwa aus ›wirklichem‹ Gold gemacht sei etc., ist damit zugleich impliziert, daß sie nicht aus einer Imitation gemacht oder nicht irgendwie mangelhaft ist. Etwas Derartiges läßt sich auch von der ›Air Show‹ sagen – aber nicht von der Situation (also von dem beschriebenen Sachverhalt) – sondern vom Konzept: die Frage, ob man sagen oder nicht sagen kann, etwas sei ›wirklich‹ vorhanden, ist keine, die sich selbstverständlich stellt; die Umstände, unter denen eine solche Frage auftauchen könnte, dürften jene sein, in denen man nach Mängeln im Konzept (nach Fiktivität) sucht.

Wer den Einwand vorbringt, stellt einfach fest, daß diese ›Dinge‹ nicht in einer Klasse von Ablese-(Wahrnehmungs-)Situationen auftreten.«

Der Punkt 4) unterscheidet sich von den Punkten 1), 2) und 3) folgendermaßen: Die drei ersten Methoden verwenden ein konkretes existierendes Objekt, die letzte einfach ein theoretisches. Dieser Faktor des ›Verwendens‹ ist hier wichtig. Das existierende Ding, auf das hin der ›Inhalt‹ von Punkt 4) formuliert ist (also das Papier mit Gedrucktem darauf), ist nicht das Kunstobjekt, das Kunstobjekt ist kein unmittelbar wahrnehmbares Objekt, die ›Objekt‹-Komponente wird lediglich angegeben. Hat man einmal das Schreiben als Methode eingeführt, in einer derartigen Untersuchung charakteristische Eigenschaften anzugeben, liegt trotzdem kein Grund für die Annahme vor, daß Untersuchungen, die sich auf den Kunstbereich erstrecken einfach deshalb notwendigerweise theoretische Objekte zu verwenden hätten, weil Kunst in der Ver-

gallery'. List (1), (2), (3) and (4) above might be followed by (5), the essay in the gallery, and (6) the essay possessing the paragraph specifying the theoretical art gallery; it is more likely that the nuances of (5) and (6) could be included in an expanded version of (4).

The British 'conceptual artists' are still attempting to go into this notion of the meta-stratas of art-language. Duchamp wrote early in the century that he 'wanted to put painting back into the service of the mind'. There are two things to be especially taken into account here, 'painting' and 'the mind'. Leaving aside here ontological questions concerning 'the mind', what the British artists have, rightly or wrongly, analysed out and constructed might be summarised in words something like: 'There is no question of putting painting, sculpture, *et al*, back in the service of the mind (because as painting and sculpture it has only served the mind within the limits of the language of painting and sculpture and the mind cannot do anything about the limits of painting and sculpture after a certain physical point, simply because those are the limits of painting and sculpture). Painting and sculpture have physical limits and the limit of what can be said in them is finally decided by precisely those physical limits'. Painting and sculpture, *et al*, have never been out of the service of the mind, but they can only serve the mind to the limits of what they are. The British conceptual artists found at a certain point that the nature of their involvements exceeded the language limits of the concrete object, soon after they found the same thing with regard to theoretical objects, both put precise limits on what kind of concepts can be used. There has never been any question of these latter projects coming for the count as members of the class 'painting' or the class 'sculpture', or the class 'art object' which envelops the classes 'painting' and 'sculpture'. There is some question of these latter projects coming up for the count as members of the class 'art work'.

A little has to be said of Duchamp's work here for other reasons besides those already stated. It has been maintained by some commentators upon early American and British conceptual work that Duchamp's influence is all-pervasive and his aesthetics are totally absorbed and accepted by the younger generation of artists today. If this is meant to mean that Duchamp is treated uncritically as a kind of 'gospel' then it is certain that at least the British group will disagree with this assessment. Two early projects by the British artists can serve as examples here to point out the extent of the analysis that these artists engaged in looking at Duchamp's ideas; some more remarks on Bainbridge's 'Crane' and Terry Atkinson's and Michael Baldwin's 'Declaration Series'.

'Crane' is a comparatively early work (1966), and what has been written already will be of some importance here. Bainbridge and Atkinson had discussed the theoretical possibilities of what they called a 'Made-made' whilst Bainbridge had been building the 'Crane', in the summer of 1966, in response to a commission from Camden Borough

gangenheit das Vorhandensein eines konkreten Objekts voraussetzte, damit sie sich als ›stattfindend‹ denken ließ; hat man sich die Verwendung eines derart weitreichenden Instruments wie des einfachen, ›nackten‹ Schreibens zu eigen gemacht, dann sind Objekte, konkrete wie theoretische, einfach nur zwei Arten von Entität, die beide in Betracht kommen können, und ein ganzes Spektrum anderer Entitätsarten wird zu Anwärtern für Verwendung in Kunst. Einige der auf diesem Gebiet tätigen britischen Künstler haben eine Anzahl von Hypothesen unter Verwendung von Entitäten, die man als kunstfremd ansehen könnte, aufgestellt. Die meisten dieser Untersuchungen weisen nicht den Rahmen der etablierten Kunst-Objekt-Beziehung auf und werden (wenn man so will) nicht kategorisch als Angehörige der Klasse ›Kunstobjekt‹ ausgegeben; was das anlangt, gibt es auch keine kategorische Behauptung, sie seien Kunst (›Werk‹); doch ein solches Fehlen einer absoluten Behauptung hindert nicht daran, versuchsweise zu behaupten, sie hätten wichtige Fragen an den Kunstbereich.

Dieses Konzept, einen Essay in einer Kunstgalerie zu zeigen, wobei sich der Essay mit sich selber im Hinblick auf sein Vorhandensein in einer Kunstgalerie befaßt, hilft mit, seine Bedeutung zu fixieren. Wird er so verwendet wie in diesem Leitartikel, muß die Komponente Kunstgalerie näher bestimmt werden. Sie ist im ersten Essay eine konkrete Entität, im zweiten Fall (hier) eine theoretische Komponente, die konkrete Komponente besteht in den Worten ›in einer Kunstgalerie‹. Der obigen Aufzählung von 1), 2), 3) und 4) könnten sich anschließen Punkt 5), der Essay in der Galerie, und Punkt 6), der Essay mit einem Absatz über die theoretische Kunstgalerie; wahrscheinlicher ist, daß sich die Nuancen von 5) und 6) in eine erweiterte Fassung von 4) einbeziehen ließen.

Die britischen ›konzeptuellen Künstler‹ versuchen noch immer, zu diesem Begriff der Metaschichten in der Kunstsprache vorzudringen. Duchamp schrieb schon früh in diesem Jahrhundert, er wolle »die Malerei in den Dienst des Geistes zurückführen«. Hier sind vor allem zwei Dinge in Betracht zu ziehen: ›Malerei‹ und ›Geist‹. Ontologische Fragen über ›Geist‹ einmal dahingestellt, ließe sich, was die britischen Künstler, zu Recht oder zu Unrecht, herausanalysiert haben, etwa folgendermaßen zusammenfassen: ›Es geht nicht darum, Malerei, Skulptur und anderes in den Dienst des Geistes zurückzuführen (weil sie als Malerei und Skulptur dem Geist nur in den Grenzen der Sprache von Malerei und Skulptur gedient haben, und der Geist über einen bestimmten materiellen Punkt hinaus einfach deshalb nichts an den Grenzen von Malerei und Skulptur ändern kann, weil dies eben die Grenzen von Malerei und Skulptur sind). Malerei und Skulptur haben materielle Grenzen, und die Grenze dessen, was sich in ihnen sagen läßt, ist letzten Endes genau durch diese materiellen Grenzen bestimmt.‹ Malerei und Skulptur und anderes stehen nie außerhalb des Dienstes am Geist, aber sie können dem Geist nur in den Grenzen dessen dienen, was sie sind. Die britischen konzeptuellen Künstler fanden an einem bestimmten Punkt heraus, daß das Wesen ihrer Beziehung die Sprachgrenzen des konkreten Kunstobjekts überschritt und kurze Zeit später das gleiche im Hinblick auf theoretische Objekte: beide setzten präzise Grenzen dafür, welche Art

Council, North London, that he should design a functional crane to serve as a recreational 'plaything' in one of the council's play parks. When the 'Crane' was finally implemented in a park in November 1966, Bainbridge and Atkinson decided it was a fortuitious situation to apply the 'Made-made' concepts, and perhaps to develop them further. The 'Crane' can in some ways be seen to entail an opposite 'direction' to that entailed in (say) the 'Bottle Rack'; the 'Bottle Rack' manufactured in a non-art mass-production area and admitted into an art area by virtue of Duchamp's act of placement (within the art of ambience): the 'Crane' manufactured in a high art environment (St. Martins School of Art Sculpture Faculty) and dispatched 'out-into' the not-art environment. But the 'Bottle Rack' and the 'Crane' shared certain characteristics which was that the intention of the artists has to be precisely specified by the artist through schema external to the object itself. The Bainbridge-Atkinson system had to have an initial implied art object status for it to be followed by a declaration that the object was no longer an art object. This implied 'I am building an art object in order to declare it not an art object at some future instant' is somewhat moronic standing alone, but it does offer purchase for the construction of a theoretical system which has a logic of symmetrical identity. There seems no reason why the 'Crane' cannot theoretically be placed back in the Tate Gallery for a time. (Such a system might be applied to Duchamp's 'Bottle Rack' except Duchamp seems to have left no evidence of any intention to allow the 'Bottle Rack' such a transitive identity and one assumes that Duchamp's art will be measured according to the intentions of Duchamp—it may be a rash assumption in view of the fact that the job of many critics today seems to be that of deciding what the artist's intentions are with regard to the objects he makes and further many artists allow, encourage and rely upon like the critic to do this). This leads to another point. Both the 'Bottle Rack' and the 'Crane' are small and mobile enough to allow this placement-identity system to be feasibly attached to them; the 'Crane' with its shifting context had, as an inevitable by-product, brought up the question of an object's temporal characteristics (i.e. theoretically its membership of the class 'Crane and not art object' ended when its membership of the class 'Crane and art object' began—a series of phase sortals built up as the 'Crane' was theoretically converted and reconverted again and again).

The Atkinson-Baldwin 'Declaration Series' (March-April 1967) tendered the next series of assertions in the declaration device projects. The theoretically material mode of these assertions related in many ways to 'Crane'. Many of the details of the assertions were never more than conversation and this is probably the first attempt to record them systematically. As a starter a rather trite inventory will suffice. If a bottle rack could be asserted as a member of the class 'art object', and a crane can be asserted to be at one time a member of the class 'crane' and at another time a member of the class 'crane and art object' and then can be asserted to lose its 'art object' status (and so on), all these changes being dependent on changes of ambience perhaps a further development can be

von Konzepten sich verwenden lassen. Es stand nie zur Debatte, ob diese letztgenannten Projekte als Angehörige der Klassen ›Malerei‹ oder ›Skulptur‹ oder ›Kunstobjekt‹, die die Klassen ›Malerei‹ und ›Skulptur‹ mit einschließt, in Betracht kämen. Zu fragen ist, ob sie als Angehörige der Klasse ›Kunstwerk‹ in Betracht kommen.

Aus anderen Gründen als den bereits angeführten ist noch einiges über Duchamp zu sagen. Einige Kommentatoren des frühen amerikanischen und britischen konzeptuellen Arbeitens behaupten, Duchamps Einfluß durchziehe alles, und die jüngere heutige Künstlergeneration habe sich seine Ästhetik vollständig zu eigen gemacht. Wenn das heißen soll, Duchamp werde unkritisch als eine Art ›Evangelium‹ behandelt, dann ist sicher, daß zumindest die britische Gruppe im Widerspruch zu dieser Behauptung steht. Zwei frühe Projekte der britischen Künstler können hier als Beispiele für das Ausmaß der Analyse, mit der diese Künstler auf Duchamps Gedanken eingingen, dienen; daher noch einige Bemerkungen über Bainbridges ›Crane‹ und die ›Declaration Series‹ von Terry Atkinson und Michael Baldwin.

›Crane‹ ist eine verhältnismäßig frühe Arbeit (1966), und was darüber bereits geschrieben wurde, dürfte in diesem Zusammenhang einigermaßen wichtig sein. Bainbridge und Atkinson hatten die theoretischen Möglichkeiten dessen erörtert, was sie ein ›Made-made‹ nannten, während Bainbridge im Sommer 1966 gerade an ›Crane‹ arbeitete, und zwar in Ausführung eines Auftrags des Camden Borough Council in Nordlondon einen funktionellen Kran zu entwerfen, der als Erholungs-›Spielzeug‹ auf einem der dortigen Spielplätze dienen sollte. Als ›Crane‹ schließlich im November 1966 in einem Park ausgeführt war, entschieden Bainbridge und Atkinson, dies sei eine günstige Gelegenheit, die ›Made-made‹-Konzepte anzuwenden und sie vielleicht weiterzuentwickeln. In gewisser Hinsicht könnte man sagen, daß ›Crane‹ eine Richtung einschlug, die entgegengesetzt von der des ›Flaschentrockners‹ verlief; der ›Flaschentrockner‹ wurde in einem nicht-künstlerischen Bereich der Massenproduktion hergestellt und dank Duchamps Akt der Setzung (in die Kunst der Umgebung) in einen Kunstbereich eingelassen; ›Crane‹ wurde in einer höchst künstlerischen Umgebung angefertigt (St. Martins School of Art Sculpture Faculty) und ›hinaus‹ in die nicht-künstlerische Umgebung entlassen. Doch der ›Flaschentrockner‹ und ›Crane‹ haben gewisse Merkmale gemeinsam, nämlich daß bei beiden die Intention der Künstler durch Anmerkungen, die das Objekt als solches nicht unmittelbar betreffen, sorgfältig näher erklärt werden muß. Das Bainbridge-Atkinson-System mußte einen anfänglich implizierten Kunstobjekt-Status aufweisen, damit sich daran die Deklaration anschließen konnte, das Objekt sei ab jetzt kein Kunstobjekt mehr. Diese Implikation: ›Ich fertige ein Kunstobjekt an, um in einem späteren Augenblick zu erklären, es sei kein Kunstobjekt‹, ist, für sich genommen, etwas schwachsinnig, aber sie bietet die Möglichkeit für den Aufbau eines theoretischen Systems, das eine Logik symmetrischer Identität aufweist. Es gibt keinen Grund dafür, warum man ›Crane‹ theoretisch nicht zeitweilig in die Tate Gallery zurückbringen könnte. (Ein derartiges System ließe sich auf Duchamps ›Flaschentrockner‹ anwenden, wobei Duchamp freilich offenbar keinerlei Hinweis auf die

constructed through applying such an assertion of declaration to ambiences rather than objects. Hence if a bottle rack can be asserted as a member of the class 'art object' then why not the department store that the bottle rack was displayed in, and if the department store then why not the town in which the department store is situated, and if the town then why not the country ... and so on up to universe scale (and further if you like!). In order to set up a framework in which more detailed and specific assertions might be made, Atkinson and Baldwin decided to use 'Oxfordshire' in England as a theoretical basis. (Here theoretical use is not discernible from concrete use as one would not move Oxfordshire or in some way spatially change it internally as part of the schema.) Such an entity guaranteed sufficient contrast with the 'Bottle Rack' and the 'Crane'. Short of digging Oxfordshire out (and one would have to decide, either arbitrarily or otherwise, how deep it is) it is a comparatively fixed spatial entity. This eliminates any question of moving it into what is called an art ambience as a first obvious point of note. If then Oxfordshire is declared to be an art ambience, how are the objects within Oxfordshire to count? Do then Magdalen College, Christchurch Meadow, a Volkswagen in Banbury High Street, etc., etc. count as art objects? There seems no need to get hung up on answering such questions, the framework was set up in the main to supply a 'ready-made' art ambience in contrast to a 'ready-made' art object, such questions as the above ones merely serve to illustrate some possible implications. The framework is to be held out as one in which decisions concerning the 'whole' are not now decisions primarily concerned with the spatial characteristics of the situation but more explicitly with the temporal dimensions (i.e. the 'beginning' and the 'ending' [if there was to be an ending] of Oxfordshire being 'converted' into an art ambience). The question is not, 'What or where becomes an art ambience?' but more, 'When, what or where becomes an art ambience?' The 'Declaration Series' was closed up by Atkinson and Baldwin through the development of a framework investigating the notion of declaring a temporal entity to be an art entity—'The Monday Show'. Most of the conversation and writing concerning this idea soon reached a desultory level—it was unnecessary to attempt to provide an adequate analogy to a spatial entity, because it was quickly and clearly evident that there wasn't one. What has become clear to the artists since is that this work was a necessary form of development in pointing out the possibilities of a theoretical analysis as a method for (possibly) making art.

Something might now be said noting the relationship of the psychology of perception with regard to 'conceptual art'. It is today widely agreed that the psychology of perception is of some importance in the study of visual art. The practice of this study by art theoreticians, for example Ehrenzweig, Arnheim, etc., has at least clarified some questions within the context of visual 'visual art' which have enabled the conceptual artists to say these (such and such) projects have not such and such characteristics, in this way they have influenced what the formulative hypotheses of some of conceptual art is not about. Such concepts as whether art consecrates our ordinary modes of seeing

Absicht hinterlassen hat, dem ›Flaschentrockner‹ eine derartige Übergangsidentität einzuräumen, und man möchte doch annehmen, daß Duchamps Kunst an Duchamps Intentionen gemessen wird – eine möglicherweise voreilige Annahme angesichts der Tatsache, daß die Aufgabe vieler heutiger Kritiker darin zu bestehen scheint, über die Intentionen des Künstlers im Hinblick auf die von ihm angefertigten Objekte zu entscheiden, und überdies gestatten viele Künstler dem Kritiker eben das, ermutigen ihn dazu und verlassen sich darauf.) Das führt zu einem weiteren Punkt. Der ›Flaschentrockner‹ wie ›Crane‹ sind klein und beweglich genug, um die Anwendung dieses Systems von Aufstellung und Identität zu ermöglichen; ›Crane‹ mit seinem wechselnden Kontext hatte, als unvermeidliches Nebenprodukt, die Frage nach den zeitlichen Merkmalen eines Objekts ins Spiel gebracht (das heißt, seine Zugehörigkeit zur Klasse ›Kran und Nicht-Kunstobjekt‹ endete theoretisch mit dem Beginn der Zugehörigkeit zur Klasse ›Kran und Kunstobjekt‹ – eine Reihe von Phasengattungen bildete sich heraus, als ›Crane‹ theoretisch immer wieder von anderen Seiten her aufgerollt und neu reflektiert wurde.)

Atkinsons und Baldwins ›Declaration Series‹ (März/April 1967) lieferte die nächste Aussagenfolge für die Projekte, die mit Deklarationen arbeiteten. Der theoretisch-materielle Modus dieser Aussagen war in vieler Hinsicht ›Crane‹ verwandt. Viele Details der Aussagen waren niemals mehr als Konversation, und dies ist vermutlich der erste Versuch, sie systematisch festzuhalten. Als Ausgangspunkt kann ein ziemlich abgedroschenes Inventar genügen. Läßt sich ein Flaschentrockner als Angehöriger der Klasse ›Kunstobjekt‹ und ein Kran einmal als Angehöriger der Klasse ›Kran‹ und ein andermal als Angehöriger der Klasse ›Kran und Kunstobjekt‹ angeben und läßt sich dann noch sagen, er verliere seinen Status als Kunstobjekt (und so fort) – wobei all diese Veränderungen von Veränderungen der Umgebung abhängen –, dann läßt sich vielleicht eine weitere Entwicklung dadurch zuwege bringen, daß man eine solche Deklarationsaussage über die Umgebung und nicht über Objekte macht. Wenn man also einen Flaschentrockner als Angehörigen der Klasse ›Kunstobjekt‹ ansprechen kann, warum dann nicht auch das Warenhaus, in dem jener Flaschentrockner ausgestellt war; wenn das Warenhaus, warum dann nicht auch die Stadt, in der das Warenhaus steht; und wenn die Stadt, warum dann nicht das Land – und so fort bis in universelle Maßstäbe (und noch weiter, wenn man möchte!)? Um einen Rahmen herzustellen, in dem sich detailliertere und spezifischere Aussagen machen ließen, entschieden sich Atkinson und Baldwin, ›Oxfordshire‹ in England als theoretische Basis zu verwenden. (Hier ist theoretische Verwendung nicht von konkreter zu unterscheiden, da man nicht als Teil des Plans Oxfordshire verlagern oder es in sich räumlich verändern dürfte.) Eine derartige Entität garantierte einen ausreichenden Kontrast zum ›Flaschentrockner‹ und zu ›Crane‹. Ohne daß man Oxfordshire ausgrübe (und man müßte willkürlich oder anderswie entscheiden, wie tief es ist), ist es eine verhältnismäßig fixe räumliche Gegebenheit. Das schließt als erstes ganz klar jede Frage nach seiner Verlagerung in etwas, das Kunstambiente genannt wird, aus. Wird Oxfordshire zum Kunstambiente erklärt, wie sind dann die Objekte innerhalb Oxfordshires zu bewerten? Zählen dann Magdalen College,

and whether or not we are able, in the presence of art, to suspend our ordinary habits of seeing are strongly linked with enquiries into Gestalt hypotheses and other theories of perception; the limits of visual art are often underlined in enquiries into how we see. The British group have noted particularly and with deep interest the various Gestalt hypotheses that Robert Morris (for example) had developed in the notes on his sculpture-objects. These notes seem to have been developed as a support and an elucidation for Morris' sculpture. The type of analysis that the British group have spent some considerable time upon is that concerning the linguistic usage of both plastic art itself and of its support languages. These theses have tended to use the language form of the support languages, namely word-language, and not for any arbitrary reason, but for reason that this form seems to offer the most penetrating and flexible tool with regard to some prime problems in art today. Merleau-Ponty is one of the more recent contributors to a long line of philosophers who have, in various ways stressed the role of visual art as a corrective to the abstractness and generality of conceptual thought—but what is visual art correcting conceptual thought out of—into? In the final analysis such corrective tendencies may simply turn out to be no more than a 'what we have we hold' conservatism without any acknowledgement as to how art can develop. Richard Wollheim has written, '... but it is quite another matter, and one I suggest, beyond the bounds of sense, even to entertain the idea that a form of art could maintain itself outside a society of language-users'. I would suggest it is not beyond the bounds of sense to maintain that an art form can evolve by taking as a point of initial enquiry the language-use of the art society.

Christchurch Meadow, ein Volkswagen auf der Banbury High Street und so weiter und so fort als Kunstwerke? Offenbar besteht keine Notwendigkeit, sich auf die Beantwortung solcher Fragen zu versteifen; der Rahmen wurde hauptsächlich festgelegt, um ein ›Ready-made‹-Kunstambiente im Gegensatz zu einem ›Ready-made‹-Kunstobjekt zu schaffen, und Fragen wie die obigen dienen nur dazu, einige mögliche Implikationen zu beleuchten. Der Rahmen soll sich als einer darbieten, in dem Entscheidungen über das ›Ganze‹ nun nicht solche sind, die sich primär mit den räumlichen Merkmalen der Situation befassen, sondern bei denen es expliziter um die zeitlichen Dimensionen geht (also um ›Anfang‹ und ›Ende‹ – falls es eins geben sollte – der ›Umwandlung‹ Oxfordshires in ein Kunstambiente). Die Frage lautet nicht: ›Was oder wo wird ein Kunstambiente?‹ sondern eher: ›Wann, was oder wo wird ein Kunstambiente?‹ Die ›Declaration Series‹ schlossen Atkinson und Baldwin durch die Entwicklung eines Systems ab, das den Begriff der Deklaration einer zeitlichen Entität als Kunstambiente untersuchte: ›The Monday Show‹. Das meiste Reden und Schreiben über diesen Gedanken erreichte bald eine Ebene des Zusammenhanglosen: Es war unnötig, eine adäquate Analogie zu einer räumlichen Gegebenheit schaffen zu wollen, weil sich rasch und deutlich zeigte, daß es keine gibt. Dies ist den Künstlern seither klar geworden: daß diese Arbeit eine notwendige Entwicklungsform war, um die Möglichkeiten einer theoretischen Analyse als Methode der (möglichen) Herstellung von Kunst aufzuweisen.

Man könnte nun etwas über die Beziehung der Wahrnehmungspsychologie im Hinblick auf ›konzeptuelle Kunst‹ sagen. Heute besteht weitgehend Übereinstimmung darin, daß die Wahrnehmungspsychologie für das Studium visueller Kunst von einiger Wichtigkeit ist. Die Anwendung dieser Disziplin durch Kunsttheoretiker wie etwa Ehrenzweig, Arnheim und andere hat zumindest gewisse Fragen im Kontext visueller ›bildender Kunst‹ geklärt, was die konzeptuellen Künstler in die Lage versetzte zu sagen, diese (so und so beschaffenen) Projekte hätten nicht diese und jene Merkmale; und auf diese Weise haben sie Einfluß auf das genommen, worum es in den formulatorischen Hypothesen bei einem Teil der konzeptuellen Kunst nicht geht. Vorstellungen von der Art, ob Kunst unsere gewöhnlichen Sehweisen heiligt und ob wir unter dem Vorhandensein von Kunst imstande oder nicht imstande sind, unsere gewöhnlichen Sehgewohnheiten fortzusetzen, hängen eng mit Untersuchungen über Gestalthypothesen und andere Wahrnehmungstheorien zusammen; auf die Grenzen visueller Kunst wird in Untersuchungen über das Wie unseres Sehens häufig deutlich hingewiesen. Die britische Gruppe hat besonders und mit tiefem Interesse die verschiedenen Gestalthypothesen zur Kenntnis genommen, die beispielsweise Robert Morris in den Ausführungen über seine Skulpturen/Objekte entwickelt hatte. Diese Bemerkungen wurden offensichtlich als Unterstützung und Erläuterung für Morris' Skulpturen entwickelt. Der Analysetypus, in den die britische Gruppe beträchtliche Zeit investiert hat, befaßt sich mit der linguistischen Verwendung sowohl von plastischer Kunst selber wie ihrer Hilfssprachen. Diese Thesen tendieren dahin, die Sprachform der Hilfssprachen, namentlich die Wortsprache, zu verwenden, und dies nicht aus einem willkürlichen Grund,

sondern deshalb, weil diese Form offenbar das gründlichste und flexibelste Werkzeug im Hinblick auf gewisse Grundprobleme heutiger Kunst bietet. Merleau-Ponty ist einer der jüngeren Vertreter in einer langen Reihe von Philosophen, die auf unterschiedliche Weise die Rolle der bildenden Kunst als eines Korrektivs zur Abstraktheit und Allgemeinheit begrifflichen Denkens betonten – doch was korrigiert bildende Kunst an begrifflichem Denken, und in welche Richtung? Letzten Endes könnten sich solche Korrektivtendenzen einfach als ein Konservatismus à la ›Was wir haben, dabei bleiben wir‹ erweisen, ohne Rücksicht darauf, wie sich Kunst entwickeln kann. Richard Wollheim schrieb: ›. . . es ist freilich eine ganz andere Frage, und eine, wie ich glaube, jenseits des Vorstellungsvermögens, auch nur mit dem Gedanken zu spielen, eine Kunstform könne sich außerhalb einer Gesellschaft von Sprachbenutzern am Leben erhalten.‹ Ich möchte meinen, es überschreite nicht die Grenzen des Vorstellungsvermögens, wenn man behauptete, eine Kunstform könne sich dadurch entwickeln, daß sie den Sprachgebrauch der Kunstgesellschaft als Ausgangspunkt einer Untersuchung nimmt.

Daniel Buren

Beware!

This text was written for the exhibition 'Conception' at Leverkusen, (subsequently reprinted by A 379089 of Antwerp) before I had seen the works which were 'exhibited' there. My scepticism in certain respects was proved justified. Given that this text is neither a profession of faith nor a bible nor a model for others, but merely a reflection upon work in progress, I have wished, for this new context, to change certain words, delete or restate certain phrases or to go more thoroughly into certain particular points with respect to the original text. Alterations or additions to the original are set in italics and placed in square brackets.

I

WARNING
A concept may be understood as being 'the general mental and abstract representation of an object' (See *Le Petit Robert Dictionary;* 'an abstract general notion or conception' – *Dictionary of the English Language.*) Although this word is a matter for philosophical discussion, its meaning is still restricted; concept has never meant 'horse'. Now, considering the success which this word has obtained in art circles, considering what is and what will be grouped under this word, it seems necessary to begin by saying here what is meant by 'concept' in para-artistic language.

We can distinguish *[four]* different meanings that we shall find in the various 'conceptual' demonstrations, from which we shall proceed to draw *[four]* considerations which will serve as a warning.

(1) *Concept=Project.* Certain works which until now were considered only as rough outlines or drawings for works to be executed on another scale, will henceforth be raised to the rank of 'concepts'. That which was only a means becomes an end through the miraculous use of one word. There is absolutely no question of just any sort of concept, but quite simply of an object which cannot be made life-size through lack of technical or financial means.

(2) *Concept=Mannerism.* Under the pretext of 'concept' the anecdotal is going to flourish again and with it, academic art. It will no longer of course be a question of

Daniel Buren

Achtung!

Dieser Text wurde für die ›Konzeption‹-Ausstellung in Leverkusen geschrieben (später von A 379089 in Antwerpen nachgedruckt), bevor ich die dort ›ausgestellten‹ Arbeiten gesehen hatte. Mein Skeptizismus in bezug auf bestimmte Dinge hat recht behalten. Da dieser Text nun weder ein Glaubensbekenntnis noch die Bibel oder ein Modell für andere darstellt, sondern nur ein Nachdenken über ein weiterhin entstehendes Werk, wollte ich gern für diesen neuen Kontext bestimmte Wörter ändern, auslassen, Sätze umformulieren oder bestimmte Aspekte detaillierter behandeln als im Original. Änderungen oder Ergänzungen wurden kursiv und in eckige Klammern gesetzt.

I

WARNUNG

Ein Konzept kann man als »die allgemeine geistige und abstrakte Darstellung eines Gegenstandes« verstehen (laut *Le Petit Robert;* laut *Dictionary of the English Language* = »eine abstrakte allgemeine Auffassung oder Vorstellung«). Obgleich dies Wort durchaus ein Gegenstand für philosophische Auseinandersetzungen wäre, ist seine Bedeutung doch eingeschränkt; Konzept hat noch nie ›Pferd‹ bedeutet. Nun, in Anbetracht des Erfolges, den dieses Wort in Kunstkreisen erlangt hat, und in Anbetracht dessen, was man unter diesem Begriff zusammengefaßt hat und noch fassen wird, scheint es nötig, damit anzufangen, was mit ›Konzept‹ in para-künstlerischer Sprache gemeint ist.

Wir können [*vier*] unterschiedliche Bedeutungen unterscheiden, die wir in den zahlreichen ›konzeptuellen‹ Kundgebungen finden werden; daraus können wir [*vier*] Überlegungen ableiten, die als Warnung dienen sollen.

1) *Konzept* = *Projekt.* Bestimmte Arbeiten, bisher nur grobe Skizzen oder Zeichnungen für größere Werke, werden ab sofort in den Rang von ›Konzepten‹ erhoben. Was nur Mittel war, wird durch ein Zauberwort zum Zweck. Dabei handelt es sich um absolut kein wie auch immer geartetes Konzept, sondern einfach um ein Objekt, das aus Mangel an technischen oder finanziellen Mitteln nicht in seiner eigentlichen Größe realisiert werden kann.

2) *Konzept* = *Manierismus.* Unter dem Deckmantel ›Konzept‹ wird das Anekdotische wieder aufblühen und mit ihm akademische Kunst. Das Problem ist natürlich

representing to the nearest one the number of gilt buttons on a soldier's tunic, nor of picturing the rustling of the undergrowth, but of discoursing upon the number of feet in a kilometre, upon Mr X's vacation on Popocatepetl or the temperature read at such and such a place. The 'realistic' painters, whether it be Bouguereau, painters of socialist realism or Pop artists, have hardly acted otherwise under the pretext of striving after reality. [*In order, no doubt, to get closer to 'reality', the 'conceptual' artist becomes gardener, scientist, sociologist, philosopher, storyteller, chemist, sportsman.*] It is a way – still another – for the artist to display his talents as conjurer. In a way, the vague concept of the word 'concept' itself implies a return to Romanticism.

[(2a) *Concept=Verbiage. To lend support to their pseudo-cultural references and to their bluffing games, with a complacent display of questionable scholarship, certain artists attempt to explain to us what a conceptual art would be, could be, or should be – thus making a conceptual work. There is no lack of vulgarity in pretension. We are witnessing the transformation of a pictorial illusion into a verbal illusion. In place of unpretentious enquiry we are subjected to a hotch-potch of explanations and justifications which serve as obfuscation in the attempt to convince us of the existence of a thought. For these, conceptual art has become 'verbiage art'. They are no longer living in the twentieth century, but wish to revive the eighteenth.*]

(3) *Concept=Idea=Art.* Lastly, more than one person will be tempted to take any sort of an 'idea', to make art of it and to call it 'concept'. It is this procedure which seems to us to be the most dangerous, because it is more difficult to dislodge, because it is very attractive, because it raises a problem which really does exist: how to dispose of the object? We will attempt, as we proceed, to clarify this notion of object. Let us merely observe henceforth that it seems to us that to exhibit (*exposer*[1]) or set forth a concept is, at the very least, a fundamental misconception right from the start and one which can, if one doesn't take care, involve us in a succession of false arguments. To exhibit a 'concept', or to use the word concept to signify art, comes to the same thing as putting the concept itself on a level with the object. This would be to suggest that we must think in terms of a 'concept-object'–which would be an aberration.[2]

This warning appears necessary to us because if it can be admitted that [*these interpretations are not relevant for all representatives of this tendency*] we can affirm that at least nine-tenths of the works gathered together for [*the exhibition at Leverkusen*] (or its counterparts) [*relied on one of the four points*] raised above or even, for some people, [*partook subtly of all four at once*]. They rely on the traditional and 'evergreen' in art or, if you like, rely on idealism or utopianism, the original defects which art has not yet succeeded in eradicating.[3] We know from experience that at the time of a manifestation of this kind, people are only too quick to impose the image of the majority upon any work shown. In this particular case, this image will be approx-

nicht mehr, aufs genaueste die Anzahl der Goldknöpfe auf einer Soldatenuniform wiederzugeben oder das Rascheln des Unterholzes nachzubilden, sondern mit der Anzahl der Schritte pro Kilometer, mit dem Urlaub von Herrn X auf dem Popocatepetl oder der an einer bestimmten Stelle gemessenen Temperatur zu unterhalten. Die ›realistischen‹ Maler – ob Bouguereau, die des sowjetischen Realismus oder der Pop-Art – haben kaum anders gehandelt, unter dem Vorwand, sich um Realität zu bemühen. [*Um – ohne Zweifel – der ›Realität‹ näher zu kommen, wird der ›konzeptuelle‹ Künstler Gärtner, Wissenschaftler, Soziologe, Philosoph, Geschichtenerzähler, Chemiker, Sportsmann.*] Es ist eine Möglichkeit – wieder mal eine – für den Künstler, sein Talent als Taschenspieler zur Schau zur stellen. In gewissem Sinn impliziert das vage Konzept des Wortes ›Konzept‹ selbst eine Rückkehr zum Romantizismus.

[2a) *Konzept = Beredsamkeit. Um ihre pseudo-kulturellen Beziehungen und bluffenden Spielchen durch ein selbstzufriedenes Zur-Schau-Stellen fragwürdiger Gelehrsamkeit zu untermauern, versuchen bestimmte Künstler, uns zu erklären, was konzeptuelle Kunst sei, sein könnte oder sein sollte – und setzen das gleich mit einer konzeptuellen Arbeit. Der Anmaßung mangelt es nicht an Vulgarität. Wir sind Zeugen der Umwandlung einer malerischen Illusion in eine verbale. Anstelle einer ehrlichen Untersuchung werden wir einem Mischmasch von Erläuterungen und Rechtfertigungen ausgesetzt, die als Ablenkungsmanöver bei dem Versuch dienen, uns von der Existenz eines Gedankens zu überzeugen. Für sie ist konzeptuelle Kunst ›Kunst der Beredsamkeit‹ geworden. Sie leben nicht mehr im 20. Jahrhundert, sondern möchten das 18. wiederbeleben.*]

3) *Konzept = Idee = Kunst.* Letztlich wird mehr als einer versucht sein, irgendeine ›Idee‹ zu nehmen, um Kunst daraus zu machen und es ›Konzept‹ zu nennen. Diese Prozedur scheint uns am gefährlichsten, weil sie schwieriger wieder aufzugeben ist, weil sie sehr attraktiv ist und ein Problem zur Sprache bringt, das wirklich existiert: wie man sich des Objektes entledigen kann. Wir wollen im folgenden versuchen, diese Auffassung von Objekt zu klären. Fürs erste möchten wir nur bemerken, daß das Ausstellen (*exposer*[1]) eines Konzeptes – um das mindeste zu sagen – uns als grundlegendes Mißverständnis von Anfang an erscheint, und eins, das uns, wenn wir nicht aufpassen, in eine Folge von falschen Argumenten verwickeln kann. Ein ›Konzept‹ auszustellen oder das Wort Konzept zu gebrauchen, um damit Kunst zu bezeichnen, bedeutet letzten Endes, das Konzept auf eine Stufe mit dem Objekt zu stellen. Das hieße eigentlich, daß wir uns ein ›Konzept-Objekt‹ vorstellen müßten, was Unfug wäre.[2]

Diese Warnung scheint uns notwendig, denn wenn man auch zugestehen kann, daß [*diese Interpretationen nicht für alle Vertreter dieser Tendenz zutreffen*], können wir doch sicher behaupten, daß mindestens ⁹/₁₀ der für [*die Leverkusener Ausstellung*] (oder ihre Gegenstücke) zusammengestellten Arbeiten [*auf einem der vier*] oben genannten [*Punkte fußten*] oder bei einigen [*sogar ganz raffiniert an allen vieren zugleich teilhatten*]. Sie verlassen sich auf das Traditionelle und ›Immergrüne‹ in der Kunst oder, wenn man will, auf Idealismus oder Utopismus, die Erzfehler, die die

imately as described above, i. e. that of the new avantgarde which has become 'conceptual'. This is nothing more than to identify, in a more or less new form, the *prevailing ideology.* Therefore, *although concerned with confronting problems,* let us henceforth suspend judgement of the way in which they are approached or solved in the majority of cases. Moreover our present task is not to solve any enigmas, but rather to try to understand/to recognize the problems which arise. It is much more a question of a method of work than the proposal of a new intellectual gadget.

II

WHAT IS THIS WORK?

Vertically striped sheets of paper, the bands of which are 8·7 cms wide, alternate white and couloured, are stuck over internal and external surfaces: walls, fences, display windows, etc.; and/or cloth/canvas support, vertical stripes, white and coloured bands each 8·7 cms, the two ends covered with dull white paint.

I record that this is my work for the last four years, without any evolution or way out. This is the past: it does not imply either that it will be the same for another ten or fifteen years or that it will change tomorrow.

The perspective we are beginning to have, thanks to these past four years, allows a few considerations on the direct and indirect implications for the very conception of art. This apparent break (no research, nor any formal evolution for four years) offers a platform that we shall situate at zero level, when the observations both internal (conceptual transformation as regards the action/praxis of a similar form) and external (work/production presented by others) are numerous and rendered all the easier as they are not invested in the various surrounding movements, but are rather derived from their absence.

Every act is political and, whether one is conscious of it or not, the presentation of one's work is no exception. Any production, any work of art is social, has a political significance. We are obliged to pass over the sociological aspect of the proposition before us due to lack of space and considerations of priority among the questions to be analysed.

The points to be examined are described below and will each require to be examined separately and more thoroughly later. [*This is still valid nowadays.*]

(a) *The Object, the Real, Illusion.* Any art tends to decipher the world, to visualize an emotion, nature, the subconscious, etc.... Can we pose a question rather than replying always in terms of hallucinations? This question would be: can one create something which is real, non-illusionistic and therefore not an art object? One might reply – and this is a real temptation for an artist – in a direct and basic fashion to this

Kunst immer noch nicht hat ausrotten können.[3] Wir wissen aus Erfahrung, daß man während einer Veranstaltung dieser Art nur zu schnell jeder der gezeigten Arbeiten den Stempel der Majorität aufdrückt. In diesem speziellen Fall wird er etwa so aussehen wie oben beschrieben, das heißt der der neuen ›konzeptuellen‹ Avantgarde sein. Dies ist nichts anderes, als die *herrschende Ideologie* in mehr oder weniger neuer Form ins Licht zu rücken. *Obgleich wir von diesen aktuellen Problemen betroffen sind,* wollen wir uns von nun an des Urteils über die Art und Weise enthalten, in der sie in der Mehrzahl der Fälle angegangen oder gelöst werden. Überdies liegt unsere gegenwärtige Aufgabe nicht darin, irgendwelche Rätsel zu lösen, sondern eher darin, die auftauchenden Probleme zu verstehen und zu erkennen. Es geht dabei mehr um die Frage einer Arbeitsmethode als darum, sich einen neuen intellektuellen Kniff auszudenken.

II

WAS IST DIE ARBEIT?

Papierbögen mit senkrechten, 8,7 cm breiten Streifen, abwechselnd weiß und farbig, werden auf Innen- und Außenflächen geklebt: Wände, Zäune, Schaufenster usw.; und/ oder Tuch-/Leinwand-Untergrund mit senkrechten Streifen, abwechselnd weiß und farbig, jeder 8,7 cm breit, wobei die beiden Endstreifen mit matter weißer Farbe bedeckt sind.

Ich stelle fest, daß das meine Arbeit seit vier Jahren ist, ohne irgendeine Entwicklung oder einen Seitensprung. So sah die Vergangenheit aus, was nicht heißen soll, daß es zehn oder fünfzehn Jahre so weitergeht, noch, daß es sich morgen ändert.

Der Überblick, den wir dank dieser vergangenen vier Jahre allmählich bekommen, erlaubt einige Betrachtungen über die unmittelbaren und mittelbaren Implikationen für eben die Konzeption von Kunst. Dieser offenbare Stillstand (keine Versuche oder irgendeine formale Entwicklung seit vier Jahren) bietet eine Plattform, die wir als Nullpunkt bezeichnen wollen, von wo aus zahlreiche Beobachtungen nach innen (konzeptuelle Transformation in bezug auf die Aktion/Praxis einer gleichen Form) und nach außen (Arbeit/Produktion, die von anderen präsentiert wird) möglich sind, und das um so leichter, als sie nicht an den verschiedenen, sie umgebenden Bewegungen teilhaben, sondern eher aus deren Abwesenheit entstehen.

Jede Handlung ist politisch, und ob wir uns dessen bewußt sind oder nicht, die Präsentation einer Arbeit ist keine Ausnahme. Jedes Produkt, jedes Kunstwerk hat gesellschaftlichen Bezug, politische Bedeutung. Wir müssen leider den soziologischen Aspekt der uns vorliegenden Proposition aus Platzmangel und weil einige der Fragen, die analysiert werden sollen, dringlicher sind, übergehen.

Die zu untersuchenden Punkte werden im folgenden aufgeführt, und jeder würde eigentlich in der Zukunft eine eigene und noch gründlichere Untersuchung erfordern. [*Das gilt noch heute.*]

a) *Das Objekt, das Reale, die Illusion.* Jede Kunst versucht, die Welt zu entschlüsseln, ein Gefühl zu visualisieren, Natur, das Unbewußte usw. . . . Könnte man nicht einmal

question and fall instantly into one of the traps mentioned [*in the first section*]; i.e. believe the problem *solved,* because it was *raised,* and [*for example*] present no object but a concept. This is responding too directly to need, it is mistaking a desire for reality, it is making like an artist. In fact, instead of questioning or acquainting oneself with the problem raised, one provides a solution, and what a solution! One avoids the issue and passes on to something else. Thus does art progress from form to form, from problems raised to problems solved, accruing successive layers of concealment. To do away with the object as an illusion – the real problem – through its replacement by a 'concept' [*or an idea*] – utopian or ideal(istic) or imaginary solution – is to believe in a moon made of green cheese, to achieve one of those conjuring tricks so beloved of twentieth-century art. Moreover it can be affirmed, with reasonable confidence, that as soon as a concept is announced, and especially when it is 'exhibited as art', under the desire to do away with the object, *one merely replaces it* in fact. The exhibited 'concept' becomes *ideal-object,* which brings us once again to art as it is, i.e. the illusion of something and not the thing itself. In the same way that writing is less and less a matter of verbal transcription, painting should no longer be the vague vision/illusion, even mental, of a phenomenon (nature, subconsciousness, geometry . . .) but *VISUAL-ITY of the painting itself.* In this way we arrive at a notion which is thus allied more to a method and not to any particular inspiration; a method which requires – in order to make a direct attack on the problems of the object properly so-called – that painting itself should create a mode, a specific system, which would no longer direct attention, but which is 'produced to be looked at'.

(b) *The Form.* As to the internal structure of the proposition, the contradictions are removed from it; no 'tragedy' occurs on the reading surface, no horizontal line for example, chances to cut through a vertical line. Only the imaginary horizontal line of delimitation of the work at the top and at the bottom 'exists', but in the same way that it 'exists' only by mental reconstruction, it is mentally demolished simultaneously, as it is evident that the external size is arbitrary (a point which we shall explain later on).

The succession of vertical bands is also arranged methodically, always the same [$x, y, x, y, x, y, x, y, x, y, x,$ *etc.* . . .], thus creating no composition on the inside of the surface or area to be looked at, or, if you like, a minimum or zero or neutral compo-sition. These notions are understood in relation to art in general and not through internal considerations. This neutral painting is not however freed from obligations; quite on the contrary, thanks to its neutrality or absence of style, it is extremely rich in information about itself (its exact position as regards other work) and especially information about other work; thanks to the lack of absence of any formal problem its potency is all expended upon the realms of thought. One may also say that this paint-ing no longer has any plastic character, but that it is *indicative* or *critical.* Among other

eine Frage stellen, anstatt immer auf seine eigenen Halluzinationen zu antworten? und zwar: Kann man etwas schaffen, das wirklich ist, nicht-illusionistisch und deshalb kein Kunstobjekt? Man könnte – und das ist wirklich eine Versuchung für einen Künstler – unmittelbar und grundsätzlich antworten und dabei sofort in eine der Fallen stolpern, die [*in der ersten Abteilung*] erwähnt wurden, das heißt, zu glauben, das Problem sei *gelöst*, nur weil es *aufgebracht* wurde, und [*zum Beispiel*] kein Objekt, sondern ein Konzept zu präsentieren. Das wäre zu schnell geantwortet, wäre den Wunsch für Wirklichkeit zu nehmen, hieße es wie ein Künstler machen. Anstatt das Problem zu untersuchen oder sich mit ihm vertraut zu machen, liefert man in Wirklichkeit eine Lösung, und was für eine! Man drückt sich um das Problem herum und geht zu etwas anderem über. So entwickelt sich Kunst von Form zu Form, von entdeckten Problemen zu gelösten, so häuft sich Lage auf Lage, und es wird immer unkenntlicher. Das Objekt als eine Illusion – das Kernproblem – abzuschaffen, indem man es durch ein ›Konzept‹ [*oder eine Idee*] ersetzt – eine utopische oder ideal-(istisch)e oder imaginäre Lösung – hieße zu glauben, der Mond sei aus grünem Käse gemacht, hieße einen jener in der Kunst des 20. Jahrhunderts so geschätzten Taschenspielertricks zu vollbringen. Darüber hinaus kann man ohne allzu großes Risiko behaupten, daß, wenn ein Konzept angekündigt und vor allem wenn es ›als Kunst ausgestellt‹ wird, man in dem Begehren, das Objekt abzuschaffen, es in Wirklichkeit *nur* ersetzt. Das ausgestellte ›Konzept‹ wird ein *Ideal-Objekt,* das uns wieder zur Kunst wie gehabt zurückbringt, das heißt: Illusion von etwas und nicht das Ding selbst. Ebenso wie Schrift immer weniger Transkription von Wörtern ist, sollte ein Bild nicht länger die vage Vision/Illusion – auch nicht die geistige – eines Phänomens (Natur, Unterbewußtsein, Geometrie...) sein, sondern *VISUELLE DARSTELLUNG des Bildes selber.* So gelangen wir zu einem Begriff, der also mehr mit einer Methode als einer bestimmten Inspiration verbunden ist; eine Methode, die, um die Probleme des zu Recht so genannten Objektes frontal anzugehen, verlangt, daß Malerei selbst einen Modus, ein spezifisches System schafft, das nicht länger den Blick dirigiert, sondern ›für den Blick gemacht‹ wird.

b) *Die Form.* In bezug auf die innere Struktur der Proposition sind die Widersprüche behoben; es ereignet sich kein ›Drama‹ auf der Lesefläche, keine horizontale Linie schneidet eine vertikale. Nur die imaginäre horizontale Linie, die die Arbeit oben und unten begrenzt, ›existiert‹, aber wie sie nur durch einen geistigen Aufbau ›existiert‹, wird sie zugleich auch geistig wieder zerstört, da (wie wir später noch erklären werden) das äußere Format nicht fixiert ist.

Die Reihenfolge der vertikalen Streifen ist immer die gleiche, ohne Unterbrechung, völlig identisch [*x,y,x,y,x,y usw....*], das schafft also keine Komposition in der Innenstruktur der Betrachtungsfläche, oder, wenn man so will, eine Minimal-, Null- oder Neutral-Komposition. Diese Begriffe sind in bezug auf Kunst allgemein zu verstehen und nicht für sich. Diese neutrale Malerei ist deswegen jedoch nicht unverbindlich, im Gegenteil, dank ihrer Neutralität, ihrer Unabhängigkeit von Stil, ist sie äußerst reich

things, indicative/critical of its own process. This zero/neutral degree of form is 'binding' in the sense that the total absence of conflict eliminates all concealment (all mythification or secrecy) and consequently brings silence. One should not take neutral painting for uncommitted painting.

Lastly, this formal neutrality would not be formal at all if the internal structure of which we have just spoken (vertical white and coloured bands) was linked to the external form (size of the surface presented to view). The internal structure being immutable, if the exterior form were equally so, one would soon arrive at the creation of a quasi-religious archetype which, instead of being neutral, would become burdened with a whole weight of meanings, one of which – and not the least – would be as the idealised image of neutrality. On the other hand, the continual variation of the external form implies that it has no influence on the internal structure, which remains the same in every case. The internal structure remains uncomposed and without conflict. If, however, the external form or shape did not vary, a conflict would immediately be established between the combination or fixed relationship of the bandwidths, their spacing (internal structure) and the general size of the work. This type of relationship would be inconsistent with an ambition to avoid the creation of an illusion. We would be presented with a problem all too clearly defined – here that of neutrality to zero degree – and no longer with the thing itself posing a question, in its own terms.

Finally, we believe confidently in the validity of a work or framework questioning its own existence, presented to the eye. The framework which we have just analysed clinically has in fact no importance whatsoever in terms of form or shape; it is at zero level, a minimum but *essential* level. We shall see later how we shall work to cancel out the form itself so far as possible. In other words, it is time to assert *that formal problems have ceased to interest us*. This assertion ist the logical consequence of actual work produced over four years where the formal problem was forced out and disqualified as a pole of interest.

Art is the form which it takes. The form must unceasingly renew itself to ensure the development of what we call new art. A change of form has so often led us to speak of a new art that one might think that inner meaning and form were/are linked together in the mind of the majority – artists and critics. Now, if we start from the assumption that new, i. e. 'other', art is in fact never more than the same thing in a new guise, the heart of the problem is exposed. To abandon the search for a new form at any price means trying to abandon the history of art as we know it: it means passing from the *Mythical* to the *Historical*, from the *Illusion* to the *Real*.

(c) *Colour.* In the same way that the work which we propose could not possibly be the image of some thing (except itself, of course), and for the reasons defined above

an Information über sich selbst (ihre genaue Position in bezug zu anderen Arbeiten) und vor allem an Information über andere Arbeiten; und läßt in Ermangelung jedes formalen Problems dem Gedanklichen seine ganze Kraft. Gleicherweise könnte man sagen, daß diese Malerei keinen plastischen Charakter mehr hat, sondern daß sie *anzeigend* oder *kritisch* ist. Unter anderem anzeigend/kritisch in bezug auf ihren eigenen Prozeß. Dieser Null-/Neutralitätsgrad der Form ist ›engagiert‹ in dem Sinn, daß die völlige Abwesenheit eines Konfliktes jegliches Verbergen (jede Mystifikation oder Heimlichtuerei) ausschaltet und folglich Ruhe mit sich bringt. Unter neutraler Malerei sollte man aber nicht indifferente Malerei verstehen.

Schließlich wäre diese Neutralität in der Form keine, wenn die innere Struktur, von der wir gerade gesprochen haben (vertikale weiße und farbige Streifen), mit der äußeren (Größe der zur Betrachtung freigegebenen Fläche) verbunden wäre. Wenn die äußere Form – bei einer unveränderlichen inneren Struktur – auch unveränderlich wäre, würde man bald einen quasi-religiösen Archetypus schaffen, der, anstatt neutral zu sein, mit Bedeutungen beladen würde, eine davon – und nicht die geringste – wäre das Verklären zum idealisierten Bild der Neutralität. Im Gegensatz dazu läßt uns die fortwährende Veränderung in der äußeren Form erkennen, daß sie keinen Einfluß auf die innere Struktur hat, die immer dieselbe bleibt. Die innere Struktur bleibt nicht-komponiert und ohne Konflikt. Wenn jedoch die äußere Form sich nicht änderte, würde unmittelbar ein Konflikt, nämlich eine Art fester Beziehung zwischen der Breite der Streifen, ihrer räumlichen Anordnung (innere Struktur) und der allgemeinen Größe der Arbeit entstehen. Diese Art von Beziehung wäre unvereinbar mit den Bestrebungen, keine Illusion zu schaffen. Wir hätten das erstarrte Bild eines Problems – hier das der Neutralität auf der Nullstufe – und nicht länger die Sache selbst, die ihre eigene Frage stellt.

Wir glauben schließlich, daß, wenn es wichtig ist, ein System/Werk zum Ansehen zu haben, das seine eigene Existenz in Frage stellt – ein System, das wir soeben klinisch untersucht haben – die Form ohne die geringste Bedeutung ist; sie spielt sich auf der Nullstufe ab, die niedrigste, aber dennoch *wesentliche* Stufe. Wir werden später sehen, wie wir die Form selbst so weit wie möglich auslöschen. Mit anderen Worten: Es ist an der Zeit, festzustellen, *daß formale Probleme uns nicht länger interessieren*. Diese Feststellung ist die logische Konsequenz realer, seit vier Jahren vorgelegter Arbeit, wo das Formproblem als Zentrum des Interesses verschwinden mußte und verschwunden ist.

Da Kunst die Form ist, die sie annimmt, muß diese sich unablässig erneuern, um das, was man neue Kunst nennt, hervorzubringen. Man hat so oft von neuer Kunst gesprochen, wenn sich die Form änderte, daß man annehmen kann, daß im Geist der überwiegenden Mehrheit – bei Künstlern und Kritikern – Wesen und Form verbunden waren/sind. Nun, wenn wir von der Annahme ausgehen, daß es sich bei neuer – das heißt ›anderer‹ – Kunst in Wirklichkeit immer um dasselbe in neuer Verkleidung handelt, kommt man zum Kern des Problems. Die Suche nach einer neuen Form um jeden Preis aufzugeben, würde bedeuten, die Kunstgeschichte, wie wir sie kennen, aufzuge-

could not possibly have a finalised external form, there cannot be one single and definitive colour. The colour, if it was fixed, would mythify the proposition and would become the zero degree of colour X, just as there is navy blue, emerald green or canary yellow.

One colour and one colour only, repeated indefinitely or at least a great number of times, would then take on multiple and incongruous meanings.[4] All the colours are therefore used simultaneously, without any order of preference, but systematically.

That said, we note that if the problem of form (as pole of interest) is dissolved by itself, the problem of colour considered as subordinate or as self-generating at the outset of the work and by the way it is used, is seen to be of great importance. The problem is to divest it of all emotional or anecdotal import.

We shall not further develop this question here, since it has only recently become of moment and we lack the required elements and perspective for a serious analysis. At all events, we record its existence and its undeniable interest. We can merely say that every time the proposition is put to the eye, only one colour (repeated on one band out of two, the other being white) is visible and that it is without relation to the internal structure or the external form which supports it and that, consequently, it is established *a priori* that: white=red=black=blue=yellow=green =violet, etc.

(d) *Repetition.* The consistency – i. e. the exposure to view in different places and at different times, as well as the personal work, for four years – obliges us to recognize manifest visual repetition at first glance. We say at 'first glance', as we have already learned from sections (a) and (b) that there are divergencies between one work and another; however, the essential, that is to say the internal structure, remains immutable. One may therefore, with certain reservations, speak of repetition. This repetition provokes two apparently contradictory considerations: on the one hand, the reality of a certain form (described above), and on the other hand, its *cancelling-out* by successive and identical confrontations which themselves negate any originality which might be found in this form, despite the systematization of the work. We know that a single and unique 'picture' as described above, although neutral, would be charged by its very uniqueness with a symbolic force which would destroy its vocation of neutrality. Likewise by repeating an identical form, or identical colour, we would fall into the pitfalls mentioned in sections (b) and (c). Moreover we would be burdened with every unwanted religious tension if we undertook to idealize such a proposition or allowed the work to take on the anecdotal interest of a test of strength in response to a stupid bet.

There remains only one possibility; the repetition of this neutral form, with the divergencies we have already mentioned. This repetition, thus conceived, has the effect

ben, wäre der Übergang vom *Mythischen* zum *Historischen,* von der *Illusion* zum *Realen.*

c) *Farbe.* Ebenso wie die Arbeit, die wir vorschlagen, nicht das Image einer Sache sein (außer von sich selbst natürlich) und aus den oben beschriebenen Gründen keine ein für allemal feststehende äußere Form haben kann, kann sie auch nicht nur eine einzige, definitiv feststehende Farbe haben. Wenn die Farbe festgelegt wäre, würde sie die Proposition mystifizieren und zur Farbe X auf der Nullstufe werden, wie es Marineblau, Smaragdgrün und Kanarienvogelgelb gibt.

Eine Farbe, eine einzige – unendlich oder zumindest sehr oft wiederholt – würde sich mit zahlreichen und inkongruenten Bedeutungen aufladen.[4] Deshalb werden alle Farben nebeneinander benutzt, ohne persönliche Vorlieben, sondern systematisch.

Das heißt, wir müssen folgendes feststellen: Während das Problem der Form sich als Gegenstand des Interesses selbst ausgelöscht hat, im Gegensatz dazu das der Farbe, was zu Beginn der Arbeit und auch in der Art ihres Gebrauchs als untergeordnet oder sich von selbst entwickelnd angesehen wurde, sich als bedeutsam herausstellte. Das Problem ist, ihr jede emotionale oder anekdotische Bedeutung zu nehmen.

Wir wollen das Problem hier nicht weiter verfolgen, es ist neu aufgetaucht, und uns fehlt noch die nötige Übersicht für eine gründliche Analyse. Wir wollten aber wenigstens seine Existenz anzeigen und daß es ganz sicher Interesse verdient. Wir können einfach sagen, daß jedesmal, wenn eine Proposition ausgestellt wird, nur eine Farbe (farbige Streifen in regelmäßigem Wechsel mit weißen) zu sehen ist, ohne Beziehung zur inneren Struktur oder äußeren Form, die sie trägt, folglich ist *a priori* gesetzt, daß weiß = rot = schwarz = blau = gelb = grün = violett usw.

d) *Wiederholung.* Die Anwendung, das heißt das Zur-Schau-Stellen an verschiedenen Orten und zu verschiedenen Zeiten, und die persönliche Arbeit seit vier Jahren zwingen uns, eine auf den ersten Blick offenbar visuelle Wiederholung festzustellen. ›Auf den ersten Blick‹, denn wir haben in b) und c) schon gelernt, daß zwischen den Arbeiten Unterschiede bestehen. Das wichtige, die innere Struktur, bleibt dabei jedoch unverändert. Man kann also nur mit bestimmter Einschränkung von Wiederholung sprechen. Diese Wiederholung führt zu zwei augenscheinlich widersprüchlichen Überlegungen: auf der einen Seite die Realität einer bestimmten (oben beschriebenen) Form, auf der anderen Seite ihr *Entwerten* durch wiederholtes und identisches Gegenüberstellen, was jede Originalität, die diese Form trotz der Systematik der Arbeit haben könnte, negiert. Man weiß, daß ein einzelnes und nur einmal vorhandenes ›Bild‹, wie oben beschrieben, trotz seiner Neutralität sich durch seine Einzigartigkeit mit symbolischer Kraft aufladen würde, die sein Streben nach Neutralität zunichte machten. Ebenso würde die Wiederholung gleicher Form und gleicher Farbe in die in b) und c) gezeigten Fallen gehen und sich darüber hinaus mit religiösen Spannungen aufladen, wenn wir versuchten, solch eine Proposition zu idealisieren oder zuließen, daß die Arbeit das anekdotische Interesse an einem aufgrund einer dummen Wette entstandenen Kraftakt annähme.

of reducing to a minimum the potency, however slight, of the proposed form such as it is, of revealing that the external form (shifting) has no effect on the internal structure (alternate repetition of the bands) and of highlighting the problem raised by the colour in itself. This repetition also reveals in point of fact that visually there is *no formal evolution* – even though there is a change – and that, in the same way that no 'tragedy' or composition or tension is to be seen in the clearly defined scope of the work exposed to view (or presented to the eye), no tragedy nor tension is perceptible in relation to the creation itself. The tensions abolished in the very surface of the 'picture' have also been abolished – up to now – in the time-category of this production. *The repetition is the ineluctable means of legibility of the proposition itself.*

This is why, if certain isolated artistic forms have raised the problem of neutrality, they have never been pursued in depth to the full extent of their proper meaning. By remaining 'unique' they have lost the neutrality we believe we can discern in them. (Among others, we are thinking of certain canvases by Cézanne, Mondrian, Pollock, Newman, Stella.)

Repetition also teaches us that there is no perfectability. A work is at zero level or it is not at zero level. To approximate means nothing. In these terms, the few canvases of the artists mentioned can be considered only as empirical approaches to the problem. Because of their empiricism they have been unable to divert the course of the 'history' of art, but have rather strengthened the idealistic nature of art history as a whole.

(e) *Differences*. With reference to the preceding section, we may consider that repetition would be the right way (or one of the right ways) to put forward our work in the internal logic of its own endeavour. Repetition, apart from what its use revealed to us, should, in fact, be envisaged as a Method and not as an end. A Method which definitively rejects, as we have seen, any repetition of the mechanical type, i. e. the geometric repetition (superimposable in every way, including colour) of a like thing (colour + form/shape). To repeat in this sense would be to prove that a single example already has an energy which denies all neutrality, and that repetition could change nothing.

One rabbit repeated 10,000 times would give no notion whatever of neutrality or zero degree, but eventually the identical image, 10,000 times, of the same rabbit. The repetition which concerns us is therefore fundamentally the presentation of the same thing, but under an objectively *different* aspect. To sum up, manifestly it appears to us of no interest always to show precisely the same thing and from that to deduce that there is repetition. The repetition which interests us is that of a method and not a mannerism (or trick): it is a repetition with differences. One could even say that it is these differences which make the repetition, and that it is not a question of doing the

Es bleibt nur eine einzige Möglichkeit: die Wiederholung dieser neutralen Form mit den schon angezeigten Unterschieden. Diese Wiederholung – und so ist sie auch konzipiert – hat den folgenden Effekt: maximal die – wenn auch schwache – Wirksamkeit der präsentierten Form als solche aufzulösen, zu zeigen, daß die äußere (veränderliche) Form nicht den geringsten Einfluß auf die innere Struktur (abwechselnde Wiederholung der Streifen) hat, und auf das durch die Farbe als solche aufgeworfene Problem hinzuweisen. Ergebnis dieser Wiederholung ist auch, daß es visuell *keine formale Entwicklung* gibt – obwohl Veränderung stattfindet – und daß, wie kein ›Drama‹, keine Komposition oder Spannung in dem durch das – ausgestellte – Werk gesetzten Rahmen festzustellen ist, auch in der eigentlichen Schöpfung keine Dramatik, keine Spannung wahrnehmbar ist. Die auf der ›Bild‹-Oberfläche abgeschafften Spannungen sind – bis jetzt – auch in bezug auf die Zeitkategorie abgeschafft. *Die Wiederholung ist das unumgängliche Mittel, die Proposition selbst zu lesen.*

Genau deshalb sind – wenn bestimmte, vereinzelt dastehende Kunstformen das Problem der Neutralität gestellt haben – sie nie bis auf den eigentlichen Grund gestoßen; und dadurch, daß sie ›einmalig‹ blieben, haben sie ihre Neutralität, die wir in ihnen zu erkennen glauben, verloren (Wir denken u. a. an bestimmte Bilder von Cézanne, Mondrian, Pollock, Newman, Stella).

Die Wiederholung lehrt uns auch, daß es keine Steigerung in der Perfektion gibt. Eine Arbeit ist auf der Nullstufe oder nicht. Sich nur anzunähern, bedeutet nichts. In diesem Sinn können die paar Bilder der erwähnten Künstler nur als empirische Annäherung an das Problem angesehen werden. Wegen ihres Empirismus haben sie den Lauf der Kunst-›Geschichte‹ nicht ändern können, sondern eher noch deren Idealismus als ganzes verstärkt.

e) *Unterschiede.* Nach dem vorausgegangenen Abschnitt können wir annehmen, daß die Wiederholung die (oder einer der) adäquaten Arten ist, um unsere Arbeit gemäß der inneren Logik ihrer Zielsetzung vorzustellen. Abgesehen von dem, was ihre Anwendung uns klargemacht hat, sollte man Wiederholung als Methode und nicht als Ziel ansehen. Eine Methode, die, wie wir gesehen haben, definitiv jede mechanische Wiederholung verwirft, das heißt die geometrische (in allen Punkten – Farbe inbegriffen – übereinstimmende) Wiederholung einer Sache (Farbe und Form). Wiederholen in diesem Sinne würde beweisen, daß ein einziges Exemplar schon eine Energie besitzt, die jegliche Neutralität ausschließt, und die Wiederholung daran nichts ändern könnte.

Ein 10 000mal wiederholtes Kaninchen würde keinen Begriff von Neutralität oder einer Nullstufe geben, sondern gegebenenfalls das 10 000mal identische Bild des gleichen Kaninchens. Die Wiederholung, die uns interessiert, ist also im Grunde die Präsentation derselben Sache, aber unter einem objektiv *anderen* Aspekt. Um noch einmal zusammenzufassen: Wir haben nicht das geringste Interesse daran, immer die gleiche Sache zu zeigen und daraus zu schließen, daß es sich um eine Wiederholung handelt. Die Wiederholung, für die wir uns interessieren, ist eine Methode und kein Tick; es

same in order to say that it is identical to the previous – which is a tautology (redundancy) – but rather a *repetition of differences with a view to a same (thing). [This repetition is an attempt to cover, little by little, all the avenues of enquiry. One might equally say that the work is an attempt to close off in order the better to disclose.]*

[(e2) Cancelling-out. *We would like to return to the idea of cancelling-out, briefly touched upon in sections (b) and (d).*

The systematic repetition which allows the differences to become visible each time, is used as a method and not considered as an end, in conscience of the danger that, in art, a form/thing – since there is a form/thing – can become, even if it is physically, aesthetically, objectively insignificant, an object of reference and of value. Furthermore, we can affirm that objects apparently insignificant and reduced, are more greatly endangered than others of more elaborate appearance, and this is a result of (or thanks to) the fact that the object/idea/concept of the artist is only considered from a single viewpoint (a real or ideal viewpoint, cf. section (g)) and with a view to their consummation in the artistic milieu.

A repetition which is ever divergent and non-mechanical, used as a method, allows a systematic closing-off *and, in the same moment that things are closed off,* (lest we should omit anything from our attempts at enquiry) *they are* cancelled out. Cancelled out through lack of importance. *One cannot rest content once and for all with a form which is insignificant and impersonal in itself—we have just exposed the danger of it. We know from experience, that is to say theoretically, that the system of art can extrapolate by licensing every kind of impersonal aspect to assume the role of model. Now, we can have no model, rest assured, unless it is a model of the model itself. Knowing what is ventured by the impersonal object, we must submit it our method – to the test of repetition. This repetition should lead to its disappearance/obliteration. Disappearance in terms of significant form as much as insignificant form.*

The possibility of the disappearance of form as a pole of interest – disappearance of the object as an image of something – is 'visible' in the single work, but should also be visible through the total work, that is to say in our practice according to and in every situation.

What is being attempted, as we already understand, is the elimination of the imprint of form, together with the disappearance of form (of all form). This involves the disappearance of 'signature', of style, of recollection/derivation. A unique *work (in the original sense), by virtue of its character, will be* conserved. *The imprint exists in a way which is evident/insistent at the moment when it is, like form itself, a response to a problem or the demonstration of a subject or the representation of an attitude. If,*

ist eine Wiederholung mit Unterschieden. Man könnte sogar sagen, daß gerade diese Unterschiede die Wiederholung ausmachen und daß es nicht darum geht, dasselbe zu tun, um anschließend zu sagen, es sei identisch mit dem Vorhergehenden – was eine Tautologie wäre – sondern eher um eine *Wiederholung von Unterschieden im Hinblick auf dasselbe. [Diese Wiederholung ist ein Versuch, Schritt für Schritt alle Wege der Untersuchung zu erfassen. Man könnte auch sagen, die Arbeit sei ein Versuch, zu verschließen, um besser zu erschließen.]*

[e 2) Entwerten. *Wir möchten noch einmal zur Idee des Entwertens zurückkehren, die in b) und d) schon kurz berührt wurde.*

Die systematische Wiederholung, die ermöglicht, daß die Unterschiede bei jedem Mal sichtbar werden, wird als Methode gebraucht und nicht als Ziel angesehen, im Bewußtsein der Gefahr, daß in der Kunst eine Form/ein Ding – die/das nun mal da ist – auch wenn sie/es physisch, ästhetisch und objektiv unbedeutend ist, ein Objekt voll Beziehungen und Wert werden kann. Was noch mehr ist, gerade Objekte, die offensichtlich unbedeutend und reduziert sind, sind in größerer Gefahr als andere, als äußerst durchgearbeitet zu erscheinen, dies als Resultat (dank) der Tatsache, daß Objekt/Idee/ Konzeption des Künstlers nur von einem Gesichtspunkt (real oder ideal, vgl. Abschnitt [g]) aus gesehen werden und mit einem Blick auf ihre Vollendung im künstlerischen Milieu.

Eine immer abweichende und nicht-mechanische, als Methode gebrauchte Wiederholung, erlaubt ein systematisches Ausschalten *und im gleichen Moment, in dem Dinge* ausgeschlossen werden (damit wir nicht irgend etwas bei unseren Untersuchungsversuchen auslassen), *sind sie auch* entwertet. Entwertet durch Mangel an Bedeutung. *Man kann sich nicht für immer und ewig mit einer Form zufrieden geben, die in sich unbedeutend und unpersönlich ist – wir haben gerade die Gefahr, die darin liegt, klargemacht. Wir wissen aus Erfahrung, das heißt, theoretisch, daß das System von Kunst sich erweitern kann, indem sie erlaubt, daß jede Art eines unpersönlichen Aspektes die Rolle eines Modells annimmt. Heute ist kein Modell möglich, dessen sei man versichert, es sei denn eins des Modells selber. Im Bewußtsein des Risikos, das wir mit dem unpersönlichen Objekt eingehen, müssen wir es – unsere Methode – dem Test der Wiederholung aussetzen. Diese Wiederholung sollte zu seinem Verschwinden/seiner Vernichtung führen. Verschwinden in bezug auf signifikante ebenso wie insignifikante Form.*

Die Möglichkeit des Verschwindens von Form als Gegenstand des Interesses – Verschwinden des Objektes als Bild von etwas – ist im einzelnen Werk ›sichtbar‹, aber sollte auch im gesamten Werk sichtbar sein, das heißt, in der Praxis entsprechend zu und in jeder Situation.

Wie uns schon klar ist, wird versucht, das Merkmal von Form zu eliminieren, Form (jegliche Form) verschwinden zu lassen. Das schließt das Verschwinden von ›Signatur‹, Stil, Erinnerung/Ableitung ein. Ein einmaliges Werk (im ursprünglichen Sinn) wird dank seines Charakters erhalten werden. Das Merkmal existiert in einer Weise, die ganz klar und eindringlich in dem Moment erscheint, wenn es – wie Form selber –

however, the 'print' of the imprint presents itself as a possible means of cancelling out and not as something privileged/conserved – in fact, if the imprint, rather than being the glorious or triumphant demonstration of authorship, appears as a means of questioning its own disappearance/insignificance – one might then speak of cancelling-out indeed; or, if you like, destruction of the imprint, as a sign of any value, through differentiated repetition of itself rendering void each time anew, or each time a little more, the value which it might previously have maintained. There must be no let-up in the process of cancelling-out, in order to 'blow' the form/thing, its idea, its value and its significance to the limits of possibility.

We can say (cf. section (f)) that the author/creator (we prefer the idea of 'person responsible' or 'producer') can 'efface himself' behind the work which he makes (or which makes him), but that this would be no more than a good intention, consequent upon the work itself (and hence a minor consideration) unless one takes into consideration the endless cancelling-out of the form itself, the ceaseless posing of the question of its presence; and thence that of its disappearance. This going and coming, once again non-mechanical, never bears upon the succeeding stage in the process. Everyday phenomena alone remain perceptible, never the extraordinary.

(e3) Vulgarization. The cancelling-out, through successive repetitions in different locations of a proposition, of an identity which is constant by virtue of its difference in relation to a sameness, hints at that which is generally considered typical of a minor or bad art, that is to say vulgarization considered here as a method. It is a question of drawing out from its respectable shelter of originality or rarity a work which, in essence, aims at neither respect nor honours. The cancelling-out or the disappearance of form through repetition gives rise to the appearance, at the same moment, of profuseness and ephemerality. The rarefaction of a thing produced augments its value (saleable, visual, palpable . . .). We consider that the 'vulgarization' of the work which concerns us is a matter of necessity, due to the fact that this work is made manifest only that it shall have being, and disappears in its own multiple being.

In art, Banality soon becomes Extraordinary. The instances are numerous. We consider that at this time the essential risk that must be taken – a stage in our proposition – is the vulgarization of the work itself, in order to tire out every eye that stakes all on the satisfaction of a retinal (aesthetic) shock, however slight. The visibility of this form must not attract the gaze. Once the dwindling form/imprint/gesture have been rendered impotent/invisible, the proposition has/will have some chance to become dazzling. The repetition of a neutral form, such as we are attempting to grasp and to put into practice, does not lay emphasis upon the work, but rather tends to efface it. We should stress that the effacement involved is of interest to us in so far as it makes manifest, once again, the disappearance of form (in painting) as a pole of attraction of

eine Antwort auf ein Problem oder die Zur-Schau-Stellung eines Objektes oder die Darstellung einer Haltung ist. Wenn jedoch das ›Mal‹ des Merkmals sich als mögliches Mittel des Entwertens präsentiert und nicht als etwas Privilegiertes/Konserviertes – wenn tatsächlich das Merkmal, anstelle glorreiche oder triumphierende Demonstration von Urheberschaft zu sein, als ein Mittel auftritt, um sein(e) eigene(s) Verschwinden/ Bedeutungslosigkeit zu untersuchen – dann kann man zu Recht von Entwerten sprechen; oder wenn man will, von Zerstörung des Merkmals, als Kennzeichen für irgendeinen Wert, durch sich unterscheidende Wiederholung seiner selbst, jedes Mal neu, oder jedes Mal ein wenig mehr den Wert, den es vorher behauptet haben mag, als leer, nichtig darstellend. Dieser Prozeß des Entwertens darf nicht unterbrochen werden, um die Form/Sache, ihren Ideengehalt, ihren Wert und ihre Bedeutung so weit wie möglich zu ›sprengen‹.

Wir können sagen (vgl. Abschnitt [ʃ]), daß der Urheber/Schöpfer (wir ziehen den Begriff ›Verantwortlicher‹ oder ›Hersteller‹ vor) hinter dem Werk, das er macht (oder das ihn macht) ›zurücktreten‹ kann, aber daß das nicht mehr als eine gute Absicht wäre – folgend auf das Werk als solches (und daher ein nicht so wichtiger Umstand) –, es sei denn, man zöge die endlose Entwertung der Form selber, das unaufhörliche In- fragestellen seiner Existenz – und daher das seines Verschwindens – in Betracht. Dieses Kommen und Gehen, wieder einmal nicht-mechanisch, wirkt nie auf das folgende Sta- dium im Prozeß ein. Nur die alltäglichen Phänomene bleiben wahrnehmbar, niemals die außergewöhnlichen.

e 3) Vulgarisierung. Das Entwerten einer Identität, die sich gleich bleibt in ihrem Unterschied in bezug auf eine Gleichheit, durch aufeinanderfolgende Wiederholung einer Proposition an verschiedenen Orten, weist auf etwas hin, was normalerweise als typisch für nicht so gute oder schlechte Kunst angesehen wird, das heißt, Vulgarisierung, hier als Methode angesehen. Es ist das Problem, ein Werk, dessen Wesen weder nach Respekt oder Ehren zielt, aus dem ehrwürdigen Schutt von Originalität oder Kost- barkeit (Seltenheit) zu vertreiben. Das Entwerten oder Verschwinden von Form durch Wiederholung veranlaßt das Auftreten von Überfluß und Vergänglichkeit zugleich. Ein hergestelltes Ding rar zu machen, vergrößert seinen (verkäuflichen, visuellen, spür- baren ...) Wert. Wir glauben, daß die ›Vulgarisierung‹ unserer Arbeit eine Notwendig- keit ist, weil sie nur dadurch manifest wird, daß sie ins Sein tritt, und in ihrem eigenen vielfachen Sein verschwindet.

In der Kunst wird Banalität bald etwas Außergewöhnliches. Die Beispiele sind zahl- reich. Wir glauben, daß zur Zeit das entscheidende Risiko der Vulgarisierung der Ar- beit selber – ein Stadium in unserer Proposition – gewagt werden muß, um jedes Auge zu ermüden, das auf die Befriedigung durch einen – wenn auch leichten – retinalen (ästhetischen) Schock setzt. Die Sichtbarkeit dieser Form soll die Aufmerksamkeit nicht auf sich ziehen. *Wenn erst einmal die schwindende Form/Merkmal/Geste als kraftlos/ unsichtbar dargestellt worden ist, hat/wird haben die Proposition ein Chance, als Tar- nung zu dienen. Die Wiederholung einer neutralen Form, die wir zu erreichen und*

interest, that is to say makes manifest our questioning of the concept of the painting in particular and the concept of art in general.

This questioning is absolutely alien to the habits of responding, implies thousands of fresh responses, and implies therefore the end of formalism, the end of the mania for responding (art).

Vulgarization through repetition is already calling in question the further banality of art.]

(f) *Anonymity*. From the *[seven]* preceding sections there emerges a relationship which itself leads to certain considerations; this is the relationship which may exist between the 'creator' and the proposition we are attempting to define. First fact to be established: *he is no longer the owner of his work*. Furthermore, it is not *his* work, but *a* work. The neutrality of the purpose—'painting as the subject of painting'—and the absence from it of considerations of style, forces us to acknowledge a certain anonymity. This is obviously not anonymity in the person who proposes this work, which once again would be to solve a problem by presenting it in a false light—why should we be concerned to know the name of the painter of the Avignon Pieta—but of *the anonymity of the work itself as presented*. This work being considered as common property, there can be no question of claiming the authorship thereof, possessively, in the sense that there are authentic paintings by Courbet and valueless forgeries. As we have remarked, the projection of the individual is nill; we cannot see how he could claim his work as *belonging* to him. In the same way we suggest that the same proposition made by X or Y would be identical to that made by the author of this text. If you like, the study of past work forces us to admit that there is no longer, as regards the form defined above—when it is presented—any truth or falsity in terms of conventional meaning, which can be applied to both these terms relating to a work of art.[5] *[The making of the work has no more than a relative interest, and in consequence he who makes the work has no more than a relative, quasi-anecdotal interest and cannot at any time make use of it to glorify 'his' product.]* It may also be said that the work of which we speak, because neutral/anonymous, is indeed the work of someone, but that this someone has no importance whatsoever *[since he never reveals himself]*, or, if you like, the importance he may have is totally archaic. Whether he signs 'his' work or not, it nevertheless remains anonymous.

(g) *The Viewpoint—The Location*. Lastly, one of the external consequences of our proposition is the problem raised by the location where the work is shown. In fact the work, as it is seen to be without composition and as it presents no accident to divert the eye, becomes itself the accident in relation to the place where it is presented. The indictment of any form considered *as such*, and the judgement against such forms on

anzuwenden suchen, legt keinen Nachdruck auf die Arbeit, sondern tendiert eher dahin, sie zu tilgen. Wir sollten betonen, daß die Tilgung insofern für uns von Interesse ist, als sie, wieder einmal, das Verschwinden von Form (in Malerei) als Gegenstand der Anziehung, des Interesses, offenbar macht, das heißt, unser Infragestellen der Konzeption von Malerei insbesondere und von Kunst allgemein.

Dies Infragestellen ist den üblichen Reaktionsgewohnheiten absolut fremd, beinhaltet tausende von neuen Reaktionen und daher auch das Ende des Formalismus, das Ende der Manie (auf Kunst) zu reagieren.

Vulgarisierung durch Wiederholung stellt bereits die weitere Banalität von Kunst in Frage.]

f) *Anonymität.* Aus den *[sieben]* vorhergehenden Abschnitten ergibt sich eine Beziehung, die wiederum zu bestimmten Überlegungen führt, die Beziehung, die zwischen dem ›Schöpfer‹ und der Proposition, die wir zu definieren versuchen, bestehen mag. Erste Feststellung: *Er ist nicht länger der Eigentümer seiner Arbeit.* Darüber hinaus ist es nicht *seine,* sondern *eine* Arbeit. Die Neutralität der Aufgabe – ›Malerei als Gegenstand der Malerei‹ – und das Nichtvorhandensein von Stil zwingen uns, eine gewisse Anonymität festzustellen. Dabei handelt es sich natürlich nicht um die Anonymität dessen, der die Arbeit vorlegt, was wieder einmal hieße, ein Problem zu lösen, indem man es verfälscht – was geht uns der Name dessen an, der die Pietà von Avignon gemacht hat – sondern um *die Anonymität der präsentierten Arbeit selber.* Diese Arbeit wird als allgemeiner Besitz angesehen, es kann sich nicht darum handeln, die Urheberschaft dafür im possessiven Sinn in Anspruch zu nehmen, wie es authentische Bilder und wertlose Fälschungen von Courbet gibt. Da in unserer Arbeit die Projektion des Individuums gleich Null ist, ist auch nicht einzusehen, wie es seine Arbeit als ihm *gehörig* für sich in Anspruch nehmen könnte. In gleicher Weise behaupten wir, daß dieselbe Proposition von X oder Y mit einer vom Verfasser dieses Textes gemachten identisch wäre. Wenn man so will, zwingt uns das Studium der Arbeit zu konstatieren, daß es im Hinblick auf die oben definierte Form – wenn sie präsentiert wird – weder echt noch falsch in der herkömmlichen Bedeutung in bezug auf ein Kunstwerk gibt.[5] [*Das Machen der Arbeit besitzt nur noch ein relatives Interesse und folglich besitzt der, der die Arbeit herstellt, nur noch ein relatives, quasi anekdotisches Interesse und kann es zu keiner Zeit mehr dazu gebrauchen, ›sein‹ Produkt zu verherrlichen.*] Man könnte auch sagen, daß die Arbeit, von der wir sprechen, zwar – weil neutral/anonym – von jemandem gemacht ist, dieser jemand aber nicht die geringste Bedeutung hat [*da er nie in Erscheinung tritt*] oder, wenn man will, die Bedeutung, die er haben mag, gänzlich archaisch ist. Ob er ›seine‹ Arbeit signiert oder nicht, sie bleibt dennoch anonym.

g) *Der Standpunkt – Der Ort.* Schließlich liegt eine der äußeren Konsequenzen unserer Proposition in dem Problem des Ortes, wo die Arbeit gezeigt wird. Weil die Arbeit sich ohne Komposition präsentiert, der Blick durch kein Ereignis abgelenkt wird, wird tatsächlich die Arbeit als Ganzes das Ereignis in bezug auf den Platz, wo sie präsentiert wird. Die Anklage gegen jede Form *als solche,* zu der uns die in den vorher-

the facts established in the preceding paragraphs, leads us to question the finite space in which this form is seen. It is established that the proposition, in whatever location it be presented, does not 'disturb' that location. The place in question appears as it is. It is seen in its actuality. This is partly due to the fact the proposition is not distracting. Furthermore, being only its own subject-matter, its own location is the proposition itself. Which makes it possible to say, paradoxically: the proposition in question 'has no real location'.[6]

In a certain sense, one of the characteristics of the proposition is to reveal the 'container' in which it is sheltered. One also realizes that the influence of the location upon the significance of the work is as slight as that of the work upon the location.

This consideration, in course of work, has led us to present the proposition in a number of very varied places. If it is possible to imagine a constant relationship between the container (location) and the contents (the total proposition), this relationship is always annulled or reinvoked by the next presentation. This relationship then leads to two inextricably linked although apparently contradictory problems:

(i) revelation of the location itself as a new space to be deciphered;

(ii) the questioning of the proposition itself, in so far as its repetition (see sections (d) and (e)) in different 'contexts', visible from different viewpoints, leads us back to the central issue: What is exposed to view? What is the nature of it? The multifariousness of the locations where the proposition is visible permits us to assert the unassailable persistence which it displays in the very moment when its non-style appearance merges it with its support.

It is important to demonstrate that while remaining in a very well defined cultural field—as if one could do otherwise—it is possible to go outside the cultural location in the primary sense (gallery, museum, catalogue . . .) without the proposition, considered as such, immediately giving way.[7] This strengthens our conviction that the work proposed, in so far as it raises the question of viewpoint, is posing what is in effect a new question, since it has been commonly assumed that the answer follows as a matter of course.

We cannot get bogged down here in the implications of this idea: we will merely observe for the record that all the works which claim to do away with the object (conceptual or otherwise) are essentially dependent *upon the single viewpoint* from which they are 'visible', *a priori* considered (or even not considered at all) as ineluctable. A considerable number of works of art (the most exclusively idealist, e.g. ready-mades of

gehenden Abschnitten ausgebreiteten Fakten geführt haben, bringt uns dazu, den begrenzten Raum, in dem diese Form zu sehen ist, als Problem der Untersuchung hinzustellen. Man stellt fest, daß die Proposition, wo auch immer sie präsentiert wird, den Ort nicht ›stört‹. Der fragliche Raum erscheint, wie er ist. Er wird in seiner Realität gesehen. Dies beruht zum Teil auf der Tatsache, daß die Proposition nicht ablenkt. Da sie nur ihr eigener Gegenstand ist, ist ihr eigener Ort die Proposition selber. Deshalb kann man – paradoxerweise – sagen: die fragliche Proposition ›hat keinen eigenen Platz‹.[6]

In gewisser Weise ist eins der Merkmale der Proposition, den ›Behälter‹ zu offenbaren, der ihr Schutz bietet. Man erkennt auch, daß der Einfluß des Ortes auf die Bedeutung der Arbeit ebenso gering ist, wie der Einfluß der Arbeit auf den Ort.

Diese Überlegung, die sich im Laufe der Arbeit ergab, führte uns dazu, die Proposition an einer Reihe ganz verschiedener Stellen zu präsentieren. Wenn man sich auch eine konstante Beziehung zwischen dem Behälter (Ort) und dem Inhalt (die gesamte Proposition) vorstellen könnte, wird diese Beziehung immer durch die nächste Präsentation annulliert. Diese Beziehung führt also zu zwei untrennbar verbundenen obwohl augenscheinlich widersprüchlichen Problemen:

1) Offenbarung des Ortes selbst als neuer zu entschlüsselnder Raum;
2) Das Infragestellen der Proposition selber, insofern als ihre Wiederholung (siehe Abschnitte d) und e)) in verschiedenen ›Kontexten‹, von verschiedenen Punkten aus sichtbar, uns zur zentralen Frage zurückführt: Was wird zur Besichtigung freigegeben? Was ist dessen Natur? Die Vielfalt der Orte, wo die Proposition zu sehen ist, erlaubt uns, die unangreifbare Beständigkeit festzustellen, die sie genau in dem Augenblick beweist, wenn ihre astilistische Erscheinungsform mit dem Träger verschmilzt.

Es ist wichtig, zu zeigen, daß, während man in einem sehr genau definierten kulturellen Bereich bleibt – wie könnte man auch anders? –, es möglich ist, den kulturellen Ort im ursprünglichen Sinn (Galerie, Museum, Katalog . . .) zu verlassen, ohne daß die Proposition als solche sofort zusammenfällt.[7] Das bestärkt uns in der Überzeugung, daß die vorgeschlagene Arbeit ein neues Problem aufdeckt, und zwar da, wo jeder glaubt, alles sei selbstverständlich, nämlich den Standpunkt.

Wir können uns nicht in die Implikationen dieser Idee vertiefen, wir möchten nur noch einmal deutlich darauf hinweisen, daß alle Arbeiten (konzeptuelle oder andere), die vorgeben, das Objekt abzuschaffen, ganz wesentlich *vom einzelnen Standpunkt* abhängen, von dem aus sie ›sichtbar‹ sind, und den man *a priori* für unvermeidlich hält (wenn man ihn überhaupt sieht). Eine beträchtliche Zahl von Kunstwerken (die äußerst exklusiv idealistischen, wie Ready-mades aller Art) ›existieren‹ nur, weil der Ort, an dem sie zu sehen sind, als selbstverständlich vorausgesetzt wird.

Auf diese Weise nimmt der Ort – weil er fix und unvermeidlich ist – beträchtliche Bedeutung an und wird zum ›Rahmen‹ (*und zur Sicherheit, die er verleiht*) in gerade dem Augenblick, wo man uns glauben machen will, daß das, was innerhalb stattfindet, alle bestehenden Rahmen (Fesseln) zerschlägt, um die reine ›Freiheit‹ zu erlangen. Ein

all kinds) 'exist' only because the location in which they are seen is taken for granted as a matter of course.

In this way, the location assumes considerable importance by its fixity and its inevitability; becomes the 'frame' *(and the security that presupposes)* at the very moment when they would have us believe that what takes place inside shatters all the existing frames (manacles) in the attaining of pure 'freedom'. A clear eye will recognize what is meant by freedom in art, but an eye which is a little less educated will see better what it is all about when it has adopted the following idea: that the location (outside or inside) where a work is seen is its frame (its *boundary*).

III

PREAMBLE

One might ask why so many precautions must be taken instead of merely putting one's work out in the normal fashion, leaving comment to the 'critics' and other professional gossip-columnists. The answer is very simple: complete rupture with art–such as it is envisaged, such as it is known, such as it is practised–has become the only possible means of proceeding along the path of no return upon which thought must embark; and this requires a few explanations. This rupture requires as a first priority the revision of the History of Art as we know it or, if you like, its radical dissolution. Then if one rediscovers any *durable and indispensable criteria* they must be used not as a release from the need to imitate or to sublimate, but as a *[reality]* which should be restated. A *[reality]* in fact which, although already 'discovered' would have to be challenged, therefore to be created. For it may be suggested that, at the present time, *[all the realities]* which it has been possible to point out to us or which have been recognized, are not *known*. To recognize the existence of a problem certainly does not mean the same as to know it. Indeed, if some problems have been solved empirically (or by rule-of-thumb), we cannot then say that we know them, as the very empiricism which presides over this kind of discovery obscures the solution in a maze of carefully maintained enigmas.

But art works and the practice of art have served throughout, in a parallel direction, to signal the existence of certain problems. This recognition of their existence can be called practice. The exact knowledge of these problems will be called theory (not to be confused with all the aesthetic 'theories' which have been bequeathed to us by the history of art).

It is this *knowledge* or *theory* which is now indispensable for a perspective upon the rupture–a rupture which can then pass into the realm of fact. *The mere recognition* of the existence of pertinent problems *will not suffice for us*. It may be affirmed that all

waches Auge erkennt, was es mit der Freiheit in der Kunst auf sich hat, aber ein weniger geschultes Auge wird besser erkennen, worum es geht, wenn es sich die folgende Auffassung zu eigen gemacht hat: daß der Ort (außen oder innen), wo eine Arbeit zu sehen ist, sein Rahmen (seine *Grenze*) ist.

III

PRÄAMBEL

Man könnte sich fragen, warum so viele Vorsichtsmaßregeln ergriffen werden müssen, statt daß man normal seine Arbeit präsentiert, ohne Kommentar, und diese Sorge den ›Kritikern‹ und anderen professionellen Wiederkäuern überläßt. Ganz einfach: weil allein ein totaler Bruch mit der Kunst – wie man sie sieht, wie man sie kennt, wie man sie praktiziert – zur möglichen Frage geworden ist, ein Weg ohne Umkehr, auf den sich das Denken einlassen muß; und das erfordert einige Erklärungen. Dieser Bruch erfordert als erste und wesentliche Aufgabe, die Kunstgeschichte, wie man sie normalerweise kennt, neu zu sehen, oder, wenn man so will, sie radikal auseinanderzunehmen, und dann, wenn man einige *markante und wesentliche Punkte* findet, sich ihrer nicht als einer Erwerbung zum Imitieren oder Sublimieren zu bedienen, sondern als einer [*Wirklichkeit*], die noch einmal gesagt werden sollte. Tatsächlich, eine [*Wirklichkeit*], die man, obwohl schon ›entdeckt‹, in Frage stellen muß, also erschaffen. Denn man könnte behaupten, daß heute [*alle Wirklichkeiten*], die man uns hat zeigen können, oder die wir erkannt haben, nicht *bekannt* sind. Die Existenz eines Problemes sehen heißt sicher noch nicht es durchschauen. Wenn auch einige Probleme empirisch (oder nach Faustregeln) gelöst worden sind, können wir wirklich nicht sagen, daß wir sie kennen, denn gerade der Empirismus, der bei dieser Art von Entdeckung den Vorsitz führt, ertränkt die Lösung in einem Labyrinth sorgsam bewahrter Rätsel.

Aber parallel dazu, durch die künstlerische Arbeit/Produktion selbst, finden wir während des ganzen Kunstverlaufs ein Aufzeigen der Existenz bestimmter Probleme. Dieses Erkennen ihrer Existenz kann Praxis genannt werden; die genaue Kenntnis dieser Probleme wird man Theorie nennen (nicht zu verwechseln mit all den ästhetischen ›Theorien‹, die die Kunstgeschichte uns hinterlassen hat).

Diese *Kenntnis* oder *Theorie* ist es, die jetzt im Hinblick auf den Bruch unentbehrlich ist: ein Bruch, der dann in die Tat umgesetzt werden kann. *Wir können uns nicht mehr mit der bloßen Kenntnis* der vorhandenen Probleme *begnügen.* Man kann behaupten, daß die gesamte Kunst bis auf den heutigen Tag einerseits nur *empirisch* geschaffen wurde und andererseits aus idealistischem Denken heraus. Wenn es möglich wäre, noch einmal zu denken oder zu denken und theoretisch/wissenschaftlich zu schaffen, wird der *Bruch* erreicht werden, und dadurch wird das Wort Kunst seine – zahlreichen und voneinander abweichenden – Bedeutungen verloren haben, die bis heute an ihm haften. Wir können auf der Basis des Vorhergegangenen sagen, daß der Bruch, wenn es einen geben wird, nur epistemologisch sein kann/wird. Dieser Bruch ist/wird sein die logische Folge einer theoretischen Arbeit, in dem Augenblick, wo die Kunstgeschichte (die noch

art up to the present day has been created on the one hand only *empirically* and on the other out of idealistic thinking. If it is possible to think again or to think and create theoretically/scientifically, the *rupture* will be achieved and thus the word art will have lost the meanings–numerous and divergent–which at present encumber it. We can say, on the basis of the foregoing, that the rupture, if any, can be (can only be) epistemological. This rupture is/will be the resulting logic of a theoretical work at the moment when the history of art (which is still to be made) and its application are/will be envisaged theoretically: theory and theory alone, as we well know, can make possible a revolutionary practice. Furthermore, not only is/will theory be indissociable from its own practise, but again it may/will be able to give rise to other original kinds of practice.

Finally, as far as we are concerned, *it must be clearly understood that when theory is considered as producer/creator, the only theory or theoretic practice is the result presented/the painting* or, according to Althusser's definition: 'Theory: a specific form of practice'.

We are aware that this exposition of facts may be somewhat didactic; nevertheless we consider it indispensable to proceed in this way at this time.

[*July/August 1969 and January 1970*]

Footnotes

1   Whether there is a material object or not, as soon as a thing, an idea or a 'concept' is removed from its context, it is indeed a question of its exposition, in the traditional sense of this term.
2   This approach is not only aberrant (nonsense) but typically regressive, considering that the very concepts of art, of works of art . . . are in course of being dissolved.
3   To deny this would be to call in question all the notions sustaining the word art.
4   We may here mention the false problem raised/solved by the monochrome: '. . . The monochrome canvas as subject-picture refers back–and refers back in the end only to that metaphysical background against which are outlined the figures of the type of painting called realist, which is really only illusionist'. Marcelin Pleynet in *Les Lettres Françaises* No 1177.
5   See 'Buren or Toroni or no matter who', demonstration, Lugano, December 1967.
6   See Michel Claura in *Les Lettres Françaises* No 1277.
7   As an example and by comparison, what has become of Duchamp's urinal since it was returned to the public lavatories?

zu machen ist) und ihre Praxis theoretisch betrachtet werden: die Theorie, und nur sie allein, kann, wie wir wissen, tatsächlich eine revolutionäre Praxis ermöglichen. Andererseits ist/wird sein die Theorie nicht nur untrennbar mit ihrer eigenen Praxis verbunden, sondern kann/wird können wieder andere originelle Praktiken hervorrufen.

Was letztlich uns betrifft, *muß man klarsehen, daß wenn man sich als Produzent/ Schaffender mit Theorie beschäftigt, nur das präsentierte Resultat/Bild Theorie oder praktische Theorie ist,* oder wie Althusser es definiert: »Theorie: eine spezifische Form von Praxis«.

Wir sind uns klar darüber, daß diese Darlegungen vielleicht etwas didaktisch sind, dennoch glauben wir, daß es in diesem Augenblick unerläßlich ist, so vorzugehen.

[Juli/August 1969 und Januar 1970]

Anmerkungen

1 Ob es nun ein materielles Objekt gibt oder nicht, sobald ein Ding, eine Idee oder ein ›Konzept‹ aus seinem ›Kontext‹ genommen wird, handelt es sich um seine Ausstellung im herkömmlichen Sinn des Ausdrucks.

2 Dieser Versuch ist nicht nur irrig (unsinnig), sondern typisch regressiv, in Anbetracht dessen, daß gerade die Konzeptionen von Kunst, Kunstwerken . . . im Begriff sind, sich aufzulösen.

3 Das zu bestreiten würde bedeuten, daß im gleichen Moment alle Begriffe, die das Wort Kunst beinhaltet, sofort zusammenstürzten.

4 Wir möchten hier das vom Monochromen aufgebrachte/gelöste Fehl-Problem erwähnen: ». . . Das monochrome Bild als Genre-Bild weist zurück – und verweist letzten Endes nur auf den metaphysischen Hintergrund, gegen den sich die Figuren der sogenannten realistischen Malerei abheben, die im Grunde nur illusionistisch ist.« Marcelin Pleynet in *Les Lettres Françaises* Nr. 1177.

5 Siehe ›Buren oder Toroni oder egal wer‹, Manifestation Lugano, Dezember 1967.

6 Siehe Michel Claura in *Les Lettres Françaises* Nr. 1277.

7 Als ein Beispiel und zum Vergleich: Was wird aus Duchamps Urinoir, wenn man es wieder in eine öffentliche Toilette bringt?

Victor Burgin

Situational Aesthetics

Some recent art, evolving through attention both to the conditions under which objects are perceived and to the processes by which aesthetic status is attributed to certain of these, has tended to take its essential form in message rather than in materials. In its logical extremity this tendency has resulted in a placing of art entirely within the linguistic infrastructure which previously served merely to support art. In its less hermetic manifestations art as message, as 'softwear', consists of sets of conditions, more or less closely defined, according to which particular concepts may be demonstrated. This is to say, aesthetic *systems* are designed, capable of generating objects, rather than individual objects themselves. Two consequences of this work process are: the specific nature of any object formed is largely contingent upon the details of the situation for which it is designed; through attention to time, objects formed are intentionally located partly in real, exterior, space and partly in psychological, interior, space.

Conceptual elements in a work may to some extent be conceived of, and accounted for, through analogy with the experience of substantial elements. Consider these instructions: suppose an interior wall of a room to be concealed by a skin. The skin is parallel with and an eighth-inch above the surface it conceals. The colour of the skin simulates that of the concealed surface.

The preceding paragraph is not intended as an object in its own right, although it could be considered as such[1], but 'objects' may be generated through the perceptual behaviour it recommends. The existing substances of the room serve to locate and particularize the object and no new materials are introduced. An immaterial object is created which is solely a function of perceptual behaviour but yet which inducts attributes of physicality from its material setting. In 'fitting' the conceptual elements into this setting an act of attention is required which is similar to the act of handling material substances – it is styled by kinaesthetic analogy.

In moving through real, 'sensorial', space we may touch immediately near objects. Distant objects in real space are 'touched' in the mind (we say the mind 'reaches out'). The manner therefore in which we make our mental approach to a distant object of attention is styled through analogy with, and expectation of, the bodily experience of

Victor Burgin

Situationsästhetik

Ein Teil der neueren Kunst, der sich dadurch entwickelte, daß man den Konditionen, unter denen Objekte wahrgenommen werden, und den Prozessen, durch die einem bestimmten Teil von ihnen ein ästhetischer Rang zuerkannt wird, Aufmerksamkeit entgegenbrachte, tendiert dazu, den wesentlichen Akzent eher auf die Botschaft als auf das Material zu legen. In ihrem logischen Extrem lief diese Tendenz darauf hinaus, Kunst völlig innerhalb der linguistischen Infrastruktur zu plazieren, die vorher nur dazu gedient hatte, der Kunst helfend beizuspringen. In den nicht ganz so hermetischen Manifestationen besteht Kunst als Botschaft, ›Software‹, aus einer Reihe mehr oder weniger genau definierter Bedingungen, an Hand derer bestimmte Konzepte dargestellt werden können. Das heißt, es werden eher ästhetische *Systeme* entworfen, die im Stande sind, Objekte hervorzubringen, als einzelne Objekte selbst. Dieser Arbeitsprozeß hat zwei Konsequenzen: die spezifische Natur irgendeines hergestellten Objektes hängt zum großen Teil von den Details der Situation ab, für die es bestimmt ist; unter Eingehen auf den Aspekt der Zeit werden gestaltete Objekte absichtlich teils im realen, äußeren und teils im psychischen, inneren Raum angesiedelt.

Konzeptuelle Elemente in einer Arbeit kann man sich bis zu einem gewissen Grad durch Analogie mit der Erfahrung bei substantiellen Elementen vorstellen und klarmachen. Denken Sie einmal über folgende Angaben nach: Eine Innenwand eines Raumes ist durch eine dünne Haut verborgen; sie verläuft parallel zu und 1/8 Inch über der Oberfläche, die sie verbirgt, und ihre Farbe ahmt die der verhüllten Oberfläche nach.

Der vorangegangene Absatz ist nicht als selbständiges Objekt gemeint, obgleich man es als solches ansehen könnte,[1] sondern ›Objekte‹ können durch das Wahrnehmungsverhalten, was sie nahelegen, entstehen. Die existierenden Bestandteile des Raumes dienen dazu, den Platz des Objektes festzulegen und es näher zu bestimmen, neues Material wird nicht eingeführt. Ein immaterielles Objekt ist entstanden, das nur aus dem Funktionieren des Wahrnehmungsverhaltens besteht, aber immer noch Eigenschaften von physischem Sein aufweist, die auf der materiellen Anlage beruhen. Damit die konzeptuellen Elemente in diese Anlage ›passen‹, ist ein Akt der Aufmerksamkeit nötig, der dem, mit materiellen Substanzen umzugehen, verwandt ist – er wird mit dem Wort kinästhetische Analogie bezeichnet.

Wenn wir uns durch einen realen, ›sensorischen‹ Raum bewegen, können wir nahe Objekte unmittelbar berühren, entferntere werden im Geist ›berührt‹ (man sagt, der

near objects. This mode of appreciation, learned in exterior, sensorial, space, is applied when we negotiate interior, psychological, space. Kinaesthetic analogy then, an understanding in terms of body, is constant to our reception of perceptual experience which shifts freely between sensorial and psychological data in the life-world 'tangled, muddy and perplexed' which precedes the ordering of experience.

We exercise discrimination towards perceptual fields. At the level of zero discrimination our experience is non-objective and meaningless, 'things' have not come into being. At the level of optimum discrimination for practical living, objects are identified and meaning attributed. But both primary experience and pragmatic interpretation are simply modes of consciousness, alternative states of awareness, and as such may be conceived of as points along a psycho-sensorial continuum. Between these points, to pursue the schematic analogy, lie all degrees of discrimination.

Schematically and in terms of discrimination, any path of consciousness through time might be represented as a meander. Attention to objects 'out there' in the material world is constantly subverted by the demands of memory. Wilful concentration is constantly dissolving into involuntary association. Even beyond familiar types of conscious association there are more subversive mechanisms at work: '. . . we now have direct evidence that signals become distributed within the input system. What we see . . . is not a pure and simple coding of the light patterns that are focused on the retina. Somewhere between the retina and the visual cortex the inflowing signals are modified to provide information that is already linked to a learned response. . . . Evidently what reaches the visual cortex is evoked by the external world but is hardly a direct or simple replica of it.'[2]

Accepting the shifting and ephemeral nature of perceptual experience, and if we accept that both real and conceptual objects are appreciated in an analogous manner, then it becomes reasonable to posit aesthetic objects which are located partly in real space and partly in psychological space. Such a placing of aesthetic objects however involves both a revised attitude towards materials and a reversal of function between these materials and their context.

Cage is hopeful in claiming, 'We are getting rid of ownership, substituting use';[3] attitudes towards materials in art are still informed largely by the laws of conspicuous consumption, and aesthetic commodity hardwear continues to pile while utilitarian objects, whose beauty might once have been taken as conclusive proof of the existence of God, spill in inconceivable profusion from the cybernated cornucopias of industry. Each day we face the intractability of materials which have outstayed their welcome. Many recent attitudes to materials in art are based in an emerging awareness of the interdependence of all substances within the ecosystem of earth. The artist is liable to

Geist ›greift danach‹). Die Art und Weise, in der wir uns geistig einem entfernten Objekt unserer Aufmerksamkeit nähern, wird also in Analogie und Erwartung aufgrund körperlicher Erfahrung mit nahen Objekten bezeichnet. Dieser Wahrnehmungsmodus, den wir im äußeren, sensorischen Raum erlernt haben, wird angewendet, wenn es um den inneren, psychischen Raum geht. Kinästhetische Analogie, Verstehen durch den Körper, bleibt also fortwährend unserer Rezeption perzeptorischer Erfahrung verhaftet, die im täglichen Leben ›verstört, beschmutzt und verwirrt‹ zwischen sensorischen und psychischen Angaben hin und her schwankt, bevor die Ordnungsfunktion der Erfahrung einsetzt. Die Unterscheidung auf dem Wahrnehmungsgebiet ist verschieden. Auf dem Null-Level ist unsere Erfahrung nicht-gegenständlich und ohne Sinn, ›Dinge‹ existieren nicht; bei optimaler Unterscheidungsfähigkeit fürs praktische Leben werden Objekte identifiziert und erhalten Bedeutung zugesprochen. Aber beide, primäre Erfahrung und pragmatische Interpretation, sind nur Modi des Bewußtseins, alternative Zustände, und lassen sich als solche als Punkte auf einem psycho-sensorischen Kontinuum verstehen. Zwischen diesen Punkten, um der schematischen Analogie Genüge zu tun, liegen alle möglichen Stufen der Unterscheidung.

Schematisch und in Hinsicht auf Unterscheidung könnte man jeden Verlauf des Bewußtseins in der Zeit als Mäander darstellen. Aufmerksamkeit gegenüber Objekten ›draußen‹ in der Welt der Materie wird fortwährend von Einwürfen des Gedächtnisses unterlaufen. Bewußte Konzentration löst sich ständig in unwillkürliche Assoziationen auf. Sogar jenseits der vertrauten Formen von Assoziation, derer man sich bewußt ist, sind noch subversivere Mechanismen an der Arbeit: ».. . wir haben jetzt den sicheren Beweis dafür, daß Signale innerhalb des Input-Systems verteilt werden. Was wir sehen ... ist nicht eine reine und einfache Kodierung der Lichtmuster, die auf der Netzhaut in einem Punkt konzentriert werden. Irgendwo zwischen der Netzhaut und der für das Sehen zuständigen Gehirnrinde werden die einströmenden Signale dahingehend verändert, daß sie Information liefern, die schon mit einer gelernten Reaktion verbunden ist ... Selbstredend wird das, was die Gehirnrinde erreicht, von der Außenwelt evoziert, es ist aber kaum ein unmittelbares oder einfaches Abbild.«[2]

Akzeptiert man die schweifende und ephemere Natur perzeptorischer Erfahrung und auch, daß sowohl reale wie konzeptuelle Objekte analog wahrgenommen werden, dann wird es verständlich, daß man ästhetische Objekte aufstellt, die teils im realen und teils im psychischen Raum angesiedelt sind. Das schließt jedoch sowohl eine veränderte Haltung gegenüber Material als auch eine Umkehrung der Funktion zwischen diesem Material und seinem Kontext ein.

Cage ist optimistisch, wenn er behauptet: »In Zukunft wird Besitz durch Nutznießung ersetzt werden.«[3] Die Haltung gegenüber Material in der Kunst wird immer noch zum großen Teil vom Gesetz üppigen Konsums bestimmt, und das ästhetische Warendenken türmt immer noch Dinge aufeinander, während Nutzobjekte, deren Schönheit man einst wohl für den schlüssigen Beweis der Existenz Gottes gehalten hat, in unfaßlichem Überfluß aus den kybernetischen Füllhörnern der Industrie quellen.

see himself not as a creator of new material forms but rather as a coordinator of existing forms, and may therefore choose to *subtract* materials from the environment. As art is being seen increasingly in terms of behaviour so materials are being seen in terms simply of quantity rather than of quality.

Life exists by virtue of the one-sixth of one per cent of impurities which exists in a universe composed mainly of hydrogen (about 90 per cent) and helium (about 10 per cent). Viewed from this tangent, all artefacts may be seen as belonging to a continuum of forms of common elements. Consequently, a painting could be said to represent a point of particular cultural significance located in an elemental continuum somewhere between geological and organic forms and gases and dust. Although obviously irrelevant to some of the more sophisticated aspects of connoisseurship, such an attitude towards materials does enable us to view their use simply in terms of their suitability for a situation – in a given context, some will seem more appropriate than others.

Once materials are selected according to largely fortuitous criteria, depending on their location, their individual status is diminished. The identification of art relies upon the recognition of cues which signal that the type of behaviour termed aesthetic appreciation is to be adopted.[4] These cues help form a context which reveals the art object. The object itself, in being displayed, may be termed overt and in the case of the visual arts it has been predominantly substantial. Any attempt to make an 'object' of non-overt and insubstantial conceptual forms demands that substantial materials located in exterior space-time be used in a manner which subverts their 'objectness' in order to identify them as 'situational cues'.[5]

Perceptual fields are not experienced as objects in themselves. Perception is a continuum, a precipitation of event fragments decaying in time, above all a *process*. An object analogue may, however, be posited by locating points within the perceptual continuum. Two rope triangles placed in Greenwich park earlier this year represent an attempt to 'parenthesize' a section of perceptual experience in time. General instructions for this work are:

1. Two units co-exist in time.

2. Spatial separation is such that units may not simultaneously be directly perceived.

3. Units isomorphic to degree that encounter with second is likely to evoke recollection of first.

By the above definition the units may be said to bracket the perceptual data subjectively experienced between them. The 'object', therefore may be defined as consisting of three elements: First unit. Recollection of intervening space-time. Second unit.

Jeden Tag sehen wir uns störrischem Material gegenüber, das länger hält, als uns lieb ist. Vielfach beruht die neue Einstellung zu Material in der Kunst auf der auftauchenden Erkenntnis der gegenseitigen Abhängigkeit aller Substanzen im ökologischen System der Erde. Der Künstler neigt dazu, sich nicht als Schöpfer neuer Materialformen, sondern eher als Koordinator existierender Formen zu sehen und entscheidet sich deshalb unter Umständen dafür, Material aus der Umgebung *wegzunehmen*. Wie Kunst immer mehr unter dem Aspekt von Verhalten gesehen wird, so Material einfach unter dem von Quantität eher als von Qualität.

Leben existiert dank des ein Sechstel Prozents an Unreinheiten in einem Universum, das hauptsächlich aus Wasserstoff (etwa 90 Prozent) und Helium (etwa 10 Prozent) besteht. Von daher betrachtet, könnte man alle Artefakte als Bestandteil eines Kontinuums von Formen allgemeiner Elemente ansehen. Dementsprechend wäre dann ein Bild ein Punkt von bestimmter kultureller Bedeutung, angesiedelt in einem gewaltigen Kontinuum irgendwo zwischen geologischen und organischen Formen und Gasen und Staub. Obgleich augenscheinlich irrelevant für einige der intellektuelleren Aspekte von Kennerschaft, können wir durch diese Einstellung zu Material dessen Verwendung einfach unter dem Aspekt seiner Brauchbarkeit für eine Situation sehen – in einem gegebenen Kontext wird eins geeigneter erscheinen als ein anderes.

Wenn Material nach größtenteils zufälligen Kriterien, die vom betreffenden Ort abhängen, ausgewählt wird, verringert sich dessen individueller Status. Die Identifizierung von Kunst beruht auf dem Erkennen von Hinweisen, die signalisieren, daß der Verhaltenstypus ästhetische Würdigung einzunehmen ist.[4] Diese Hinweise unterstützen den Aufbau eines Kontextes, der das Kunstobjekt offenbart. Das Objekt selber – wenn es ausgestellt ist – könnte man offenbar nennen, und im Fall der bildenden Kunst war es vorwiegend substantiell. Jeder Versuch, ein ›Objekt‹ von nicht-offenbarer und unsubstantieller konzeptueller Form zu schaffen, erfordert, daß man substantielles, in Außen-Raum/Außen-Zeit angesiedeltes Material so verwendet, daß sein ›Objektcharakter‹ unterwandert wird, damit man es als ›situationsabhängigen Hinweis‹ identifizieren kann.[5]

Perzeptorische Bereiche werden nicht als Objekte an sich erfahren. Wahrnehmung ist ein Kontinuum, ein Niederschlag von Ereignisfragmenten, die mit der Zeit zerfallen, vor allem ein *Prozeß*. Ein analoges Objekt kann man vielleicht jedoch dadurch setzen, daß man Punkte innerhalb des Wahrnehmungskontinuums festlegt. Zwei Dreiecke aus Seilen, vor einiger Zeit im Park von Greenwich angebracht, stellen einen Versuch dar, einen Ausschnitt perzeptorischer Wahrnehmung in der Zeit zu ›umklammern‹. Allgemeine Instruktionen für diese Arbeit sind:

1. Zwei gleichzeitig existierende Einheiten.
2. Die räumliche Trennung ist dergestalt, daß sich die Einheiten nicht gleichzeitig unmittelbar wahrnehmen lassen.
3. Isomorphie der Einheiten in einem Maß, daß die Begegnung mit der zweiten wahrscheinlich die Erinnerung an die erste hervorruft.

The first triangle in Greenwich park was constructed using about 100 ft of ¼ in. rope held in tension between three 6 x ¼ in. wire-strainers driven into the ground so that only the circular 'eyes' projected above the surface. The rope was threaded through the eyes, pulled taut, and knotted. A second triangle was constructed in a similar manner on an opposite side of the park from the first. The two triangles were equilateral, both measuring 36 ft on each side, and sited so that neither could be seen from the other and so that neither could be seen from any great distance. This latter condition was established by the selection of gently undulating localities, the points of the triangles touching the slopes of a depression with the ropes between passing freely through space a few inches above the ground. The intention of this positioning was that the triangles should 'come into being' gradually, in an additive fragmentary fashion, as they were approached. Their position within view of a footpath increased the probability of an optimum reading being effected.

The triangles were serially ordered in space-time. Invariance in their reading, and therefore the apparent congruence of two actually dissimilar perceptual fields, was ensured by the familiarity of the equilateral triangle as a configurational archetype. Encounter with the first triangle was not particularly notable, the materials used are commonplace and the handling of them eschewed craft considerations. It is conceivable that the first triangle might enter consciousness at a subliminal level (ropes are low in the hierarchy of sensory experiences offered by Greenwich Park). Encounter with the second triangle however emphasized recognition of the first by its involuntary recall. The intention was that the recollected image of the first configuration would be mentally brought forward and superimposed upon the configuration immediately available to the retina. Consciousness would be sent back through its memory data assembling en route an object analogue composed of recalled images, the relationships between these fragments to be governed by personal associative propensities. The life of this conceptual element might be brief though repeated path-tracing between the two cues would probably favour a particular sequence of forms and impress them on the memory.

Because of the emphasis placed upon the perceiver's role in the formation of the 'object' the specific nature of any such 'object' is highly subjective. The required mode of attention would involve a mind 'out of focus', a self-induced suspension of cognition in which experience is emotive but meaningless. To focus, like this, upon pre-objective experience is to be aware of movement, and attention to motion reveals the ephemeral, emphasizes the inconstant: 'The invariant component in a transformation carries information about an object and the variant component carries other information, for example, about the relation of the perceiver to the object. When an observer attends to certain invariants he perceives objects; when he attends to certain variants he has sensations.'[6] If we suppose a consistently non-cognitive response to experience by an individual observing only the variant in his perception, then the only object of that

Nach der obigen Definition kann man von den Einheiten sagen, sie klammerten die subjektiv erfahrenen perzeptorischen Angaben zwischen sich ein. Das ›Objekt‹ läßt sich daher so definieren, daß es aus drei Elementen besteht: erste Einheit; Erinnerung an die dazwischenliegende Raum-Zeitlichkeit; zweite Einheit.

Das erste Dreieck im Park von Greenwich war so konstruiert, daß gut 30 Meter eines 6 Millimeter starken Seils von drei 150 x 6 Millimeter großen Drahtstreckern gespannt wurden, die so in den Boden getrieben waren, daß nur die kreisförmigen ›Augen‹ daraus hervorsahen. Das Seil wurde durch die Augen gezogen, straff gespannt und verknotet. Ein zweites Dreieck wurde in gleicher Weise auf der dem ersten gegenüberliegenden Seite des Parks konstruiert. Beide Dreiecke waren gleichseitig, mit einer Seitenlänge von je 10,8 Metern, und so angebracht, daß keines vom anderen aus und keines aus größerer Entfernung gesehen werden konnte. Die zuletztgenannte Bedingung wurde durch die Wahl eines leicht welligen Geländes erreicht, wobei die Spitzen der Dreiecke die Hänge einer Senke berührten, während die Seile dazwischen einige Zentimeter über dem Boden frei durch den Raum führten. Die Absicht bei dieser Anlage bestand darin, die Dreiecke allmählich ›ins Dasein treten‹ zu lassen, in additiver, fragmentarischer Weise, so, wie man sich ihnen eben näherte. Ihre Lage in Sichtweite eines Fußwegs erhöhte die Wahrscheinlichkeit, daß es zu einem optimalen Erkennen kam.

Die Dreiecke waren seriell in Raum und Zeit angeordnet. Die Invarianz ihrer Erscheinung und mithin die offensichtliche Kongruenz zweier in Wirklichkeit ungleicher perzeptorischer Bereiche war durch die Vertrautheit mit einem gleichseitigen Dreieck als einem konfigurativen Archetypus sichergestellt. Die Begegnung mit dem ersten Dreieck war nicht besonders bemerkenswert, die benutzten Materialien waren alltäglich, und ihre Behandlung schloß Überlegungen im Hinblick auf Kunstfertigkeit aus. Es ist denkbar, daß das erste Dreieck nur auf einer unterschwelligen Ebene ins Bewußtsein eindrang (Seile stehen in der Hierarchie der vom Greenwich Park gebotenen sensorischen Erfahrungen an niedriger Stelle). Die Begegnung mit dem zweiten Dreieck hingegen betonte das Erkennen des ersten durch die unwillkürliche Erinnerung. Die Absicht ging dahin, das erinnerte Bild der ersten Konfiguration sich geistig zu vergegenwärtigen und es über die der Netzhaut unmittelbar zugängliche Konfiguration zu legen. Das Bewußtsein sollte zurück durch sein Erinnerungsmaterial geschickt werden, um auf diesem Weg ein Objektanalogon aus erinnerten Bildern zusammenzustellen, wobei die Beziehungen zwischen diesen Fragmenten von persönlichen Assoziationsfähigkeiten beherrscht sein sollten. Die Lebensdauer dieses konzeptuellen Elements mag vielleicht kurz sein, obgleich wiederholtes Hin- und Hergehen zwischen den beiden Reizpunkten vermutlich eine besondere Formensequenz begünstigen und sie dem Gedächtnis einprägen würde.

Wegen der Betonung, die auf die Rolle des Wahrnehmenden bei der Gestaltung des ›Objekts‹ gelegt wird, ist die spezifische Natur jedes derartigen ›Objekts‹ höchst subjektiv. Der erforderliche Aufmerksamkeitsmodus impliziert ein ›unscharfes‹ Denken, ein selbstauferlegtes Suspendieren von Erkenntnis, wobei Erfahrung gefühlsmäßig, aber

individual's attention would be his 'life object' as he passively observes the perpetually present modulations in his visual field. Conceptually, the life object is equivalent to any individual's total perceptual experience. However, the notion of an object assumes an exterior viewpoint. From 'inside', subjective experience is a *context*, within which objects are encountered rather than an object. Nevertheless, the idea of all of one's perceptual experience as a single object does establish a high degree of latitude in the naming of objects as sub–divisions within the subjectively experienced perceptual continuum. A more or less gratuitous designation of objects is possible as all perceptual data may be fitted into the common matrix of interval and duration.

Visual information concerning duration is gained, as it is gained when we observe motion, from observations of shift in perceptual field. In travelling past an object we are presented with an apparent configurational evolution from which we may abstract a number of discrete states. Comparison of expired configurations with the configuration of the moment tells us we are in motion relative to the object. An exercise of a similar nature is involved when we observe change in a place to which we have returned after an absence, we compare and contrast past and present configurations, or more accurately, we superimpose a memorized configuration upon a configuration present to the retina. Pragmatically, within this complex of shifting appearances, we have workable systems of establishing space-time coordinates for navigation and prediction, but true locations exist only in the abstract as points of zero dimensions. Locations such as those given by the National Grid are fixed by definition, but the actual spaces to which they refer are in continual flux and so impossible to separate from time.

Time, in the perception of exterior events, is the observation of succession linked with muscular-navigational memories – a visceral identification with change. Similarly kinaesthetic modes of appreciation are applied to the subjective transformation of these events in interior time and in recollection. All behaviour has these space-time parameters in common. To distinguish, therefore, between 'arts of space' and 'arts of time'[7] is literally unrealistic. The misconception is based in materialism, it springs, again, from a focus upon the *object* rather than upon the behaviour of the perceiver. Theatre and cinema are not arts of 'time' but arts of *theatrical* and *cinematic* time, governed by their own conventions and the limitations of their hardware. The Parthenon is not 'timeless' but, simply, set in *geological* time. It is a mistake to refer to 'time' as if it were singular and absolute. A full definition of the term would require a plurality of times and would accomodate such contrasting scales as the times of galaxies and of viruses. The current occupation with time and ecology, the consciousness of *process*, is necessarily counter-conservative. Permanence is revealed as being a relationship and not an attribute. Vertical structuring, based in hermetic, historically given concepts of art and its cultural role, has given way to a laterally proliferating complex of activities which are united only in their common definition as products of artistic

bedeutungslos ist. Sich derart auf prä-objektive Erfahrung einzustellen, heißt, Bewegung gewahr zu werden, und Aufmerksamkeit auf Bewegung enthüllt das Kurzlebige, betont das Inkonstante: »Die invariante Komponente in einer Transformation trägt Information über ein Objekt in sich, und die variante Komponente liefert andere Information, beispielsweise über die Beziehung des Wahrnehmenden zum Objekt. Konzentriert sich ein Beobachter auf bestimmte Invarianten, nimmt er Objekte wahr; konzentriert er sich auf bestimmte Varianten, hat er Empfindungen.«[6] Nehmen wir eine durchweg nicht-kognitive Reaktion auf Erfahrung bei einem Individuum an, das nur das Variante in seiner Wahrnehmung beobachtet, wäre das einzige Objekt für die Aufmerksamkeit jenes Individuums sein ›Lebensobjekt‹, da es passiv die ständig vorhandenen Modulationen in seinem Blickfeld beobachtet. Begrifflich ist das Lebensobjekt gleichbedeutend mit der totalen Wahrnehmungserfahrung eines Individuums. Der Begriff eines Objekts setzt jedoch einen externen Blickpunkt voraus. Von ›innen her‹ ist subjektive Erfahrung ein *Kontext,* innerhalb dessen man Objekten begegnet, nicht einem Objekt. Nichtsdestoweniger schafft die Vorstellung seiner gesamten Wahrnehmungserfahrung als einem einzigen Objekt einen weiten Spielraum für die Benennung von Objekten als Untergliederungen innerhalb des subjektiv erfahrenen Wahrnehmungskontinuums. Eine mehr oder weniger beliebige Kennzeichnung von Objekten ist deshalb möglich, weil sich alle Wahrnehmungsdaten in die gemeinsame Matrix von Intervall und Dauer einfügen lassen.

Visuelle Informationen über Dauer erhält man, wie bei der Beobachtung von Bewegung, durch Beobachtungen von Verschiebungen im Wahrnehmungsbereich. Im Vorbeifahren an einem Objekt sehen wir uns einer offensichtlichen konfigurativen Entwicklung konfrontiert, aus der wir eine Anzahl einzelner Zustände abstrahieren können. Der Vergleich verschwundener Konfigurationen mit der augenblicklichen Konfiguration läßt uns erkennen, daß wir uns in bezug auf das Objekt in Bewegung befinden. Ein Vorgang ähnlicher Art ist im Spiel, wenn wir an einem Ort, an den wir nach einer Abwesenheit zurückkehren, Veränderungen beobachten: wir vergleichen und konfrontieren vergangene und gegenwärtige Konfigurationen; oder genauer: wir überlagern einer der Netzhaut gegenwärtigen Konfiguration eine erinnerte. Pragmatisch gesehen, haben wir innerhalb dieses Komplexes sich verschiebender Erscheinungen brauchbare Systeme zur Errichtung von Raum-Zeit-Koordinaten zur Positionsbestimmung und für Vorhersagen, aber wahre Lokalisierungen existieren nur im Abstrakten als Punkte von Nulldimension. Lokalisierungen, wie sie das nationale Vermessungsamt liefert, sind durch Definition festgelegt, doch der tatsächliche Raum, auf den sie sich beziehen, befindet sich in beständigem Fluß und ist daher unmöglich von der Zeit trennbar.

Zeit ist, bei der Wahrnehmung äußerer Ereignisse, die Beobachtung von Abfolge, verknüpft mit muskulär-ortsbestimmenden Erinnerungen: eine innere Identifizierung mit Veränderung. Ähnlich wendet man kinästhetische Beurteilungsmodi auf die subjektive Transformation dieser Ereignisse in innerer Zeit und in der Erinnerung an. Allem Verhalten sind diese raumzeitlichen Parameter gemeinsam. Daher ist es buchstäblich un-

behaviour. This situation in art is the corollary of a general reduction in the credibility of institutions[8] and many find much recent art implicitly political. One may disagree, however, with those who would locate motivations in as doctrinaire an attitude as 'Disgust with the decadence of Western civilization'.[9]

Art *intended* as propaganda is almost invariably both aesthetically tedious and politically impotent. The process-oriented attitudes described here are not intentionally iconoclastic and one should be suspicious of easy comparisons with Dada. It does not follow, because some institutions have been ignored, that they are under attack. It seems rather less likely that the new work will result in the overthrow of the economy than that it will find a new relationship with it; one based, perhaps, in the assumption that art is justified as an *activity* and not merely as a means of providing supplementary evidence of pecuniary reputability. As Brecht observed, we are used to judging a work by its suitability for the apparatus. Perhaps it is time to judge the apparatus by its suitability for the work.

The recognition of a multiplicity of times, the concentration on process and behaviour, destroys the model of time as some sort of metaphysical yardstick against which the proper 'length' of an activity may be measured. Works may be proposed in which materials are deployed and shifted in space in order to create compressions and rarefactions in time. Such a work would be perceived in the 'extended present' within which we appreciate music. In this state of awareness the distinction between interior and exterior times, between subject and object, is eroded. There is something of Brown's 'polymorphous perversity' in the attitudes now infiltrating the hierarchical structures which have previously determined the relevance and usage of materials and media in art. It is through an indiscriminate empiricism that the new work is currently evolving.

Footnotes

1 See: editorial *Art-Language*, Vol. 1 No. 1, May 1969.

2 Karl H. Pribram, 'The Neurophysiology of Remembering', in *Scientific American*, January 1969.

3 John Cage, 'A Year from Monday'.

4 It may no longer be assumed that art, in some mysterious way, resides in materials. Attempts to determine the necessary and sufficient conditions of aesthetic structure have failed from an emphasis upon the object rather than upon the perceiver. The implications of a redirection of attention, from object to perceiver, are extensive. It may now be said that an object becomes, or fails to become, a work of art in direct response to the inclination of the perceiver to assume an appreciative role. As Morse Peckham has put it, '. . . art is not a category of perceptual fields but of role-playing.'

5 Morse Peckham, *Man's Rage for Chaos. Biology, Behaviour, and the Arts*. Schoken, New York, 1967.

6 James J. Gibson, 'Constancy and Invariance in Perception', in *The Nature and Art of Motion*, ed. Gyorgy Kepes, Studio Vista, 1965.

7 This dichotomy has been most recently revived as 'Modernism' v. 'Literalism'. See: Michael Fried, 'Art and Objecthood', in *Artforum*, Summer, 1967.

8 Robert Jay Lifton has described personal connections with experience devoid of overriding value systems and has proposed that the concept of 'personality' be replaced by a more appropriate concept

realistisch, zwischen ›Raumkünsten‹ und ›Zeitkünsten‹ zu unterscheiden.[7] Das Mißverständnis gründet im Materialismus, es entspringt abermals der Konzentration auf das *Objekt* statt auf das Verhalten des Wahrnehmenden. Theater und Film sind nicht ›Zeit‹-Künste, sondern Künste der *theatralischen* und der *filmischen* Zeit, beherrscht von ihren eigenen Konventionen und den Grenzen ihrer ›Hardware‹. Der Parthenon ist nicht ›zeitlos‹, sondern einfach in *geologische* Zeit gesetzt. Es ist falsch, von ›Zeit‹ so zu sprechen, als sei sie einmalig und absolut. Eine vollständige Definition des Terminus erforderte eine Pluralität von Zeiten und müßte so entgegengesetzte Zeitskalen wie die von Galaxien und Viren aufeinander abstimmen. Die gegenwärtige Beschäftigung mit Zeit und Ökologie, das Bewußtsein der *Prozeßhaftigkeit* ist notwendig anti-konservativ. Dauer enthüllt sich als ein Verhältnis, nicht als ein Attribut. Vertikale, auf hermetischen, historisch gegebenen Begriffen von Kunst und ihrer kulturellen Rolle beruhende Strukturierung ist einem horizontal sich ausbreitenden Komplex von Tätigkeiten gewichen, die nur durch ihre gemeinsame Definition als Produkte künstlerischen *Verhaltens* zusammengehalten werden. Diese Situation der Kunst ist die Folgeerscheinung einer allgemein gesunkenen Glaubwürdigkeit von Institutionen[8], und zahlreiche Leute empfinden einen Großteil der neueren Kunst als implizit politisch. Allerdings kann man durchaus anderer Meinung als jene sein, die Motivationen in einer so doktrinären Haltung wie dem »Unbehagen an der Dekadenz der westlichen Zivilisation«[9] zu erkennen meinen.

Als Propaganda *intendierte* Kunst ist fast ohne Ausnahme sowohl ästhetisch langweilig wie politisch impotent. Die hier beschriebenen prozeßorientierten Haltungen sind ihrer Intention nach nicht ikonoklastisch, und man sollte bequemen Vergleichen mit Dada argwöhnisch begegnen. Daraus, daß gewisse Institutionen ignoriert werden, folgt nicht, daß sie attackiert werden. Es ist viel weniger wahrscheinlich, daß das neue künstlerische Arbeiten die Wirtschaft umstürzt als daß es ein neues Verhältnis zu ihr finden wird – eines, das sich vielleicht auf die Annahme gründet, Kunst sei als *Tätigkeit* gerechtfertigt, nicht nur als ein Mittel, zusätzliche Beweise pekuniärer Reputation zu liefern. Wie Brecht bemerkte, sind wir gewohnt, eine Arbeit danach zu beurteilen, wie brauchbar sie für den Apparat ist. Vielleicht ist es an der Zeit, den Apparat danach zu beurteilen, wie brauchbar er für die Arbeit ist.

Die Anerkennung einer Vielfalt von Zeiten, die Konzentration auf Prozeß und Verhalten zerstören das Modell, wonach Zeit eine Art metaphysischer Zollstock ist, mit dem sich die richtige ›Länge‹ einer Tätigkeit messen ließe. Man kann sich Arbeiten denken, in denen Materialien verwendet und räumlich verlagert werden, damit zeitliche Ballungen und Verdünnungen entstehen. Eine derartige Arbeit ließe sich in der ›erweiterten Gegenwart‹ wahrnehmen, in der wir Musik rezipieren. In diesem Bewußtseinsstatus schwindet der Unterschied zwischen innerer und äußerer Zeit, zwischen Subjekt und Objekt dahin. In den Haltungen, die nun in die hierarchischen Strukturen eindringen, die bisher die Relevanz und die Verwendung von Materialien und Medien in der Kunst bestimmten, findet sich etwas von Browns »polymorpher Perversität«. Daß

of 'self-process'. This notion of self-process is useful in understanding some recent attitudes in art: 'The protean style of self-process is characterized by an interminable series of experiments and explorations – some shallow, some profound – each of which may be readily abandoned in favour of still newer psychological quests. ... Just as protean man can readily experiment with and alter elements of his self he can also let go of, and re-embrace idea systems and ideologies, all with an ease that stands in sharp contrast to the inner struggle we have in the past associated with such shifts.' Robert Jay Lifton, article in *Partisan Review*, Winter, 1968.

9 Barbara Rose, 'Problems of Criticism VI: The Politics of Art, Part III', in *Artforum*, May, 1969.

sich das neue Arbeiten fortwährend entwickelt, beruht auf einem unterscheidungsfreien Empirizismus.

Anmerkungen

1 Vgl. Leitartikel in *Art-Language*, Vol. I, Nr. 1, Mai 1969.
2 Karl H. Pribram, ›The Neurophysiology of Remembering‹, in: *Scientific American*, Januar 1969.
3 John Cage, ›A Year from Monday‹.
4 Man kann nicht mehr annehmen, Kunst sei, auf irgendeine mysteriöse Weise, im Material beheimatet. Versuche, die notwendigen und ausreichenden Bedingungen für ästhetische Struktur zu bestimmen, scheiterten an der Betonung des Objekts statt des Wahrnehmenden. Die Implikationen einer Umorientierung des Augenmerks vom Objekt auf den Wahrnehmenden sind weitreichend. Man kann jetzt sagen, daß ein Objekt in unmittelbarer Reaktion auf die Geneigtheit des Wahrnehmenden, eine Beurteilungsrolle zu übernehmen, zum Kunstwerk wird oder nicht. Mit den Worten Morse Peckhams: ». . . Kunst ist keine Kategorie von Wahrnehmungsbereichen, sondern eine des Rollenspielens.«
5 Morse Peckham, *Man's Rage for Chaos. Biology, Behaviour, and the Arts.* Schoken, New York 1967.
6 James J. Gibson, ›Constancy and Invariance in Perception‹, in: *The Nature and Art of Motion*, hrsg. von Gyorgy Kepes, Studio Vista 1965.
7 Diese Dichotomie lebte neuerdings wieder als ›Modernismus‹ versus ›Literalismus‹ auf. Vgl. Michael Fried, ›Art and Objecthood‹, in: *Artforum*, Sommer 1967.
8 Robert Jay Lifton beschrieb personale Erfahrungszusammenhänge ohne übergreifende Wertsysteme und schlug vor, den Begriff der ›Persönlichkeit‹ durch den angemesseneren des ›Selbstprozesses‹ zu ersetzen. Dieser Begriff des Selbstprozesses ist hilfreich für das Verständnis gewisser neuerer Kunsthaltungen: »Den proteischen Stil des Selbstprozesses charakterisiert eine endlose Abfolge von Experimenten und Erkundungen – einige davon seicht, einige tiefschürfend –, wobei sich jede einzelne mühelos zugunsten noch neuerer psychologischer Forschungen aufgeben läßt . . . Wie der proteische Mensch mühelos mit Elementen seines Selbst experimenten und sie verändern kann, vermag er auch Denksysteme und Ideologien aufzugeben und sie sich neu zu eigen zu machen, und dies alles mit einer Leichtigkeit, die in scharfem Kontrast zu dem inneren Kampf steht, wie wir ihn in der Vergangenheit mit solchen Verschiebungen assoziiert haben.« Robert Jay Lifton, Artikel in *Partisan Review*, Winter 1968.
9 Barbara Rose, ›Problems of Criticism VI: The Politics of Art, Part III‹, in: *Artforum*, Mai 1969.

Ian Burn / Mel Ramsden

The Role of Language

It seems, in seeing an object, I can construe (translate) that object within many seemingly complete 'languages' of perception. Another person seeing the same object may construe a similar number of 'languages', none of which need necessarily coincide with mine. If, for instance, we both adopt the same physical object as 'subject-of-consideration', in what sense can we say we are adopting the *same* object? ... If each sets out to define that object by (e.g.) 'content', then are we in a position to say that what we call 'content' is physically existing in the object? If not, then such 'content' is merely part of that construal, it is subject to interpretation, and there is no position from which it can be described in any objective way. Accepting then that no 'content' exists *as a fact,* what are we implying when we say we recognize content? It seems to suggest that we are dealing with numerous types, perhaps levels or stratifications, of language which in turn are appropriate for numerous types, again perhaps stratifications, of (empirical) data. If each thing we make or do is merely a statement within a *particular* language, then it is not necessarily related to nor need correspond to any other language–it can only relate if we have the disposition to impose a relationship between those languages. It is at this point that a 'content' is imposed in order to evince that relationship, e.g., we formulate that the 'content' of A is of the kind 'x', and that the 'content' of B is also of the kind 'x', thus we can talk of a relationship between A and B. It's not possible to construe one language into another or to correlate them in any way without intervening such a 'content'. To say that one language is more or less complete than another is again to infer that our familiarity with one language is more in one case than the other. We do not directly identify or recognize, we only recognize the language(s) which are appropriate for the material. In many instances our familiarity with a language is so (culturally) inbred that we confuse the language with a kind of 'reality' or brute facts. In seeing, we typically substitute an appropriate language for the actual object in order to facilitate our 'seeing' of it–our language screens the object, it's the grid which structures our perceiving.

In terms of *intention,* if one is dealing with an object then one is more strongly committed to one's attitude of seeing (language) in this particular case than to any physical attributes. If one can conceptually distinguish that 'language' as a 'thing-in-itself', one might very well claim certain rights to it, e.g. to 'put a signature on it', rather than to

Ian Burn / Mel Ramsden

Die Rolle der Sprache

Es scheint, als könne ich, wenn ich ein Objekt sehe, dieses Objekt in vielen offenbar vollständigen Wahrnehmungs-›Sprachen‹ konstruieren (es in sie übertragen). Eine andere Person, die dasselbe Objekt sieht, kann eine gleiche Anzahl von ›Sprachen‹ konstruieren, von denen keine notwendigerweise mit meiner zusammenfallen muß. Wenn wir beispielsweise dasselbe materielle Objekt als ›Gegenstand der Betrachtung‹ nehmen, in welchem Sinn können wir dann sagen, wir nähmen *dasselbe* Objekt? . . . Wenn jeder darangeht, jenes Objekt durch (z. B.) seinen ›Inhalt‹ zu definieren, sagen wir dann damit, was wir ›Inhalt‹ nennen, sei in dem Objekt materiell existent? Wenn nicht, dann ist ein solcher ›Inhalt‹ nur ein Teil der Konstruktion, er ist der Interpretation unterworfen, und es gibt keine Position, aus der heraus er sich auf objektive Weise beschreiben ließe. Räumen wir also ein, daß kein ›Inhalt‹ *als Faktum* existiert, was implizieren wir dann, wenn wir sagen, wir erkennen einen Inhalt? Es scheint nahezuliegen, daß wir es mit zahlreichen Typen, vielleicht mit Ebenen oder Schichtungen der Sprache zu tun haben, die ihrerseits auf zahlreiche Typen, wiederum vielleicht auf Schichtungen (empirischen) Materials abgestimmt sind. Falls alles, was wir machen oder tun, nur eine Aussage innerhalb einer *bestimmten* Sprache ist, dann steht es nicht unbedingt in Beziehung zu einer anderen Sprache oder braucht nicht mit ihr übereinzustimmen – es kann nur einen Bezug haben, wenn wir geneigt sind, eine Beziehung zwischen jenen Sprachen aufzurichten. An eben diesem Punkt wird ein ›Inhalt‹ etabliert, um jene Beziehung zutage treten zu lassen. Wir formulieren es beispielsweise so, daß der ›Inhalt‹ von A von der Beschaffenheit ›x‹ sei und der ›Inhalt‹ von B auch, damit können wir von einer Beziehung zwischen A und B sprechen. Es ist nicht möglich, eine Sprache in eine andere zu übersetzen oder sie irgendwie in bezug zueinander zu bringen, ohne einen solchen ›Inhalt‹ zwischenzuschalten. Wenn wir sagen, eine Sprache sei vollständiger oder weniger vollständig als eine andere, heißt das nur, daß unsere Vertrautheit mit der einen Sprache größer ist als mit der anderen. Wir identifizieren oder erkennen nicht unmittelbar, wir erkennen nur die Sprache(n), die der Sache angemessen ist (sind). In vielen Fällen ist unser Vertrautsein mit einer Sprache derart (kulturell) angeboren, daß wir sie mit einer Art ›Wirklichkeit‹ oder handfesten Fakten verwechseln. Beim Sehen setzen wir in bezeichnender Weise eine passende Sprache für das tatsächliche Objekt ein, um unser ›Sehen‹ des Objekts zu erleichtern – unsere Sprache verschleiert das Objekt, sie ist das Gitter, das unsere Wahrnehmung strukturiert.

any physical manifestation. The object then can be as ordinary or common or accessible as one chooses (e.g., the *Mirror Pieces*), since that is not what one is directly committed to–one is not committed to a particular object but only to the fact of an object being there in order that one can have an attitude about it, i.e., a particular language of seeing. One's commitment then can lie in the direction of the language.

It becomes crucial to realize the significance of the ties between the language we use and what (and how) we see.

It's been pointed out that there is no common noun which is associated with the verb 'see' in the way that, for example, the noun 'sound' is associated with the verb 'hear'. Is there then nothing which acts for vision in the way that *sound* does when I hear footsteps. . . . 'I hear the sound of footsteps', but 'I see the (what?) of a man'? While it could be merely an accident of vocabulary, it seems more likely that perception has a different relationship to language than do any of our other senses. And it may be also that, for those things we do see (i.e., objects), our language is rich enough that we have no need of any 'intermediary' term to describe what we see (–we can describe more readily what we see than what we hear, touch, smell, or taste). If this is so, then there is something in how we describe what we see which needs to be pointed to as problematic–there is more difficulty in grasping the separation between 'the seeing of something' and 'what it is that's seen' than there is, for instance, between 'the sound' and 'the footsteps'. Language seems to enter into our 'seeing' more directly than with the other senses. This could be taken as implying a stronger (more developed) interdependence between 'perception' and 'language' and so must raise many questions about the kind of relationship which exists between how we see and how we talk of what we see.

The words which can be used to describe the kinds of 'seeing' are many–from which it might be taken that there are many possible ways which we undertake the act of perceiving, that is again, independent of what is perceived. For example, 'see', 'look at', 'examine', 'scrutinize', 'gaze', 'discern', 'scan', 'look for', 'watch', and so on. (Compare how many words we have to describe 'hearing'.)

The distinction between 'task' and 'achievement' verbs is exemplified by 'looking' and 'seeing'. From this it's concluded that 'achievement' verbs (i.e., 'see') stand not for activities but for the outcome of activities, an outcome which is a part of a single extended process. But this distinction can be misleading since 'looking' can be used typically as either 'looking for' or 'looking at'. And, while 'looking for' certainly does imply some kind of resulting outcome (a successful or otherwise achievement), there are many typical uses of 'looking at' which do not imply any such outcome of activities and which seemingly are identical with (or at least similar to) 'seeing' (–e.g., 'I am looking at this page' and 'I am seeing this page', whereas 'I am looking for this page' obviously means something else.)

In bezug auf die *Intention* ist man, wenn man sich mit einem Objekt befaßt, in diesem spezifischen Fall stärker auf den eigenen Sehvorgang (die Sprache) verwiesen als auf irgendwelche materiellen Eigenschaften. Könnte man begrifflich jene ›Sprache‹ als ein ›Ding an sich‹ abstecken, dann könnte man sehr wohl bestimmte Rechte – z. B. ›eine Signatur darunterzusetzen‹ – für sie in Anspruch nehmen, eher als für irgendeine physische Manifestation. Das Objekt kann dann so gewöhnlich, so alltäglich oder so zugänglich sein, wie man will (z. B. die *Mirror Pieces*), denn nicht darauf wird man verwiesen – nicht auf ein bestimmtes Objekt – sondern nur darauf, daß ein Objekt vorhanden ist, zu dem man eine Haltung, d. h. eine bestimmte Sprache des Sehens, einnehmen kann. Die Bindung kann also ganz in Richtung der Sprache liegen.

Es ist entscheidend, die Bedeutung der Verbindungen zwischen der Sprache, die wir benutzen, und dem, was (und wie) wir sehen, zu erkennen.

Es wurde darauf hingewiesen, daß es kein gebräuchliches Substantiv gibt, das mit dem Verb ›sehen‹ so verknüpft wäre wie etwa das Substantiv ›Geräusch‹ mit dem Verb ›hören‹. Gibt es also nichts, das so für das Sehen einstünde wie *Geräusch,* wenn ich Schritte höre? . . . ›Ich höre das Geräusch von Schritten‹, aber ›Ich sehe das (was?) von einem Menschen‹. Es könnte sich zwar um einen Zufall des Wortschatzes handeln, aber es scheint wahrscheinlicher, daß die visuelle Wahrnehmung ein anderes Verhältnis zur Sprache hat als einer unserer sonstigen Sinne. Und es mag auch sein, daß unsere Sprache für die Dinge, die wir sehen (also für Objekte), so reich ist, daß wir keinen ›vermittelnden‹ Ausdruck zur Beschreibung dessen benötigen, was wir sehen (– wir können das, was wir sehen, müheloser beschreiben, als das, was wir hören, fühlen, riechen oder schmecken). Wenn das so ist, dann steckt in der Art, wie wir beschreiben, was wir sehen, etwas, das als problematisch herauszustellen ist: Es bereitet größere Schwierigkeit, den Unterschied zwischen dem ›Sehen von etwas‹ und dem ›Gesehenen‹ zu erfassen als z. B. den zwischen dem ›Geräusch‹ und den ›Schritten‹. Die Sprache scheint in unser ›Sehen‹ unmittelbarer einzudringen als in die anderen Sinne. Das ließe sich als Hinweis auf eine stärkere (entwickeltere) gegenseitige Abhängigkeit zwischen ›Wahrnehmung‹ und ›Sprache‹ verstehen, und damit erheben sich eigentlich viele Fragen über die Art der Beziehung, die zwischen dem besteht, wie wir sehen, und dem, wie wir über das, was wir sehen, sprechen.

Es gibt vielerlei Wörter, um damit die Arten des ›Sehens‹ zu beschreiben – woraus man entnehmen könnte, daß es viele mögliche Wege gibt, den Akt der Wahrnehmung, abermals unabhängig vom Wahrgenommenen, zu vollziehen: ›sehen‹, ›anschauen‹, ›mustern‹, ›genau prüfen‹, ›starren‹, ›unterscheiden‹, ›überfliegen‹, ›nach etwas Ausschau halten‹, ›beobachten‹ und so fort. (Man vergleiche, wieviele Wörter wir haben, um ›hören‹ zu beschreiben.)

Der Unterschied zwischen Verben der ›zielgerichteten‹ und der ›vollendeten Tätigkeit‹ wird durch ›Schauen‹ und ›Sehen‹ exemplifiziert. Daraus läßt sich schließen, daß Verben der ›vollendeten Tätigkeit‹ (also ›sehen‹) nicht für Tätigkeit stehen, sondern für das Ergebnis von Tätigkeiten, ein Ergebnis, das ein Bestandteil eines einzelnen ausge-

Suppose the distinction is maintained for the 'looking for' kind of 'looking' and that this process results in the outcome of 'seeing (something)'—I look for (something) and then I see (that something). But frequently I see things without looking for them—is this still an achievement verb then even though it is not the outcome of a preceding activity? If something is within my field of vision, then it hardly occasions my 'looking for' it before I see it. I may examine or scrutinize it without necessarily having looked for it in the first place (though I must have come to see it in some way or other). If I have two reproductions of a landscape, then I may see a detail in one and look for it in the other; but seeing it in the second case would seem to depend more on the conditions of seeing in the first case than on any interim 'looking for'. The 'single continuous activity' notion doesn't seem to account for very much in that case.

Then, if we must limit the applicability of the distinction to this degree, we must begin to doubt how useful it can be as an over-all distinction. A problem arises with all such distinctions when one tries to make them generally applicable. Distinctions are applicable (meaningful) in particular contexts and, within that context, they may have significance (meaningfulness) because they are useful in some sense. But usefulness in one context does not imply usefulness in any other; extending a distinction into another context can be simply misleading without at all being useful.

Thus whatever attitude we have to seeing may depend very much on the kinds of distinctions we typically use in language, and in fact on the way in general that we set out to describe our visual experiences. It may mean that, to establish any new modes or nuances of 'seeing', the mode (or such conditions as will allow for it) must first be established in an appropriate language.

dehnten Prozesses ist. Doch diese Unterscheidung kann irreführend sein, da sich ›Schauen‹ bezeichnenderweise sowohl im Sinn von ›nach etwas Ausschau halten‹ wie ›anschauen‹ verwenden läßt. Und während ›nach etwas Ausschau halten‹ sicherlich irgendein Ergebnis (ein erfolgreiches oder sonstwie beschaffenes Ziel) impliziert, gibt es viele typische Verwendungen von ›anschauen‹, die kein solches Ergebnis von Tätigkeiten implizieren und die offensichtlich identisch (oder wenigstens ähnlich) mit ›sehen‹ sind (zum Beispiel: ›Ich schaue mir diese Seite an‹ und ›Ich sehe diese Seite‹, während die Wendung ›Ich halte Ausschau nach dieser Seite‹ offenkundig etwas anderes bedeutet).

Angenommen man behält die Unterscheidung für den ›Ausschau-halten‹-Aspekt des ›Schauens‹ bei, und dieser Prozeß führt zum Ergebnis des ›Sehens (von etwas)‹, so bedeutet das: ich halte Ausschau (nach etwas) und dann sehe ich (dieses Etwas). Doch häufig sehe ich Dinge, ohne daß ich nach ihnen Ausschau halte – handelt es sich dann immer noch um ein Verb der vollendeten Tätigkeit, auch wenn es sich nicht um das Ergebnis einer vorangegangenen Tätigkeit handelt? Wenn sich etwas in meinem Blickfeld befindet, veranlaßt es mich kaum, danach ›Ausschau zu halten‹, ehe ich es sehe. Ich kann es mustern oder genau prüfen, ohne unbedingt von vornherein danach Ausschau gehalten zu haben (obwohl ich auf diese oder jene Weise dazu gekommen sein muß, es zu sehen). Wenn ich zwei Reproduktionen einer Landschaft habe, kann ich in der einen eine Einzelheit sehen, und in der anderen danach Ausschau halten; doch das Sehen im zweiten Fall dürfte mehr von den Umständen des Sehens im ersten Fall abhängen als von einem zwischengeschalteten ›Ausschau-halten‹. Der Begriff der ›einzelnen kontinuierlichen Tätigkeit‹ scheint in einem solchen Fall nicht sehr viel zu erklären.

Müssen wir also die Anwendbarkeit der Unterscheidung bis zu diesem Grad einschränken, müssen sich Zweifel darüber einstellen, welchen Nutzen sie als eine umfassende Unterscheidung hat. Bei allen derartigen Unterscheidungen taucht ein Problem auf, wenn man versucht, sie allgemein anwendbar zu machen. Unterscheidungen sind in bestimmten Kontexten anwendbar (sinnvoll) und mögen dort Bedeutung (Sinn) haben, weil sie in gewissem Sinn nützlich sind. Doch Nützlichkeit in einem Kontext impliziert keine Nützlichkeit in einem anderen; die Übertragung einer Unterscheidung auf einen anderen Kontext kann einfach irreführend sein, ohne überhaupt Nutzen abzuwerfen.

Welche Haltung wir dem Sehen gegenüber einnehmen, kann daher sehr stark von den Arten des Unterscheidens abhängig sein, die wir auf typische Weise in der Sprache verwenden, ja von der Art und Weise überhaupt, wie wir darangehen, unsere visuellen Erfahrungen zu beschreiben. Das kann bedeuten, daß vor einem Etablieren neuer Modi oder Nuancen des ›Sehens‹ der betreffende Modus (oder die Bedingungen, die ihn ermöglichen) zuerst in einer angemessenen Sprache etabliert sein muß.

Ian Burn / Mel Ramsden

Some Notes on Practice and Theory

By the recent proliferation of the term 'conceptual art' one would hope to be referring to more than a mere name up for grabs within the art-community. One would hope to be referring to a notion of art whose very *raison d'etre* lies in evincing its own (conceptual) nature. Whose methodology deals with the study and systemization of all the artists' concept of the meaning of his art. Such an inquiry into the special nature of this meaning can best be seen as an analytic one – hence the name 'analytic' art. Yet this notion of an analytic art raises a number of new issues, not all of which have been accepted as within the artist's customary domain of art-work.

I have no intention of thrashing out all the claims made for this analytic art, I only want to remark upon some very general features of what I believe is a fundamental revision, indeed rupture, in the artist's traditional mode of operation.

Everyman's notion of 'conceptual art' has, of late, begun to take in such divers contemporary movements as 'art-povera', 'earthworks', 'anti-form' and even, on occasion, poetry. In short, everyman's notion of conceptual art often includes all the manifestations that everyman can't fit into the traditional categories of painting and sculpture.

One might contentiously label the aid of these above-mentioned movements as a 'practical' one. This can be contrasted to 'theoretical', where practical is concerned with the actual usage of a given set of prescriptions and where the theoretical is analogous to analytic, where analytic stands for a systematic study and evincing of all the prescriptions involved.

Under the results of practical art it became evident to many of those whom I should now describe as analytical artists that one could only vary ones' artistic conduct insofar as one stuck to 'normal' changes in the appearance of an art-work, and this, only after swallowing *in toto* a set of tacitly agreed upon conventions. Thus the role of artistic conduct was restricted by 'practice' to myriad, though tedious, morphologies. However those artists who, in one way or another, grew aware that it was the conventions or the overall context of the art-work-rather than any 'magical' thing they could put

Ian Burn / Mel Ramsden

Einige Bemerkungen über Praxis und Theorie

Man möchte hoffen, daß es sich bei der jüngsten Verbreitung des Ausdrucks ›konzeptuelle Kunst‹ um mehr handelt als nur um eine beliebig austauschbare Bezeichnung zur Verständigung innerhalb der Kunstgemeinde. Man möchte hoffen, man habe es mit einer Auffassung von Kunst zu tun, deren *raison d'être* eben darin liegt, daß sie ihr eigenes (konzeptuelles) Wesen zur Erscheinung bringt; deren Methodologie sich damit befaßt, das Konzept sämtlicher Künstler von der Bedeutung ihrer Kunst zu untersuchen und zu systematisieren. Ein derartiges Erforschen dessen, was das besondere Wesen dieser Bedeutung ist, läßt sich am besten als analytisch verstehen – daher die Bezeichnung ›analytische‹ Kunst. Dieser Begriff einer analytischen Kunst führt jedoch zu einer Reihe von neuen Ergebnissen, denen nicht allen zugestanden wird, sie gehörten in die gewohnte Kunstwerk-Domäne des Künstlers.

Ich habe nicht die Absicht, sämtliche Behauptungen breitzutreten, die in bezug auf diese analytische Kunst aufgestellt wurden; ich möchte nur etwas zu einigen sehr allgemeinen Zügen dessen bemerken, was meiner Überzeugung nach eine fundamentale Revision, ja ein fundamentaler Bruch im traditionellen Vorgehen des Künstlers ist.

Die landläufige Vorstellung von ›konzeptueller Kunst‹ beginnt neuerdings, so unterschiedliche zeitgenössische Bewegungen wie ›Arte povera‹, ›Earthworks‹, ›Anti-Form‹ und gelegentlich sogar Poesie mit einzuschließen; kurzum, sie umfaßt häufig alle Äußerungen, die nicht in die traditionellen Kategorien von Malerei und Bildhauerei passen.

Man könnte streitsüchtig den Beitrag dieser eben erwähnten Bewegungen als einen ›praktischen‹ etikettieren. Dem ließe sich das ›Theoretische‹ gegenüberstellen, wobei sich das Praktische mit dem tatsächlichen Gebrauch eines vorgegebenen Komplexes an Vorschriften befaßt und wobei das Theoretische dem Analytischen analog ist – dabei steht das Analytische für ein systematisches Studium und für das Offenlegen sämtlicher beteiligter Vorschriften ein.

In Anbetracht der Ergebnisse praktischer Kunst wurde vielen, die ich nun als analytische Künstler bezeichnen möchte, ganz klar, daß man sein künstlerisches Verhalten nur insofern variieren konnte, als man sich an ›normale‹ Veränderungen in der Erscheinungsform eines Kunstwerks hielt, und auch dies nur, nachdem man *in toto* einen ganzen Komplex stillschweigend vereinbarter Konventionen geschluckt hatte. Damit war die Rolle künstlerischen Verhaltens durch die ›Praxis‹ auf Myriaden gleich-

'in' that work itself–which held the reasons for individuation, also grew aware that such a set of prescriptions should be layed out, though to do so may entail a significant shift in the artist's customary strata of conduct: an important shift, so it appeared, from acting *from* a given context (practice) into finding out *about* that context (analyses).

It ought to be fairly apparent that such an analytic strategy might produce a drastic set of changes in the artist's conduct. More, it implies the jettisoning of all the conventional paraphernalia of the practical art-jargons, these being a legacy from a time when the special problems now inherent in artistic conduct were not even envisaged. Anyway, the real problem now seems to be whether work outside the conventional art-work role may still be regarded as having any chance of remaining within the general category of art-work. Does it make sense, as the saying goes, to pick up the ball and run with it *only* if everybody thinks one is still playing soccer?

The main problem with contemporary practical art, it seems to me, is that there's a tendency to overlook that practice is based on rules and that rules are *prior* to practice. The creative ennui of (say) current colour abstraction is due, I believe, to its framework of rules, or its *condition as art,* apparently consisting of a smug conglomerate of opinions about the 'true' language.[1] There are a multitude of formal possibilities in any such practical art, but it is not the premises or the framework of such an activity which are far more likely to provide fundamental and structural insight into our artistic conduct. In short, is there some chance, in treating the context or category itself, of changing and expanding this context to take in new modes of conduct outside of a strict notion of practice–possibly expanding it until it can take in some notion of theory?

The need to question the practical art-work limitation to the manipulation of material 'stuff' or things was contingent upon a good deal of mystification as to just how one goes about furnishing the criteria for the identification of such manipulated stuff as art-work. I should say that the reasons for individuation, or why an art-work should be picked out as an art-work is a central problem in analytic art, and, I believe by extension, for current art-activities in general.[2] Such a problem was first manifest in the so-called 'minimal' art of the past four years and much of the conceptual work since has been in drawing-up and building-in the linguistic and contextual criteria necessary for individuation.

Suppose if one were to spend days staring at a tennis-racket without knowing anything of the game or the rules of tennis. The meaning of this object would remain wholly indecipherable. A comprehensive analysis of the substance of this instrument will still leave its meaning uncoded. It's meaning is not gained by a direct read-out from its materials nor by any amount of experience or introspection, but consists in knowing

wohl langweiliger Morphologien eingeschränkt. Diejenigen Künstler allerdings, denen auf diese oder jene Weise allmählich bewußt wurde, daß die Gründe für die Individuation in den Konventionen oder im umfassenden Kontext des Kunstwerks beschlossen waren – nicht in etwas ›Magischem‹, das sie in die Arbeit selber ›einbringen‹ konnten –, wurden allmählich auch gewahr, daß man einen solchen Komplex an Vorschriften darlegen sollte, wenngleich dieses Vorhaben eine signifikante Verschiebung in den gebräuchlichen Verhaltensschichten des Künstlers zur Folge haben dürfte: eine wichtige Verschiebung, wie es schien, von Handeln *aus* einem gegebenen Kontext *heraus* (Praxis) hin zu Herausfinden *über* jenen Kontext (Analysen).

Eigentlich ganz klar, daß eine derartige analytische Strategie eine Reihe einschneidender Veränderungen im Verhalten des Künstlers nach sich zieht. Mehr noch: sie impliziert, daß man sämtliche konventionellen Versatzstücke aus dem Jargon praktischer Kunst über Bord wirft – ein Erbe aus einer Zeit, als die speziellen Probleme, die jetzt vom künstlerischen Verhalten untrennbar sind, noch nicht einmal ins Auge gefaßt waren. Wie dem auch sei, das eigentliche Problem scheint jetzt darin zu liegen, ob man noch annehmen kann, Arbeiten außerhalb der konventionellen Kunstwerk-Rolle hätten irgendeine Möglichkeit, in der allgemeinen Kategorie Kunstwerk zu verbleiben. Ist es sinnvoll, wie man sagt, sich den Ball zu holen und damit loszudribbeln, *nur* damit jeder meint, man spiele noch immer Fußball?

Das Hauptproblem der gegenwärtigen praktischen Kunst besteht, wie mir scheint, darin, daß es eine Tendenz gibt, die übersieht, daß Praxis auf Regeln beruht und daß die Regeln der Praxis *vorangehen*. Die schöpferische Langeweile (etwa) der gegenwärtigen Farbabstraktion liegt, wie ich meine, an ihrem Normenkodex oder ihrer *Beschaffenheit als Kunst,* offensichtlich ein selbstgefälliges Konglomerat von Meinungen über die ›wahre‹ Sprache.[1] In jeder derartigen praktischen Kunst gibt es eine Vielzahl formaler Möglichkeiten, aber es sind nicht die Voraussetzungen oder der Rahmen einer solchen Betätigung, die uns mit hoher Wahrscheinlichkeit fundamentale und strukturale Einsichten in unser künstlerisches Verhalten vermitteln. Kurzum: Besteht eine Chance, dadurch, daß man den Kontext oder die Kategorie selber zum Gegenstand hat, diesen Kontext so zu verändern und zu erweitern, daß er neue Verhaltensweisen in sich aufnimmt, die außerhalb einer enggefaßten Praxis liegen – ihn möglicherweise so zu erweitern, bis er einen Begriff von Theorie in sich aufnehmen kann?

Die Notwendigkeit, die Beschränkung des praktischen Kunstwerks auf das Umgehen mit materiellem ›Stoff‹ oder materiellen Dingen in Frage zu stellen, ergab sich daraus, daß reichlich Mystifikation darüber herrschte, wie man die Kriterien beibringt, nach denen derart behandelter Stoff als Kunstwerk identifiziert wird. Ich würde sagen, daß die Gründe für die Individuation oder dafür, warum ein Kunstwerk als Kunstwerk ausfindig gemacht wird, ein zentrales Problem der analytischen Kunst darstellen – und, wie ich meine, darüber hinaus für gegenwärtige Kunstaktivitäten ganz allgemein.[2] Ein derartiges Problem trat zum erstenmal in der sogenannten ›Minimal‹ Art der vergangenen vier Jahre zutage, und viele der konzeptuellen Arbeiten seither bestanden

the conditions for its use, its context. An art-work is decoded in a similar way: it is not an art-work no matter what fantastic appearance it may display but because of its special role within the art-context.

It has been a general feature of a good deal of recent art-practice that the art-work be dependent upon a syntactical position within the art-context to enable it to be recognized as an art-work. Rather than display a known set of internal characteristics this art pushes its propositional role forward prior to its appearance. In other words, its form is not as important as its function—*vide* Duchamp's Ready-mades.

If one could be said to individuate these art-works because of their syntactical place within a known art-context what then of the context itself? Ought not the work be taken as less important than the context, again, since knowledge of this context is *prior* to the work? Could it not be said that such a context forms the set of prescriptions by which we *designate* the term art-work; could not these prescriptions be outlined and, once outlined, could not some move be made to re-formulate them?

Thus the 'language' of any art-work can not be held wholly within the work itself: the situation is now more complex and enlarged.

If everyman were asked to describe the language of the automobile he could not (supposing it were to be a good description) merely describe its appearance: say, the differences between this years Ford Galaxie and lasts. Included within the auto-mobile's language are roads, filling stations, traffic lights and air-pollution. I mean to point out how changing the appearance of the automobile is distinct from instigating any real change in its *role* or side effects, just as changing the *appearance* of art-works has no relation to this work's role as art-work. One can therefore see that whether Kenneth Noland paints a stripe red or yellow or whether Larry Poon's paints thick or thin is simply of no account to the condition of their work as art-work. If one can accept that function is more important than appearance then one can see that painting *was* a means whereby one could question the limits of this function, but today, traf-ficing in appearances is just taste.

In this brief and general note I hope to have conveyed some idea of art-work as a linguistic, analytic and systematic study of its own possibilities: such a study, a semiotic investigation, structures 'the language' without projecting usage through that language. This must entail a shift in the artist's (and it follows the spectators') own mode of conduct.

Recent formalist art has been sorted out into a solid hierarchy of roles, the artist supplying the hardware and the critic decoding that hardware—presumably since the

darin, die für eine Individuation nötigen sprachlichen und kontextuellen Kriterien aufzuzeichnen und einzubauen.

Man stelle sich jemanden vor, der Tage damit verbringt, einen Tennisschläger anzustarren, ohne etwas vom Tennisspiel oder seinen Regeln zu wissen. Die Bedeutung jenes Gegenstands bliebe ihm völlig unentzifferbar. Eine umfassende Analyse der Substanz jenes Instrumentes ließe seine Bedeutung weiterhin unentschlüsselt. Seine Bedeutung eröffnet sich nicht durch ein unmittelbares Ablesen seiner Materialien oder noch so großen Aufwand an Versuchen und Prüfungen, sondern durch die Kenntnis der Bedingungen für seine Verwendung, seinen Kontext. Ein Kunstwerk wird auf ähnliche Weise entschlüsselt: es ist nicht ein Kunstwerk wegen irgendeines phantastischen Äußeren, sondern aufgrund seiner spezifischen Rolle innerhalb des Kunstkontexts.

Es bildet einen allgemeinen Zug in einem beträchtlichen Teil der jüngeren Kunstpraxis, daß das Kunstwerk von einer syntaktischen Position innerhalb des Kunstkontexts abhängt, soll es als Kunstwerk erkennbar sein. Statt einen bekannten Komplex interner Merkmale zur Schau zu stellen, treibt diese Kunst ihre Rolle als Proposition voran, vor die äußere Erscheinungsform. Mit anderen Worten: ihre Form ist nicht so wichtig wie ihre Funktion – *siehe* Duchamps Ready-mades.

Falls sich von jemandem sagen ließe, er individuiere diese Kunstwerke aufgrund ihrer syntaktischen Stellung innerhalb eines bekannten Kunstkontexts: Wie verhält es sich dann mit dem Kontext selber? Sollte man das Werk wiederum nicht weniger wichtig nehmen als den Kontext, da die Kenntnis dieses Kontexts dem Werk *vorausgeht*? Ließe sich nicht sagen, ein derartiger Kontext bilde den Komplex an Vorschriften, durch den wir den Ausdruck Kunstwerk *zuerkennen*? Ließen sich diese Vorschriften nicht schärfer umreißen, und könnte man nicht, sobald das geschehen ist, Schritte unternehmen, um sie neu zu formulieren?

Daher läßt sich die ›Sprache‹ eines Kunstwerks nicht völlig innerhalb der Arbeit selber verstehen: Die Situation ist jetzt komplexer und umfassender.

Fordert man jemanden x-beliebigen auf, die Sprache des Automobils zu beschreiben, dürfte er nicht nur (falls es eine gute Beschreibung werden soll) seine äußere Erscheinung beschreiben – etwa die Unterschiede zwischen dem Ford-Galaxie-Modell von diesem und dem vom vergangenen Jahr. Zur Sprache des Automobils gehören auch Straßen, Tankstellen, Verkehrsampeln und die Luftverschmutzung. Ich möchte damit zeigen, wie eine Veränderung in der äußeren Erscheinungsform des Automobils etwas anderes ist, als wenn man einen wirklichen Wandel in seiner *Rolle* oder seinen Nebenwirkungen veranlaßt, wie auch eine Veränderung in der *Erscheinungsform* von Kunstwerken keinen Bezug zur Rolle dieser Arbeit als Kunstwerk hat. Daraus läßt sich ersehen, daß es einfach ohne Bedeutung für die Kunstwerk-Verfassung ihrer Arbeiten ist, ob Kenneth Noland einen Streifen rot oder gelb malt und ob Larry Poons Farben dick oder dünn aufträgt. Will man einmal akzeptieren, daß Funktion wichtiger als Erscheinung ist, vermag man auch einzusehen, daß Malerei einst ein Mittel *war,* durch das sich die

artist is not credited with having any idea of his works' concept, i. e., its condition *as art*.[3] This will certainly change: with analytic art's elevation of conceptual theory to a primary art-role the artist can decode his own constructs. Thus we may require revisions in art-criticism as well as within the art-community as a whole.

It has been remarked[4] that at the present time the culture is engaged in the hostile and deadly act of immediate acceptance of all new perceptual art-moves, absorbing through institutionalized recognition every art-act. It may thus be rewarding if one were to note that analytic art, in removing its conduct to a level outside of perceptual moves, and aligning itself with changes in the *function* rather than the appearance of art-work, is confronting this very institutionalization by inquiring into the conduct rather than the objects of art.

Footnotes

1   This makes artists like Jack Bush or John Hoyland 'better' than Andre or Reinhardt just because they speak the 'right' language: cf. the Greenbergers, painters, critics, dealers et al., et al.–expounding and defending a set of elite art values entirely inapplicable to the art of our time. These values make Duchamp's *Bottle-rack* 'art', not because of its ideational reverberations but because it does conceivably look like sculpture and therefore can be related to aesthetics or taste. It is, presumably, such taste that allows Clement Greenberg to describe Ad Reinhardt as 'an artist with no gift for design' (that's like standing before *White on White* and arguing that Malevitch couldn't draw feet).

2   '. . . it appears increasingly more difficult to conceive a system of images and objects whose *signifieds* exist independantly of language: to perceive what a substance signifies is inevitably to fall back on the individuation of a language: there is no meaning which is not designated, and the world of signifieds is none other than that of language'–Roland Barthes: *Elements of Semiology*, Cape Editions, London 1967.

3   See on this Michael Fried's essay 'Three American Painters'. Can anyone who has read the essay separate this literature from Stella's paintings? Does Stella know about this? Does Fried?

4   cf. Robert Morris: 'Notes on Sculpture part Four: Beyond Objects', in *Art-Forum*, April 1969.

Grenzen dieser Funktion in Frage stellen ließen, aber heute ist der Umgang mit der äußeren Erscheinung nur noch eine Geschmacksfrage.

In dieser kurzen und allgemeinen Bemerkung habe ich, wie ich hoffe, eine Vorstellung vom Kunstwerk als einer linguistischen, analytischen und systematischen Untersuchung seiner eigenen Möglichkeiten vermittelt: eine derartige Untersuchung, eine semiotische Erforschung strukturiert ›die Sprache‹, ohne durch jene Sprache schon einen Sprachgebrauch festzulegen. Das muß eine Verschiebung in der eigenen Verhaltensweise des Künstlers (und folglich auch des Beschauers) nach sich ziehen.

Die jüngere formalistische Kunst wurde in eine handfeste Hierarchie von Rollen aufgegliedert, wobei der Künstler die Hardware liefert und der Kritiker sie entschlüsselt – vermutlich deshalb, weil man dem Künstler nicht zutraute, er habe auch nur die geringste Vorstellung vom Konzept seiner Arbeit, das heißt von ihrer Beschaffenheit *als Kunst*.[3] Das wird sich sicherlich ändern: Dadurch, daß die analytische Kunst die konzeptuelle Theorie zur primären Kunstrolle erhebt, kann der Künstler seine eigenen Erzeugnisse entschlüsseln. Damit dürfen wir ein Umdenken in der Kunstkritik ebenso fordern wie in der Kunstgemeinde ingesamt.

Man hat bemerkt[4], daß sich die Kultur gegenwärtig auf das gefährliche und tödliche Unterfangen eingelassen hat, alle neuen perzeptuellen Kunstäußerungen unmittelbar zu akzeptieren und jeden Kunstakt durch institutionalisierte Anerkennung zu absorbieren. Daher könnte es lohnend sein, wenn man bemerkte, daß analytische Kunst, indem sie sich mit ihrem Tun auf eine Ebene außerhalb der Wahrnehmungsvorgänge begibt und sich an Veränderungen in der *Funktion*, nicht in der Erscheinung des Kunstwerks orientiert, eben jener Institutionalisierung dadurch entgegentritt, daß sie den Kunstvorgang statt der Kunstobjekte erforscht.

Anmerkungen

1 Deshalb sind Künstler wie Jack Bush oder John Hoyland ›besser‹ als Andre oder Reinhardt: weil sie eben die ›richtige‹ Sprache sprechen; man denke an die Greenbergs, an Maler, Kritiker, Händler und so weiter und so fort, die einen Komplex von elitären Kunstwerken vorführen und verteidigen, der auf die Kunst unserer Zeit völlig unanwendbar ist. Diese Werte machen Duchamps *Bottlerack* (Flaschentrockner) nicht wegen seiner gedanklichen Auswirkungen zur ›Kunst‹, sondern weil er durchaus wie eine Skulptur aussieht und sich deshalb auf Ästhetik oder Geschmack beziehen läßt. Vermutlich gestattet es eben ein solcher Geschmack Clement Greenberg, Ad Reinhardt als einen ›Künstler ohne Zeichenbegabung‹ zu beschreiben. (Das ist, als stände man vor *White on White* und würde einwenden, Malevič könne keine Füße zeichnen.)

2 »... es erscheint immer schwieriger, sich ein System von Bildern und Objekten zu denken, dessen *Signifikate* unabhängig von der Sprache existieren: wahrzunehmen, was eine Substanz bezeichnet, bedeutet unvermeidlich einen Rückfall in die Individuation einer Sprache: Es gibt keine Bedeutung, die nicht festgelegt ist, und die Welt der Signifikate ist nichts anderes als diejenige unserer Sprache.« Roland Barthes, *Elements of Semiology*, London 1967.

3 Vgl. dazu Michael Frieds Essay ›Three American Painters‹. Kann jemand, der den Essay gelesen hat, diese Literatur von Stellas Gemälden trennen? Weiß Stella darüber Bescheid? Weiß Fried Bescheid?

4 Vgl. Robert Morris, ›Notes on Sculpture part Four: Beyond Objects‹, *Artforum*, April 1969.

Ian Burn / Mel Ramsden

The Artist as Victim

It can be readily acknowledged that the traditional physical/material-object paradigm of art is supported by an entrenched and external complex of conventions. Many artists, however, wrongly see these conventions as 'facts' and beyond their realm of effectiveness. Thus they attend only to the production of single, usually object or craft-based, art-works. Since their intent is 'success' within these conventions, the conventions control the general teleology of their work. Accordingly, the teleology may be so routine that it is redundant: i.e., the work itself may now exist as a type of 'joker'—the 'standardized answer to the stereotyped test'.

It is the case that art now requires consideration as a modal 'operation', not just as the manufacture of discrete art-work.

Those with a vested interest in the above 'routine' promote the much-vaunted 'freedom of the artist' only after it has met the requisites of their conventions. In other words, any kind of artistic imbecility is tolerated so long as it's not directly harmful to business as usual. The syndrome is familiar and obviously overwhelming: inasmuch as the artist passively abides by it, he is its victim.

The first amendment to such a situation is to attempt to articulate art as a non-hierarchical 'system' and not merely as a discrete object—to start by dealing with the 'institutionalized' network which surrounds and supports the production of art-works.

If one sees the network as the 'deep' structure and the object itself as the 'surface' structure—in fact, rather like an iceberg—then it can be said that the deep structure may be subject to some reflexive and critical analyses just as the surface structure has hitherto been subject to manipulation. It is not a matter of a *de facto* 'map' of the iceberg, or of its simple description, but of a prescription or 'mould' of it.

To prepare for such 'moulding' it will be in order to draw some distinctions. Firstly, maintaining 'value-properties' as distinct from establishing 'value-relations'. Establishing a value-relation means to give something determination acccording to an extrinsic context or socio/cultural setting. On the other hand, maintaining value-properties is

Ian Burn / Mel Ramsden

Der Künstler als Opfer

Man kann ohne weiteres anerkennen, daß das traditionelle Kunstparadigma eines physisch-materiellen Objekts von einem fest verankerten und äußerlichen Komplex an Konventionen getragen wird. Viele Künstler freilich betrachten diese Konventionen fälschlicherweise als ›Tatsachen‹, die dem Bereich ihrer Wirksamkeit entzogen sind. Daher kümmern sie sich lediglich um die Produktion einzelner, normalerweise objekthafter oder auf Kunstfertigkeit gegründeter Kunstwerke. Da es ihnen auf ›Erfolg‹ innerhalb dieser Konventionen ankommt, beherrschen die Konventionen die allgemeine Teleologie ihrer Arbeiten. Dementsprechend kann die Teleologie so routiniert sein, daß sie überflüssig ist, das heißt, die Arbeit kann jetzt als eine Art ›Joker‹ existieren: als ›standardisierte Antwort auf eine stereotypisierte Prüfungsfrage‹.

Es ist so, daß Kunst jetzt als modale ›Operation‹ bedacht sein will, nicht einfach als die Anfertigung einzelner Kunstwerke.

Diejenigen mit einem entschiedenen Interesse an der oben erwähnten ›Routine‹ treten für die vielgerühmte ›Freiheit des Künstlers‹ erst ein, wenn sie auf die Forderungen ihrer Konventionen eingegangen ist. Mit anderen Worten: Man duldet jede Art künstlerischen Schwachsinns, solange er, wie üblich, nicht unmittelbar dem Geschäft schadet. Das Syndrom ist vertraut und offensichtlich übermächtig: insofern als der Künstler passiv daran festhält, ist er sein Opfer.

Die erste Verbesserung für solch eine Situation geschieht durch den Versuch, Kunst als ein nicht-hierarchisches ›System‹ deutlich zu machen und nicht nur als dieses oder jenes Einzelobjekt – um sich zunächst einmal mit dem ›institutionalisierten‹ Geflecht zu befassen, das die Produktion von Kunstwerken umgibt und trägt.

Betrachtet man das Geflecht als die ›Tiefenstruktur‹ und das Objekt selber als die ›Oberflächenstruktur‹ – und das hat in der Tat etwas von einem Eisberg an sich –, dann läßt sich sagen, daß man die Tiefenstruktur ebenso gewissen reflektiven und kritischen Analysen unterziehen kann, wie bislang die Oberflächenstruktur der Manipulation unterworfen war. Es geht nicht um eine *De-fakto*-›Landkarte‹ des Eisbergs oder um seine einfache Beschreibung, sondern um ein Rezept oder ›Modell‹ dafür.

Zur Vorbereitung eines solchen ›Modells‹ dürfte es angebracht sein, einige Unterscheidungen zu treffen. Zuerst ist zwischen dem Aufrecht-Erhalten von ›Werteigenschaften‹ und dem Schaffen von ›Wertrelationen‹ zu unterscheiden. Das Schaffen einer Wertrelation bedeutet, daß man einer Sache nach Maßgabe eines äußeren Kontexts oder eines sozio-kulturellen Rahmens eine Bestimmung verleiht. Das Aufrecht-Erhalten

to identify art-work with a specific set of intrinsic 'things' (or particular appearance) and then anticipate these things to be always *aprioristically* present in order to call anything an art-work.

The latter is an influential and predominant view amongst many formalists. The formalist, like other positivists, will stubbornly maintain that 'true' art is a 'law unto itself', is 'autonomous' and 'transcendent'. On the other hand is it not reasonable, as everything else seems to be symptomatic of social and cultural frameworks, to suppose there is nothing particularly transcendent about art-work? More damagingly, the identification of all art with a set of peculiar properties and with a 'set' function is party to a common fallacy: it is that we call things 'art' because somewhere 'in' that thing lies a property or combination of properties which make up the essential characteristic 'artness'. People often talk as if this exists in the same way that teapots or town-halls exist. No such essential characteristic or set of characteristics exist, though they are frequently claimed to exist.

Establishing value-relations is contingent upon securing a 'contextualization'. It is a matter of considering art-work as subject to cultural mediation, as contingent upon conventions and not, as our cultural arrogance would assuredly have us believe, on fact.

Since it has always been the artist's *a priori* task to 'succeed' (in one way or another), an uncommonly pious attitude toward any established framework has become entrenched. Most artists have an almost indecently credulous attitude toward dealers, galleries, and the paradigmatic dictates of critics, often regarding their operating as a kind of omnipotent right. Such an artist is so eager that his work be a member of the class 'art-work', he is thereby unable to enquire into the function that this class might have in the first place. So he is capable only of extending art morphologically–i. e., as a 'member of the class art-work'. Again, such artists should be regarded as 'victims'.

Consideration of the lack of any determining features common amongst what was the best work of the sixties led to sorting out some of the confusion surrounding the art-work's ontology. In the works of Judd, Flavin, LeWitt and Andre, and to a lesser degree in the works of Stella, the art-object manifest itself clearly as a material object, relatively free from previously necessary 'internal' compositional manoeuvers. This much is by now common knowledge. But the lack of internal individuating features had the seemingly paradoxical consequence of exposing the significance of the context in which the object was embedded. Instead of sustaining the object with minor variations in appearance, the context itself now became subject to articulation.

Following this it can be concluded, as was by a small number of artists in England and the U.S.A., that the traditional variations and manipulations within the object or

von Werteigenschaften hingegen besagt, daß man das Kunstwerk mit einem spezifischen Komplex ihm wesensmäßiger ›Dinge‹ (oder mit einer bestimmten Erscheinung) identifiziert und dann davon ausgeht, daß diese Dinge stets *aprioristisch* vorhanden sein müssen, wenn etwas ein Kunstwerk heißen soll.

Das letztere ist eine bei vielen Formalisten einflußreiche und beherrschende Auffassung. Der Formalist bleibt, wie andere Positivisten, hartnäckig dabei, daß ›wahre‹ Kunst ein ›Gesetz in sich selbst‹, ›autonom‹ und ›transzendent‹ sei. Aber ist es nicht andererseits, da alles sonst offenbar symptomatisch für gesellschaftliche und kulturelle Strukturen ist, vernünftig, anzunehmen, daß das Kunstwerk nichts besonderes Transzendentes an sich hat? Schlimmer noch: Die Identifizierung aller Kunst mit einer Reihe besonderer Eigenschaften und mit einer ›gegebenen‹ Funktion ist ein Teil eines allgemeinen Trugschlusses, nämlich, daß wir Dinge ›Kunst‹ nennen, weil irgendwo ›in‹ diesem Ding eine Eigenschaft oder eine Kombination von Eigenschaften steckt, die das wesentliche Merkmal der ›Kunsthaftigkeit‹ ausmacht. Die Leute sprechen häufig so, als ob Derartiges in gleicher Weise, wie Teetöpfe oder Rathäuser existiere. Kein solches wesentliches Merkmal und kein derartiger Merkmalkomplex existiert, obwohl ständig behauptet wird, es gäbe sie.

Die Schaffung von Wertrelationen ist davon abhängig, daß man für eine ›Kontextualisierung‹ sorgt. Es kommt darauf an, das Kunstwerk als kultureller Vermittlung unterworfen, als von Konventionen abhängig zu sehen, aber nicht, wie uns unser kultureller Hochmut zuversichtlich glauben machen möchte, von Tatsachen.

Da es stets die *apriorische* Aufgabe des Künstlers war, (auf diese oder jene Weise) ›Erfolg zu haben‹, schlug eine ungewöhnlich fromme Haltung gegenüber allen etablierten Systemen Wurzel. Die meisten Künstler schauen fast unanständig leichtgläubig zu Händlern, Galerien und den paradigmatischen Diktaten der Kritiker auf und betrachten deren Vorgehen oft als eine Art Allmachtsrecht. Ein derartiger Künstler ist so begierig, sein Werk als Angehöriges der Klasse ›Kunstwerk‹ eingestuft zu wissen, daß er außerstande ist, die Funktion zu erforschen, die diese Klasse in erster Linie haben könnte. Daher ist er nur in der Lage, Kunst morphologisch – das heißt als ›Angehöriges der Klasse Kunstwerk‹ – voranzutreiben. Abermals sollte man derartige Künstler als ›Opfer‹ ansehen.

Bedenkt man, daß den besten Arbeiten der sechziger Jahre alle gemeinsamen determinierenden Merkmale abgingen, kommt man dazu, etwas von der Konfusion im Umkreis der Ontologie des Kunstwerks zu entwirren. In den Arbeiten von Judd, Flavin, LeWitt und Andre – und in geringem Grad in denjenigen Stellas – manifestiert sich das Kunstobjekt eindeutig als ein materielles Objekt, verhältnismäßig frei von den vorher notwendigen ›internen‹ kompositorischen Mätzchen. Das ist inzwischen weithin und allgemein bekannt. Doch das Fehlen interner individuierender Merkmale hatte die offenbar paradoxe Konsequenz, die Bedeutung des Kontexts, in den das Objekt eingebettet war, zu enthüllen. Statt das Objekt mit geringfügigen Varianten in der Erscheinung zu stützen, wurde jetzt der Kontext selber Gegenstand der Artikulation.

craft-based heritage were ceasing to be useful (meaningful) *altogether*. And one could include as 'traditional variations' the most recent ones such as the various forms of 'de-materialization', the attempts to make use of photographs, 'systems', 'gas', and so on.

But the question is larger than merely articulating the context in order to single-out different areas of experience. It is, or seems to be, more a matter of determining a context (in this sense, a framework) which can have meaning within the socio/political and cultural setting 'at large'. Such a task would, of course, mean that our activities not merely be good 'of their kind' but rather that they be of a 'good kind'. The difference is significant–and problematic. For example, whether this commits one to an independant or 'higher' realm of values is problematic–but a subject in itself.

So it has become patently obvious over the past five or six years that the kind of (surface) art-work you single-out for attention depends on your background or the (deep) means you use to single-it out. In regard to the notion of having to articulate a context or framework for art rather than just change the appearance/morphology of discrete art-works, it's appropriate to speak of *paradigmatic change* (i. e., change in conceptual frameworks) instead of stylistic change (i. e., change in appearance with neglect of function). The paradigmatic change is a change in the conceptual framework itself. In a very fundamental way, this can awaken us from the hypnotic slumbers of 'normal art' and ought to be welcomed, not bemoaned.

So much is generally recognized. The remedy, however, is not to seek escape in subjectivism. This only leads to self-gratification and, so long as the artist is content with this, he will speak *in vacuo*, blithely ignoring that (deep) or paradigmatic frame-work mentioned earlier. The subjectivistic axiology is an empty one since it ignores the systemization of the societal framework to which its value-statements can be anchored. The point is that one must stress such paradigms as the gallery, critical theory, books, art-magazines etc., as *constitutive* rather than incidental features of an art-world. Whatever, art will not be determined as a corollary of individualistic 'cognizings'. An individual art-worker's activities are contingent upon a publically, historically, and culturally determined 'art', *not* the other way about. If the artist is led to believe it is the other way about, he just renders himself culturally harmless. Yet it is understand-able how many hold this view since convention quickly becomes 'invisible' when it is mistakenly construed as 'fact'. For example, those who are paradigmatically entrenched are spontaneously hailed to be 'free' while others, whose paradigms are more visible, are prejudicially called 'mannerists'. But though the traditional paradigms may be solidly entrenched they are nonetheless still very operative. Thus this 'freedom' is empty in that it attempts to relegate art to a culturally harmless corollary of subjec-tivistic 'experience'. This is mostly psychologism. But it is just such beliefs which are increasing art's spurious 'autonomy' as well as its ideological impotency.

Im Anschluß daran läßt sich folgern, was eine kleine Anzahl von Künstlern in England und in den Vereinigten Staaten auch tat, daß die traditionellen Variationen und Manipulationen im Rahmen des objekthaften oder auf Kunstfertigkeit gegründeten Erbes *völlig* aufhörten, nützlich (sinnvoll) zu sein. Und man könnte unter die ›traditionellen Variationen‹ auch die allerneuesten einreihen, so etwa die verschiedenen Formen der ›Entmaterialisierung‹, die Versuche, Fotografien, ›Systeme‹, ›Gas‹ und so fort zu verwerten.

Doch die Frage greift weiter aus als bis zur bloßen Artikulation des Kontexts um einer reinlichen Scheidung von Erfahrungsbereichen willen. Es kommt mehr darauf an (oder es sieht so aus), einen Kontext (in diesem Sinn eine Rahmenstruktur) zu bestimmen, der innerhalb der sozio-politischen und kulturellen Szenerie ›im Großen‹ eine Bedeutung haben kann. Eine derartige Aufgabe besagt und verlangt natürlich, daß unsere Tätigkeiten nicht nur ›in ihrer Art‹ gut sind, sondern vielmehr ›gut schlechthin‹ sind. Der Unterschied ist bedeutsam – und problematisch. Ob einen dies beispielsweise auf einen unabhängigen oder ›höheren‹ Wertbereich festlegt, ist problematisch – aber ein Thema für sich.

So wurde es im Lauf der letzten fünf oder sechs Jahre wirklich offenkundig, daß die Art von (Oberflächen-)Kunstwerk, die man als beachtenswert herausgreift, vom eigenen Hintergrund oder von den (Tiefen-)Mitteln abhängt, die man für das Herausgreifen anwendet. Im Hinblick auf die Auffassung, daß man einen Kontext oder eine Rahmenstruktur für Kunst zu artikulieren und nicht einfach die Erscheinung/Morphologie einzelner Kunstwerke zu verändern habe, ist es angebracht, von *paradigmatischer Veränderung* (das heißt von einem Wandel in der konzeptuellen Rahmenstruktur) zu sprechen, statt von stilistischem Wandel (also von Veränderungen in der Erscheinung unter Vernachlässigung der Funktion). Die paradigmatische Veränderung ist eine Veränderung in der konzeptuellen Rahmenstruktur selber. Auf sehr fundamentale Weise kann uns das aus den hypnotischen Schlummerzuständen ›normaler Kunst‹ reißen, und man sollte es begrüßen, nicht beklagen.

So viel ist allgemein anerkannt. Die Abhilfe besteht jedoch nicht darin, daß man sich in Subjektivismus flüchtet. Das führt nur zur Selbstbefriedigung, und solange der Künstler sich damit begnügt, spricht er im *luftleeren Raum* und ignoriert wohlgemut jene oben erwähnte paradigmatische (oder Tiefen-)Rahmenstruktur. Die subjektivistische Axiologie ist leer, da sie die Systematisierung des gesellschaftlichen Rahmens vernachlässigt, in dem ihre Wertaussagen zu verankern wären. Der springende Punkt ist, daß man derartige Paradigmen wie die Galerie, kritische Theorie, Bücher, Kunstzeitschriften und dergleichen als *konstitutive* Züge einer Kunstwelt hervorzuheben hat, nicht als beiläufige. Was immer sie ist: Kunst läßt sich nicht als Ableitung aus individualistischen ›Erkenntnissen‹ bestimmen. Die Tätigkeiten eines individuellen Kunstwerk-Herstellers sind von einer öffentlich, historisch und kulturell festgelegten ›Kunst‹ abhängig, *nicht* umgekehrt. Macht sich der Künstler glauben, es verhalte sich umgekehrt, wird er einfach kulturell harmlos. Dennoch ist es verständlich, warum viele diese Auffassung

It is anticipated that the artist obey a completely stereotyped teleology in order to be 'successful' and, remarkable as it seems, 'free'. As a student his education comes from the 'wrong end': he is taught how to join the 'doers', not what the possible meaning of doing might be. Working from a supposedly privatistic/expressionistic matrix, it follows that he has no chance of even slightly formalizing a semantics and so can't 'map' any part of his framework.

What follows is much too cursory to constitute a remedy. But it does show a way of locating conventions *as* conventions–and, whatever else, the acknowledgement of our present circumstances, no matter how historically and culturally entrenched, is at least some way toward establishing viable alternatives.

Another name for the formalist might be the methodologist. A 'methodologist' can be defined as solely concerned with procedural issues, with style, or things which are good 'of their kind'. Over the past four years the 'harvest festival' of conceptual art has been mostly methodological–i. e., stylistic. This refers to manifestations both in this country and abroad which utilize 'words', 'photos', 'systems' etc., all, it seems, as a new variation on paint.

The methodologist will insist that art is 'transcendent', 'autonomous', and exists as a 'special' area of experience. Clive Bell, for one, maintained that the starting-point for all systems of aesthetics must be the personal experience of the peculiar emotion. The 'peculiar emotion' seems to be the other angle on the 'peculiar property', and equally a fairy-tale.

But, since the methodologist is concerned with maintaining a set of peculiar properties, he is quite literally 'locked into' his own paradigmatic sufficiencies and shortcomings. He has simply lost touch with those 'deep' contextual conditions which made his knowledge possible in the first place. Thus, and once more, such a person may be said to be a 'victim' since he can never know to what extent his assumptions and procedures are the mere effluence of a particular culture and its entrenched conventions.
So, in order to clarify the status of these 'assumptions and procedures', we must be able to 'reflexively' scrutinize their origins. We may thus define an 'epistemologist' in contrast to a 'methodologist', as one concerned with the constitution of communicatable knowledge. This means that such a person will be capable of 'contextualizing', and so possibly 'radicalizing', his premises. This is important. If he reflexively examines his own presuppositions, he undertakes a critique which the methodologist, eager to get on with 'doing' cannot, and will not, undertake.

One widely held view that can be dealt with now is that, whatever claims one makes for a reflexive remedy, such an enquiry cannot be 'art'. This assumption simply under-

hegen, da die Konvention rasch ›unsichtbar‹ wird, wenn man sie fälschlich als ›Tatsache‹ versteht. Diejenigen beispielsweise, die im Verborgenen paradigmatisch gebunden sind, werden spontan als ›frei‹ gepriesen, während andere, deren Paradigmen offener zutage liegen, vorurteilig ›Manieristen‹ geheißen werden. Doch so sehr die traditionellen Paradigmen auch fest im Verborgenen erstarrt sind, sie sind trotzdem noch immer sehr wirksam. Daher ist diese ›Freiheit‹ leer, weil sie versucht, Kunst als eine kulturell harmlose Ableitung aus subjektivistischer ›Erfahrung‹ einzustufen. Das ist größtenteils Psychologismus. Aber gerade solche Überzeugungen steigern die unechte ›Autonomie‹ der Kunst wie auch ihre ideologische Impotenz.

Man kann davon ausgehen, daß der Künstler einer vollständig stereotypisierten Teleologie gehorcht, um ›erfolgreich‹ und, bemerkenswerterweise, ›frei‹ zu sein. Als Student erhält er seine Ausbildung vom ›falschen Ende‹ her: Man lehrt ihn, sich den ›Machern‹ anzuschließen, aber nicht, was die mögliche Bedeutung des Machens sein könnte. Indem er nach einer mutmaßlich privatistisch/expressionistischen Matrix arbeitet, hat er folglich keine Gelegenheit, auch nur flüchtig eine Semantik zu formalisieren, und daher kann er keinen Teil seiner Rahmenstruktur ›kartographieren‹.

Das Folgende ist viel zu kursorisch, um eine Abhilfe darzustellen. Aber es zeigt doch eine Möglichkeit, Konventionen *als* Konventionen zu bestimmen – und die Erkenntnis unserer gegenwärtigen Umstände, wie sehr sie auch historisch und kulturell eingeengt sein mag, ist, wenn nichts weiter, so doch zumindest ein Weg in Richtung auf die Bildung gangbarer Alternativen.

Eine andere Bezeichnung für den Formalisten könnte Methodologe lauten. Ein ›Methodologe‹ läßt sich so definieren, daß er sich einzig mit Verfahrensfragen, mit Stil oder mit Dingen befaßt, die ›in ihrer Art‹ gut sind. In den vergangenen vier Jahren fiel das ›Erntedankfest‹ der konzeptuellen Kunst zumeist methodologisch, das heißt stilistisch aus. Das gilt für Erscheinungen sowohl in diesem Land wie anderswo, die ›Wörter‹, ›Fotos‹, ›Systeme‹ und so fort anwenden – alles neue Varianten von Farbe, wie es scheint.

Der Methodologe beharrt darauf, daß Kunst ›transzendent‹, ›autonom‹ sein und als ›besonderer‹ Erfahrungsbereich existiere. Clive Bell als einer von ihnen behauptete, den Ausgangspunkt für alle Systeme der Ästhetik müsse die persönliche Erfahrung der spezifischen Emotion bilden. Die ›spezifische Emotion‹ ist offenbar das Gegenstück zur ›spezifischen Eigenschaft‹ und wie diese ein Märchen.

Doch da es dem Methodologen darum geht, einen Komplex spezifischer Eigenschaften zu behaupten und zu bewahren, ist er in seine eigenen paradigmatischen Genügsamkeiten und Unzulänglichkeiten ganz buchstäblich ›eingesperrt‹. Er hat einfach den Kontakt zu jenen ›tiefen‹ kontextuellen Bedingungen verloren, die ihm in erster Linie eine Erkenntnis ermöglichten. Damit kann so jemand abermals ein ›Opfer‹ heißen, weil er nie zu erkennen vermag, in welchem Grad seine Annahmen und Verfahren der bloße Ausfluß einer bestimmten Kultur und ihrer etablierten Konventionen sind.

lines the also widely held view that an artist is one who impetuously 'creates' and his creations, for some magical reason, simply turn out to be art. This is a popular view. It seems to be one especially predominant in this country where it has been enshrined by the aesthetic home-guard. Their rallying cries include all the variations on the mawkish notion of 'inner light': 'human inspiration', 'individual expression', 'emotion', 'instinct', 'passionate conviction' and 'having something to say'. I know that the utterers of such phrases have a self-righteous confidence in their connotation but I am not sure if they are as confident about their denotation. Moreover they ought not to be. Without wanting to go into detail, the denotation of many of the above phrases leads to a semantic quagmire. It's just a mess. Somehow the inference is that art-forms are innate. But compare natural language: the grammar, phonology etc., of a natural language like English is not innate but contingent on our possession of shared rules. So with art: it's a mistake to consider 'having something to say' as if it's not contingent on the mediation of a public medium.

Compared to this stand-point, at least the Modernist recognizes that art may have 'problems' which can be dealt with in an 'objective' sort of way. Still, such a person will not consider the reflexive study as art since it does not match his *a priori* concept of art's properties. From this or the prior position then, such a study is not 'art'–so be it.

Another widespread objection is celebrated in the indiscriminate use of the phrase 'merely verbal'. No matter how overtly-normative we consider our activities there are those who believe that important problems cannot be construed linguistically. It is said that this is particularly true for art. But surely such a view is completely mistaken in that it hopelessly underestimates our ability to reconstrue important problems as raising questions about linguistic entities. One can't, for example, construe the 'visual' except in the context of some conceptual framework. In other words, art is importantly 'language'–one can recognize smoke as a natural sign of fire whereas to shout 'fire' is to use language: seeing 'visual' art may be compared to shouting 'fire', a *conventional* as opposed to a natural activity.

But what are the final implications of the reflexive 'epistemological alternative'? In concerning oneself with the 'why' aesthetic performance ratings are replaced by a 'search' which is immanently critical and heuristic. It substitutes a context of 'justification' with a context of 'discovery'. It constantly assesses its own possibilities instead of merely re-enacting the artistic success-stories so familiar from normal art. This in itself opens up the possibility of alternatives beyond the fashionable dictates of any predominant performance-based paradigm.

Whatever the motivating factors of the 'flight from the object', the most substantial one appears to be this need of a reflexive and prescriptive 'search' for the constitution

Um den Status dieser ›Annahmen und Verfahren‹ zu klären, müssen wir daher imstande sein, ihre Ursprünge ›reflektiv‹ zu untersuchen. Somit können wir einen ›Epistemologen‹ im Gegensatz zu einem ›Methodologen‹ als jemanden definieren, der sich mit dem Aufbau vermittelbarer Erkenntnis befaßt. Das bedeutet, daß jemand dieser Art imstande ist, seine Prämissen zu ›kontextualisieren‹ und ihnen daher möglicherweise ›auf den Grund zu gehen‹. Das ist wichtig. Untersucht er reflektiv seine eigenen Voraussetzungen, vollzieht er eine Kritik, die der Methodologe in seinem Eifer, mit dem ›Machen‹ weiterzukommen, nicht vollziehen kann und will.

Eine weitverbreitete Auffassung, auf die wir jetzt eingehen können, besagt, eine derartige Untersuchung vermöge, was immer man auch über eine reflektive Abhilfe behaupte, nicht Kunst zu sein. Diese Annahme unterstreicht einfach die ebenso weithin gehegte Auffassung, der Künstler sei jemand, der ungestüm ›schaffe‹ und dessen Schöpfungen sich aus irgendeinem magischen Grund als Kunst herausstellen. Das ist eine volkstümliche Ansicht. Sie scheint besonders in diesem Land vorzuherrschen, wo sie von den ästhetischen Heimatpflegern gehütet wird. Ihre Sammelrufe umfassen sämtliche Varianten der widerlichen Vorstellung von einem ›inneren Licht‹: ›menschliche Inspiration‹, ›individueller Ausdruck‹, ›Emotion‹, ›Instinkt‹, ›leidenschaftliche Überzeugung‹ und ›etwas zu sagen haben‹. Ich weiß, daß diejenigen, die solche Phrasen von sich geben, selbstgerecht von ihrer Konnotation überzeugt sind, aber ich bin mir nicht sicher, ob sie es auch hinsichtlich ihrer Denotation sind. Sie sollten es jedenfalls nicht sein. Man braucht gar nicht ins Detail zu gehen, um zu sehen, daß die Denotation vieler der obigen Phrasen in einen semantischen Morast führt. Es ist einfach ein Durcheinander. Irgendwie lautet die Schlußfolgerung, Kunstformen seien etwas Angeborenes. Aber man denke vergleichshalber an natürliche Sprachen: die Grammatik etwa oder die Phonetik einer natürlichen Sprache wie des Englischen sind nicht angeboren, sondern davon abhängig, daß wir gewisse gemeinsame Regeln haben. So verhält es sich auch mit der Kunst: Es ist falsch, das ›Etwas-zu-sagen-Haben‹ so zu verstehen, als sei es nicht auf die Vermittlung durch ein öffentliches Medium angewiesen.

Im Vergleich zu diesem Standpunkt erkennt zumindest der Modernist an, daß die Kunst möglicherweise Probleme hat, die sich auf eine ›objektive‹ Weise behandeln lassen. Dennoch wird so jemand die reflektive Untersuchung nicht als Kunst auffassen, weil sie nicht seinem *apriorischen* Begriff von den Eigenschaften der Kunst entspricht. Von dieser oder der vorherigen Position her gesehen, ist eine derartige Untersuchung keine ›Kunst‹ – dabei bleibt es.

Ein anderer, weit verbreiteter Einwand verschafft sich im unterschiedslosen und unkritischen Gebrauch der Phrase ›nur verbal‹ Geltung. Ganz gleich, für wie eindeutig normativ wir unsere Tätigkeiten auch erachten, es gibt doch immer diejenigen, die davon überzeugt sind, daß sich wichtige Probleme nicht sprachlich fassen und darlegen lassen. Es heißt, das gelte im besonderen für Kunst. Doch eine solche Auffassung ist sicherlich insofern ein völliger Irrtum, als sie hoffnungslos unsere Fähigkeit unterschätzt, wichtige Probleme so umzuformulieren, daß sich Fragen über sprachliche Gegebenheiten stellen.

of our knowledge. Also, that our ontological commitment no longer lies with material-stuff, nor with bandying around 'reifications', but in the constitution and status of values. Less of a motivation, despite the deluge of trendy sloganizing, is the rejection of the art-work as a consumer commodity. And even less of a motivation, is the change from an 'object-orientated' to a 'systems-orientated' culture. The issue is, I think, more whether we can engender an alternative apart from the currently paradigmatic aesthetic/performance one.

It has been stated that the methodologist is so intent on simply 'doing' that he presupposes his activity to be transcendent. So he arrests any dialectics between theory and practice and more than ever becomes 'locked into' his pradigmatic framework.

Some reflexive and critical work has already been carried out which cannot be accounted for within the confines of the prevalent paradigms. One feature of such work is that the information it contains is explicit and not just art-contextual. But in shedding art-theory's voyeuristic and contemplative garb, 'theory' may translate into revolutionizing 'practice': It may lead instead of follow. So one may reinstate the dialectics between theory and practice which recent years of 'methodolatry' had arrested. So art may initiate a much more sophisticated teleology than that of the 'taken for granted' institutional success.

Man kann beispielsweise das ›Visuelle‹ nicht anders auslegen als im Kontext eines konzeptuellen Rahmens. Mit anderen Worten: Kunst ist in einer wichtigen Hinsicht ›Sprache‹ – man kann Rauch als ein natürliches Anzeichen von Feuer wahrnehmen, während der Ruf ›Feuer!‹ einen Gebrauch von Sprache darstellt: Das Sehen ›visueller‹ Kunst läßt sich mit dem Ruf ›Feuer!‹ vergleichen, es ist eine *konventionale* Tätigkeit im Gegensatz zu einer natürlichen.

Doch welches sind die letztlichen Implikationen der reflektiven ›epistemologischen Alternative‹? Indem man sich mit dem ›Warum‹ befaßt, werden ästhetische Darstellungsbewertungen durch eine ›Suche‹ ersetzt, die immanent kritisch und heuristisch ist. Sie ersetzt einen Kontext der ›Rechtfertigung‹ durch einen der ›Entdeckung‹. Sie schätzt beständig ihre eigenen Möglichkeiten ein, statt bloß die artistischen Erfolgsgeschichten zu rekapitulieren, die einem aus üblicher Kunst so vertraut sind. Das eröffnet an sich schon die Möglichkeit von Alternativen, die über die modischen Diktate eines vorherrschenden Paradigmas auf darstellerischer Grundlage hinausgehen.

Welches auch immer die motivierenden Faktoren für die ›Flucht vor dem Objekt‹ sein mögen: der wesentlichste unter ihnen ist offenbar dieses Bedürfnis nach einer reflektiven und präskriptiven ›Suche‹ nach der Konstitution unserer Kenntnisse. Und dazu gehört auch, daß unser ontologisches Engagement nicht mehr dem materiellen Stoff gilt, auch nicht der öffentlichen Verbreitung von ›Verdinglichungen‹, sondern der Konstitution und dem Status von Werten. Weniger motiviert ist, trotz der Flut an tendenziösen Schlagwortwechseln, die Ablehnung des Kunstwerks als einer konsumierbaren Ware. Und noch weniger motiviert wirkt der Übergang von einer ›gegenstandsorientierten‹ zu einer ›systemorientierten‹ Kultur. Es kommt, wie ich meine, mehr darauf an, ob wir imstande sind, eine Alternative außerhalb des geläufigen Paradigmas im Sinn des Ästhetischen und des Darstellerischen zuwege zu bringen.

Es wurde festgestellt, daß der Methodologe so sehr auf einfaches ›Machen‹ versessen ist, daß er voraussetzt, seine Tätigkeit sei transzendent. Damit hemmt er jede Dialektik zwischen Theorie und Praxis und wird mehr als je zuvor zum ›Gefangenen‹ seines paradigmatischen Rahmens.

Inzwischen sind schon einige reflektive und kritische Arbeiten ausgeführt worden, die sich nicht in den Grenzen der vorherrschenden Paradigmen begründen lassen. Ein Merkmal derartiger Arbeiten besteht darin, daß die in ihnen enthaltenen Informationen explizit und nicht einfach kunstkontextional sind. Doch indem sie die voyeuristische und kontemplative Gewandung der Kunsttheorie abwirft, kann ›Theorie‹ in revolutionierende ›Praxis‹ umschlagen: Sie kann führen, statt zu folgen. So läßt sich die Dialektik zwischen Theorie und Praxis, die in den vergangenen Jahren der ›Methodologie‹ unterdrückt war, wieder in ihr Recht einsetzen. So kann Kunst eine weit aufgeklärtere und fortschrittlichere Teleologie als die des ›selbstverständlichen‹ institutionalen Erfolges begründen.

Douglas Huebler

The world is full of objects, more or less interesting; I do not wish to add any more.

I prefer, simply, to state the existence of things in terms of time and/or place.

More specifically, the work concerns itself with things whose inter-relationship is beyond direct perceptual experience.

Because the work is beyond direct perceptual experience, awareness of the work depends on a system of documentation.

This documentation takes the form of photographs, maps, drawings and descriptive language.

Douglas Huebler

Die Welt ist voll von mehr oder weniger interessanten Objekten; ich möchte keine weiteren hinzufügen.

Ich ziehe es vor, einfach die Existenz von Dingen in Zeit und/oder Raum festzustellen.

Genauer gesagt, meine Arbeit beschäftigt sich mit Dingen, deren Beziehung zueinander sinnlich nicht unmittelbar wahrnehmbar ist.

Weil die Arbeit sinnlich nicht unmittelbar wahrnehmbar ist, hängt ihr Gewahrwerden von einem Dokumentationssystem ab.

Diese Dokumentation besteht aus Photographien, Karten, Zeichnungen und Erläuterungen.

I would define art as an activity that extends human consciousness through constructs that transpose natural phenomena from that qualitatively undifferentiated condition that we call ›life‹ into objective and internally focused concepts. Since Impressionism most art has been based on an inference that our experience of natural phenomena necessarily calls for its transposition into visual manifestations.

My work is concerned with determining the form of art when the role traditionally played by visual experience is mitigated or eliminated. In a number of works I have done so by first bringing ›appearance‹ into the foreground of the piece and then suspending the visual experience of it by having it actually function as a document that exists to serve as a structural part of a conceptual system. The systems used are random or logical sets of numbers, aspects of time, or propositions in language and the ›documents‹ of appearance are photographs that have been made with the camera used as a duplicating device whose operator makes no ›aesthetic‹ decisions.

Whatever is visual in the work exists arbitrarily and its real existence remains as itself—in ›life‹ along with everything else—and separate from art or the purposes of art.

Ich würde Kunst als eine Tätigkeit definieren, die menschliches Bewußtsein durch Konstrukte erweitert, die Naturphänomene aus jenem qualitativ undifferenzierten Zustand, den wir ›Leben‹ nennen, in objektive und innerlich konzentrierte Konzepte verwandeln. Seit dem Impressionismus basiert der größte Teil der Kunst auf einer Schlußfolgerung, daß unsere Wahrnehmung von Naturphänomenen notwendigerweise nach ihrer Umwandlung in visuelle Manifestationen verlangt.

Meine Arbeit beschäftigt sich damit, die Form von Kunst zu bestimmen, wenn man die Rolle, die traditionellerweise visuelle Wahrnehmung spielt, abschwächt oder sogar ausschaltet. In einer Reihe von Arbeiten habe ich das gemacht, indem ich erst die ›Erscheinungsform‹ in den Vordergrund des Stückes gestellt und dann das visuell Wahrnehmbare daran aufgehoben habe, und zwar dadurch, daß ich ihm tatsächlich eine Funktion als Dokument zuwies, das nur existiert, um als struktureller Bestandteil eines konzeptuellen Systems zu dienen. Die verwendeten Systeme beruhen auf Zufall, logischen Zahlenreihen, Aspekten von Zeit, oder sprachlichen Propositionen, und die ›Dokumente‹ der Erscheinungsform sind Photographien, die mit der Kamera als einem reproduzierenden Gerät gemacht wurden, dessen Benutzer keine ›ästhetischen‹ Entscheidungen trifft.

Was immer an der Arbeit visuell ist, existiert eigenmächtig und behält seine wirkliche Existenz–im ›Leben‹, gemeinsam mit allem anderen–und separat von der Kunst und ihren Vorhaben.

Donald Judd

Specific Objects

Half or more of the best new work in the last few years has been neither painting nor sculpture. Usually it has been related, closely or distantly, to one or the other. The work is diverse, and much in it that is not in painting and sculpture is also diverse. But there are some things that occur nearly in common.

The new three-dimensional work doesn't constitute a movement, school or style. The common aspects are too general and too little common to define a movement. The differences are greater than the similarities. The similarities are selected from the work; they aren't a movement's first principles or delimiting rules. Three-dimensionality is not as near being simply a container as painting and sculpture have seemed to be, but it tends to that. But now painting and sculpture are less neutral, less containers, more defined, not undeniable and unavoidable. They are particular forms, circumscribed after all, producing fairly definite qualities. Much of the motivation in the new work is to get clear of these forms. The use of three dimensions is an obvious alternative. It opens to anything. Many of the reasons for this use are negative, points against painting and sculpture, and, since both are common sources, the negative reasons are those nearest commonage. "The motive to change is always some uneasiness: nothing setting us upon the change of state, or upon any new action, but some uneasiness." The positive reasons are more particular. Another reason for listing the insufficiencies of painting and sculpture first is that both are familiar and their elements and qualities more easily located.

The objections to painting and sculture are going to sound more intolerant than they are. There are qualifications. The disinterest in painting and sculpture is a disinterest in doing it again, not in it as it is being done by those who developed the last advanced versions. New work always involves objections to the old, but these objections are really relevant only to the new. They are part of it. If the earlier work is first-rate it is complete.

New inconsistencies and limitations aren't retroactive; they concern only work that is being developed. Obviously, three-dimensional work will not cleanly succeed painting and sculpture. It's not like a movement; anyway, movements no longer work;

Donald Judd

Spezifische Objekte

Die Hälfte oder mehr der besten neuen Arbeiten der letzten Jahre ist weder Malerei noch Skulptur. Normalerweise sind sie dem einen oder anderen mehr oder weniger verwandt. Die Arbeiten sind recht verschieden, und vieles in ihnen, das weder in Malerei noch Skulptur zu finden ist, ist auch verschieden. Aber es gibt doch einiges, was bei fast allen gemeinsam vorkommt.

Die neuen dreidimensionalen Arbeiten bilden keine Richtung, Schule oder Stil. Die gemeinsamen Aspekte sind zu allgemein und auch nicht so häufig, um schon eine Richtung auszumachen. Die Unterschiede sind größer als die Ähnlichkeiten. Die Ähnlichkeiten muß man aus den Arbeiten herausschälen, sie sind nicht, wie bei einer Richtung, Grundprinzip oder abgrenzende Richtschnur. Dreidimensionalität verkörpert nicht ganz so stark nur ein Behältnis, wie es bei Malerei und Skulptur der Fall zu sein schien, jedoch die Tendenz ist vorhanden. Aber heute sind Malerei und Skulptur nicht mehr so neutral, nicht mehr einfach Behältnis, sondern schärfer umrissen, nicht unbestritten und nicht unumgänglich. Sie sind bestimmte, letztlich abgegrenzte Formen, die verhältnismäßig bestimmte Qualitäten hervorbringen. Vieles in den neuen Arbeiten wird durch den Wunsch motiviert, von diesen Formen wegzukommen. Drei Dimensionen sind eine einleuchtende Alternative: Ihre Verwendung ist nach allen Seiten hin offen. Viele Gründe für ihre Verwendung sind negativ, gegen Malerei und Skulptur gerichtet, und da beide so allgemein und wenig spezifisch sind, muten auch die negativen Gründe an wie Gemeinplätze. ›Motiv für eine Veränderung ist immer ein leichtes Unbehagen; nichts treibt uns zur Veränderung des Bestehenden oder zu neuer Aktion als leichtes Unbehagen.‹ Die positiven Gründe gehen mehr ins einzelne. Ein weiterer Grund dafür, zuerst die Unzulänglichkeiten von Malerei und Skulptur anzuführen, liegt darin, daß beide bekannt sind und ihre einzelnen Elemente und Qualitäten leichter auszumachen.

Die Einwände gegen Malerei und Skulptur klingen intoleranter, als sie in Wirklichkeit sind. Es bestehen Unterschiede. Das Desinteresse an Malerei und Skulptur ist Desinteresse daran, wieder Malerei und Skulptur zu produzieren, nicht Desinteresse an Malerei und Skulptur von denen, die die letzten, avancierten Formen entwickelten. Neue Arbeiten enthalten immer Einwände gegen alte, aber wirklich relevant sind diese Einwände nur für die neuen. Sie sind ein Bestandteil. Wenn die älteren Arbeiten erstklassig sind, ist es vollendet. Neue Inkonsequenzen und Einschränkungen sind nicht

also, linear history has unraveled somewhat. The new work exceeds painting in plain power, but power isn't the only consideration, though the difference between it and expression can't be too great either. There are other ways than power and form in which one kind of art can be more or less than another. Finally, a flat and rectangular surface is too handy to give up. Some things can be done only on a flat surface. Lichtenstein's representation of a representation is a good instance. But this work which is neither painting nor sculpture challenges both. It will have to be taken into account by new artists. It will probably change painting and sculpture.

The main thing wrong with painting is that it is a rectangular plane placed flat against the wall. A rectangle is a shape itself; it is obviously the whole shape; it determines and limits the arrangement of whatever is on or inside of it. In work before 1946 the edges of the rectangle are a boundary, the end of the picture. The composition must react to the edges and the rectangle must be unified, but the shape of the rectangle is not stressed; the parts are more important, and the relationships of color and form occur among them. In the paintings of Pollock, Rothko, Still and Newman, and more recently of Reinhardt and Noland, the rectangle is emphasized. The elements inside the rectangle are broad and simple and correspond closely to the rectangle. The shapes and surface are only those which can occur plausibly within and on a rectangular plane. The parts are few and so subordinate to the unity as not to be parts in an ordinary sense. A painting is nearly an entity, one thing, and not the indefinable sum of a group of entities and references. The one thing overpowers the earlier painting. It also establishes the rectangle as a definite form; it is no longer a fairly neutral limit. A form can be used only in so many ways. The rectangular plane is given a life span. The simplicity required to emphasize the rectangle limits the arrangements possible within it. The sense of singleness also has a duration, but it is only beginning and has a better future outside of painting. Its occurrence in painting now looks like a beginning, in which new forms are often made from earlier schemes and materials.

The plane is also emphasized and nearly single. It is clearly a plane one or two inches in front of another plane, the wall, and parallel to it. The relationship of the two planes is specific; it is a form. Everything on or slightly in the plane of the painting must be arranged laterally.

Almost all paintings are spatial in one way or another. Yves Klein's blue paintings are the only ones that are unspatial, and there is little that is nearly unspatial, mainly Stella's work. It's possible that not much can be done with both an upright rectangular plane and an absence of space. Anything on a surface has space behind it. Two colors on the same surface almost always lie on different depths. An even color, especially in oil paint, covering all or much of a painting is almost always both flat and infinitely spatial. The space is shallow in all of the work in which the rectangular plane is stressed.

retroaktiv, sie betreffen ja nur Arbeiten, die noch in der Entwicklung stecken. Augenscheinlich wird dreidimensionales Arbeiten Malerei und Skulptur nicht einfach sauber ablösen. Es ist nicht wie bei einer Richtung; wie dem auch sei, Richtungen tragen nicht mehr; und auch die lineare Geschichtsentwicklung ist etwas zerfasert. Die neuen Arbeiten übertreffen Malerei einfach an Wirkung, aber Wirkung ist nicht der einzige Gesichtspunkt, obwohl der Unterschied zwischen Wirkung und Ausdruck auch nicht allzu groß sein dürfte. Es gibt noch andere Möglichkeiten außer Wirkung und Form, in denen eine Art von Kunst mehr – oder weniger – sein kann als eine andere. Schließlich ist eine flache, rechteckige Fläche einfach zu handlich, um ohne weiteres auf sie zu verzichten. Manche Sachen lassen sich eben nur auf einer flachen Oberfläche machen. Lichtensteins Darstellung einer Darstellung ist ein gutes Beispiel. Aber diese Arbeiten, die weder Malerei noch Skulptur sind, stellen beides in Frage. Jüngere Künstler werden sich damit auseinandersetzen müssen. Diese Arbeiten werden wahrscheinlich Malerei und Skulptur verändern.

Der Hauptfehler der Malerei liegt darin: Sie ist eine rechteckige, flach auf die Wand gesetzte Fläche. Ein Rechteck ist eine eigenständige Form; es ist offensichtlich die gesamte Form; es bestimmt und begrenzt die Anordnung dessen, was auch immer auf oder in ihm ist. In den Arbeiten vor 1946 sind die Ränder des Rechtecks eine Grenze, das Ende des Bildes. Die Komposition muß auf die Ränder eingehen und das Rechteck zu einer Einheit werden, aber die rechteckige Form als solche wird nicht betont. Die Bestandteile sind wichtiger, und die Beziehungen zwischen Farbe und Form ereignen sich zwischen ihnen. In den Bildern von Pollock, Rothko, Still und Newman und später bei Reinhardt und Noland wird das Rechteck betont. Die Elemente innerhalb des Rechtecks sind großflächig und einfach und stehen in unmittelbarer Beziehung zum Rechteck. Formen und Oberfläche sind nur dergestalt, daß sie plausiblerweise in und auf einer rechteckigen Fläche vorkommen können. Es gibt nur wenige Teile, und die sind dem Ganzen so untergeordnet, daß man sie nicht mehr als Teile in dem Sinn ansprechen kann. Ein Bild ist nahezu eine Entität, ein Ding, und nicht die unbestimmbare Summe einer Gruppe von Entitäten und Beziehungen. Das Ein-Ding überwältigt das frühere Bild. Es etabliert auch das Rechteck als bestimmte Form, es ist nicht länger eine verhältnismäßig neutrale Begrenzung. Eine Form hat nur eine begrenzte Anzahl von Möglichkeiten. Die rechteckige Fläche als solche hat nur eine begrenzte Lebensdauer. Die Einfachheit, die erforderlich ist, um das Rechteck nachdrücklich zu betonen, begrenzt die Zahl der in ihm möglichen Anordnungen. Der Sinn für Autonomie ist auch von begrenzter Dauer, aber er steht erst am Anfang und hat bessere Zukunftsaussichten außerhalb der Malerei. Sein Vorkommen in der Malerei heute mutet an wie ein Anfang, bei dem oft neue Formen aus älteren Modellen und Materialien abgeleitet werden.

Die Fläche wird auch betont und steht nahezu autonom. Es ist ganz klar eine Fläche ein oder zwei Inch vor einer anderen Fläche – der Wand – und parallel dazu. Die Be-

Rothko's space is shallow and the soft rectangles are parallel to the plane, but the space is almost traditionally illusionistic. In Reinhardt's paintings, just back from the plane of the canvas, there is a flat plane, and this seems in turn indefinitely deep. Pollock's paint is obviously on the canvas, and the space is mainly that made by any marks on a surface, so that it is not very descriptive and illusionistic. Noland's concentric bands are not as specifically paint-on-a-surface as Pollock's paint, but the bands flatten the literal space more. As flat and unillusionistic as Noland's paintings are, the bands do advance and recede. Even a single circle will warp the surface to it, will have a little space behind it.

Except for a complete and unvaried field of color or marks, anything placed in a rectangle and on a plane suggests something in and on something else, something in its surround, which suggests an object or figure in its space, in which these are clearer instances of a similar world–that's the main purpose of painting. The recent paintings aren't completely single. There are a few dominant areas, Rothko's rectangles or Noland's circles, and there is the area around them. There is a gap between the main forms, the most expressive parts, and the rest of the canvas, the plane and the rectangle. The central forms still occur in a wider and indefinite context, although the singleness of the paintings abridges the general and solipsistic quality of earlier work. Fields are also usually not limited, and they give the appearance of sections cut from something indefinitely larger.

Oil paint and canvas aren't as strong as commercial paints and as the colors and surfaces of materials, especially if the materials are used in three dimensions. Oil and canvas are familiar and, like the rectangular plane, have a certain quality and have limits. The quality is especially identified with art.

The new work obviously resembles sculpture more than it does painting, but it is nearer to painting. Most sculpture is like the painting which preceded Pollock, Rothko, Still and Newman. The newest thing about it is its broad scale. Its materials are somewhat more emphasized than before. The imagery involves a couple of salient resemblances to other visible things and a number of more oblique references, everything generalized to compatibility. The parts and the space are allusive, descriptive and somewhat naturalistic. Higgins' sculpture is an example, and, dissimilarly, Di Suvero's. Higgins' sculpture mainly suggests machines and truncated bodies. Its combination of plaster and metal is more specific. Di Suvero uses beams as if they were brush strokes, imitating movement, as Kline did. The material never has its own movement. A beam thrusts; a piece of iron follows a gesture; together they form a naturalistic and anthropomorphic image. The space corresponds.

Most sculpture is made part by part, by addition, composed. The main parts remain fairly discrete. They and the small parts are a collection of variations, slight through

ziehung der beiden Flächen zueinander ist spezifisch: eine Form. Alles auf – oder ein wenig in – der Fläche des Bildes muß auf die Seiten hin bezogen angeordnet werden.

Fast alle Bilder sind in einer oder anderer Beziehung räumlich. Yves Kleins blaue Bilder sind als einzige nicht-räumlich, und nur einige wenige, vor allem Stellas Arbeiten, sind fast nicht-räumlich. Möglicherweise kann man nicht viel mit einer aufrechten, rechteckigen Fläche und bei Abwesenheit von Räumlichkeit machen. Alles auf einer Fläche hat Raum hinter sich. Zwei Farben auf der gleichen Fläche liegen fast immer verschieden tief. Eine gleichmäßig verteilte Farbe – vor allem bei Ölmalerei – die die gesamte Fläche oder einen Großteil des Bildes einnimmt, wirkt fast immer flach und unendlich tief zugleich. Die Räumlichkeit ist bei allen Arbeiten, bei denen die rechteckige Fläche betont wird, nicht tief. Rothkos Räumlichkeit ist nicht tief, und die rechteckigen weichen Formen verlaufen parallel zur Fläche, aber der Raum wirkt fast traditionell illusionistisch. Reinhardts Bilder haben just hinter der Leinwand eine flache Ebene, und diese scheint wiederum unendlich tief. Pollocks Farbe befindet sich ganz klar erhaben auf der Leinwand, und die Räumlichkeit wird hauptsächlich von Markierungen auf der Oberfläche verursacht, daher ist sie nicht sehr deskriptiv und illusionistisch. Nolands konzentrische Streifen sind nicht so eindeutig Farbe-auf-Fläche wie Pollocks Farbe, aber sie machen den buchstäblichen Raum flacher. So flach und nicht-illusionistisch Nolands Bilder sind, die Streifen treten doch hervor und zurück. Sogar ein einzelner Kreis beeinflußt die Oberfläche, hat ein wenig Raum hinter sich.

Abgesehen von einem völlig mit Farbe oder Markierungen bedeckten unveränderten Gebiet, läßt alles, was in ein Rechteck und auf eine Fläche gesetzt wird, einen an etwas in und auf etwas denken, etwas in seiner Umgebung, was einen an einen Gegenstand oder eine Gestalt in seinem Raum denken läßt, in dem diese reinere Beispiele für eine ähnliche Welt sind – das ist der Hauptzweck von Malerei. Die in letzter Zeit entstandenen Bilder sind nicht völlig autonom. Es gibt ein paar dominierende Bereiche, Rothkos rechteckige Flächen oder Nolands Kreise und den Bereich um sie herum. Zwischen den Hauptpartien – den ausdrucksstärksten Teilen – und dem Rest der Leinwand – Fläche und Rechteck – ist eine Kluft. Die zentralen Formen treten auch noch in einem weiteren und unbeschränkten Kontext auf, obwohl die Autonomie der Bilder die allgemeine und solipsistische Qualität früherer Arbeiten beeinträchtigt. Die Felder sind normalerweise nicht begrenzt und vermitteln den Eindruck von Sektionen, herausgeschnitten aus etwas unbestimmt Größerem.

Ölfarbe und Leinwand sind nicht so kräftig wie Industrie-Farben oder wie Farben und Oberflächen von Materialien, vor allem wenn das Material dreidimensional verwendet wird. Öl und Leinwand sind etwas Vertrautes und haben, wie die rechteckige Fläche, eine bestimmte Qualität und Grenzen. Die Qualität vor allem wird mit Kunst identifiziert.

Die neuen Arbeiten sind augenscheinlich Skulptur ähnlicher als Bildern, aber sie stehen Bildern näher. Die meisten Skulpturen sind wie die Bilder vor Pollock, Rothko, Still und Newman. Das ganz Neue daran ist das große Format. Das Material wird

great. There are hierarchies of clarity and strength and of proximity to one or two main ideas. Wood and metal are the usual materials, either alone or together, and if together it is without much of a contrast. There is seldom any color. The middling contrast and the natural monochrome are general and help to unify the parts.

There is little of any of this in the new three-dimensional work. So far the most obvious difference within this diverse work is between that which is something of an object, a single thing, and that which is open and extended, more or less environmental. There isn't as great a difference in their nature as in their appearance, though. Oldenburg and others have done both. There are precedents for some of the characteristics of the new work. The parts are usually subordinate and not separate in Arp's sculpture and often in Brancusi's. Duchamp's ready-mades and other Dada objects are also seen at once and not part by part. Cornell's boxes have too many parts to seem at first to be structured. Part-by-part structure can't be too simple or too complicated. It has to seem orderly. The degree of Arp's abstraction, the moderate extent of his reference to the human body, neither imitative nor very oblique, is unlike the imagery of most of the new three-dimensional work. Duchamp's bottle-drying rack is close to some of it. The work of Johns and Rauschenberg and assemblage and low-relief generally, Ortman's reliefs for example, are preliminaries. Johns' few cast objects and a few of Rauschenberg's works, such as the goat with the tire, are beginnings.

Some European paintings are related to objects, Klein's for instance, and Castellani's, which have unvaried fields of low-relief elements. Arman and a few others work in three dimensions. Dick Smith did some large pieces in London with canvas stretched over cockeyed parallelepiped frames and with the surfaces painted as if the pieces were paintings. Philip King, also in London, seems to be making objects. Some of the work on the West Coast seems to be along this line, that of Larry Bell, Kenneth Price, Tony Delap, Sven Lukin, Bruce Conner, Kienholz of course, and others. Some of the work in New York having some or most of the characteristics is that by George Brecht, Ronald Bladen, John Willenbecher, Ralph Ortiz, Anne Truitt, Paul Harris, Barry McDowell, John Chamberlain, Robert Tanner, Aaron Kuriloff, Robert Morris, Nathan Raisen, Tony Smith, Richard Navin, Claes Oldenburg, Robert Watts, Yoshimura, John Anderson, Harry Soviak, Yayoi Kusama, Frank Stella, Salvatore Scarpitta, Neil Williams, George Segal, Michael Snow, Richard Artschwager, Arakawa, Lucas Samaras, Lee Bontecou, Dan Flavin and Robert Whitman. H. C. Westermann works in Connecticut. Some of these artists do both three-dimensional work and paintings. A small amount of the work of others, Warhol and Rosenquist for instance, is three-dimensional.

Painting and sculpture have become set forms. A fair amount of their meaning isn't credible. The use of three dimensions isn't the use of a given form. There hasn't been enough time and work to see limits. So far, considered most widely, three dimensions

etwas stärker betont als vorher. Die bildliche Darstellung enthält ein paar hervortretende Ähnlichkeiten mit anderen sichtbaren Dingen und eine Reihe versteckter Bezüge, alles zur Verträglichkeit verallgemeinert. Die Teile und der Raum sind voller Anspielungen, deskriptiv und etwas naturalistisch. Die Skulpturen von Higgins sind ein Beispiel und – ganz anders – die von Di Suvero. Higgins Skulpturen lassen einen an Maschinen und verstümmelte Körper denken, seine Verbindung von Gips und Metall wirkt recht eigentümlich. Di Suvero verwendet Balken wie Pinselstriche und ahmt – wie Kline – Bewegung nach. Das Material bewegt sich nicht nach Eigengesetzlichkeit: Ein Balken stößt hervor, ein Stück Eisen folgt einer Bewegung, zusammen bilden sie ein naturalistisches und antropomorphes Bild. Ebenso der Raum.

Die meisten Skulpturen werden Stück für Stück gemacht, durch Addition, werden zusammengesetzt. Die Hauptteile bleiben verhältnismäßig separat. Sie und die kleineren Teile sind eine Sammlung von – kleinen bis großen – Variationen. Es gibt Hierarchien von Klarheit und Kraft und von Nähe zu einer oder zwei Hauptideen. Holz und Metall sind das übliche Material, einzeln oder zusammen, und, wenn zusammen, ohne große Kontrastwirkung verwendet. Farbe ist selten. Durchschnittliche Kontrastwirkung und naturgegebene Einfarbigkeit sind üblich und helfen, die Teile zu verbinden.

Von alledem ist nur wenig in den neuen dreidimensionalen Arbeiten. Bis jetzt ist der offensichtlichste Unterschied bei diesen so verschiedenen Arbeiten der zwischen denen, die mehr Objekt, Einzelding, und denen, die offen und ausgedehnt, mehr oder weniger ›Environment‹ sind. Obwohl der Unterschied ihrer Natur nach nicht so groß ist wie in der Erscheinung. Oldenburg und andere haben beides gemacht. Es gibt Vorläufer für einige Merkmale der neueren Arbeiten. Bei Arps Skulpturen und oft auch bei Brancusi sind die Teile normalerweise untergeordnet und nicht separat. Duchamps Readymades und andere Dada-Objekte werden auch auf einmal und nicht Stück für Stück gesehen. Cornells Kästchen haben zu viele Teile, um auf den ersten Blick als strukturiert zu erscheinen. Eine Teil-für-Teil-Struktur kann nicht zu einfach oder zu kompliziert sein. Sie muß ordentlich erscheinen. Der Grad von Arps Abstraktion, der mäßige Bezug zum menschlichen Körper – weder zu imitativ noch verborgen – ist anders als die Bildsprache der meisten neuen dreidimensionalen Arbeiten. Duchamps Flaschentrockner steht manchen davon nahe. Die Arbeiten von Johns und Rauschenberg und Assemblagen und Flachreliefs allgemein – Ortmans Reliefs zum Beispiel – sind Vorläufer. Die wenigen Abgüsse von Johns und einige Arbeiten von Rauschenberg, wie die Ziege mit dem Reifen, sind Anfänge.

Einige europäische Bilder sind mit Objekten verwandt, die von Klein zum Beispiel und von Castellani, die unvariierte Bereiche mit Flachreliefelementen enthalten. Arman und einige andere arbeiten in drei Dimensionen. Dick Smith hat einige große Stücke in London gemacht, wobei Leinwand über schiefe, aus parallelen Röhren bestehende Gestelle gespannt ist; die Oberfläche ist bemalt, als wären es Bilder. Philip King, auch in London, macht, scheint's, Objekte. Einige West-Coast-Arbeiten liegen

are mostly a space to move into. The characteristics of three dimensions are those of only a small amount of work, little compared to painting and sculpture. A few of the more general aspects may persist, such as the work's being like an object or being specific, but other characteristics are bound to develop. Since its range is so wide, three-dimensional work will probably divide into a number of forms. At any rate, it will be larger than painting and much larger than sculpture, which, compared to painting, is fairly particular, much nearer to what is usually called a form, having a certain kind of form. Because the nature of three dimensions isn't set, given beforehand, something credible can be made, almost anything. Of course something can be done within a given form, such as painting, but with some narrowness and less strength and variation. Since sculpture isn't so general a form, it can probably be only what it is now—which means that if it changes a great deal it will be something else; so it is finished.

Three dimensions are real space. That gets rid of the problem of illusionism and of literal space, space in and around marks and colors—which is riddance of one of the salient and most objectionable relics of European art. The several limits of painting are no longer present. A work can be as powerful as it can be thought to be. Actual space is intrinsically more powerful and specific than paint on a flat surface. Obviously, anything in three dimensions can be any shape, regular or irregular, and can have any relation to the wall, floor, ceiling, room, rooms or exterior or none at all. Any material can be used, as is or painted.

A work needs only to be interesting. Most works finally have one quality. In earlier art the complexity was displayed and built the quality. In recent painting the complexity was in the format and the few main shapes, which had been made according to various interests and problems. A painting by Newman is finally no simpler than one by Cézanne. In the three-dimensional work the whole thing is made according to complex purposes, and these are not scattered but asserted by one form. It isn't necessary for a work to have a lot of things to look at, to compare, to analyze one by one, to contemplate. The thing as a whole, its quality as a whole, is what is interesting. The main things are alone and are more intense, clear and powerful. They are not diluted by an inherited format, variations of a form, mild contrasts and connecting parts and areas. European art had to represent a space and its contents as well as have sufficient unity and aesthetic interest. Abstract painting before 1946 and most subsequent painting kept the representational subordination of the whole to its parts. Sculpture still does. In the new work the shape, image, color and surface are single and not partial and scattered. There aren't any neutral or moderate areas or parts, any connections or transitional areas. The difference between the new work and earlier painting and present sculpture is like that between one of Brunelleschi's windows in the Badia di Fiesole and the façade of the Palazzo Rucellai, which is only an undeveloped rectangle as a whole and is mainly a collection of highly ordered parts.

wohl auch auf dieser Linie, die von Larry Bell, Kenneth Price, Tony Delap, Sven Lukin, Bruce Conner, Kienholz natürlich und andere. Einige der Arbeiten in New York, die ein paar oder sehr viele von diesen Merkmalen aufweisen, sind die von George Brecht, Ronald Bladen, John Willenbecher, Ralph Ortiz, Anne Truitt, Paul Harris, Barry McDowell, John Chamberlain, Robert Tanner, Aaron Kuriloff, Robert Morris, Nathan Raisen, Tony Smith, Richard Navin, Claes Oldenburg, Robert Watts, Yoshimura, John Anderson, Harry Soviak, Yayoi Kusama, Frank Stella, Salvatore Scarpitta, Neill Williams, George Segal, Michael Snow, Richard Artschwager, Arakawa, Lucas Samaras, Lee Bontecou, Dan Flavin und Robert Whitman. H. C. Westermann arbeitet in Connecticut. Einige dieser Künstler machen beides, dreidimensionale Arbeiten und Malerei. Ein geringer Teil der Arbeiten anderer Künstler, zum Beispiel Warhols und Rosenquists, ist dreidimensional.

Malerei und Skulptur sind zu erstarrten Formen geworden. Ein guter Teil ihrer Bedeutung ist nicht glaubhaft. Wenn man drei Dimensionen benutzt, benutzt man keine gegebene Form. Die Zeit ist noch zu kurz, und es sind noch zu wenig Arbeiten, als daß man Grenzen sehen könnte. Bis jetzt – im weitesten Sinne – sind drei Dimensionen vor allem ein Raum zum Hineingehen. Die Merkmale für drei Dimensionen treffen nur auf einen kleinen Teil der Arbeiten zu, wenig im Verhältnis zu Malerei und Skulptur. Einige der allgemeineren Aspekte bleiben möglicherweise bestehen – ob die Arbeit etwa objekthaft oder spezifisch ist – aber andere Merkmale müssen sich noch entwickeln. Da das Spektrum so weit ist, wird sich dreidimensionales Arbeiten wohl in eine Reihe verschiedener Formen aufteilen. Auf jeden Fall werden die Arbeiten größer sein als Malerei und viel größer als Skulptur, die, im Vergleich zu Malerei, recht spezifisch ist, dem – was normalerweise Form genannt wird – viel näher, da sie eine bestimmte Art Form hat. Weil die Natur von drei Dimensionen nicht bestimmt, von vornherein gegeben ist, kann man etwas Glaubhaftes, fast alles machen. Natürlich kann man auch innerhalb einer gegebenen Form, wie Malerei, etwas zustande bringen, aber eingeschränkt und weniger stark und abwechslungsreich. Da Skulptur keine so allgemeine Form ist, kann sie vielleicht nur sein, was sie heute ist – was bedeutet, daß, wenn sie sich sehr verändert, sie zu etwas anderem wird; dann ist sie zu Ende.
Drei Dimensionen sind wirklicher Raum. Das befreit vom Problem des Illusionismus und des nur bezeichneten Raums – Raum in und um Markierungen und Farben –, ist Befreiung von einem der hervorstechenden Relikte europäischer Kunst, einem, gegen das am meisten vorzubringen ist. Die zahlreichen Begrenzungen des Bildes bestehen nicht mehr. Eine Arbeit kann so stark sein, wie nur vorstellbar. Tatsächlicher Raum ist wirklich aussagestärker und spezifischer als Farbe auf einer flachen Ebene. Ganz offensichtlich kann in drei Dimensionen alles jede nur denkbare Form annehmen, – regelmäßig oder unregelmäßig – und jede nur denkbare Beziehung zu Wand, Boden, Decke, Raum, Räumen oder Außenwelt, zu nichts oder zu allem, haben. Jedes Material kann so, wie es ist, oder bemalt verwendet werden.

The use of three dimensions makes it possible to use all sorts of materials and colors. Most of the work involves new materials, either recent inventions or things not used before in art. Little was done until lately with the wide range of industrial products. Almost nothing has been done with industrial techniques and, because of the cost, probably won't be for some time. Art could be mass-produced, and possibilities otherwise unavailable, such as stamping, could be used. Dan Flavin, who uses fluorescent lights, has appropriated the results of industrial production. Materials vary greatly and are simply materials–formica, aluminum, cold-rolled steel, plexiglas, red and common brass, and so forth. They are specific. If they are used directly, they are more specific. Also, they are usually aggressive. There is an objectivity to the obdurate identity of a material. Also, of course, the qualities of materials–hard mass, soft mass, thickness of 1/32, 1/16, 1/8 inch, pliability, slickness, translucency, dullness–have unobjective uses. The vinyl of Oldenburg's soft objects looks the same as ever, slick, flaccid and a little disagreeable, and is objective, but it is pliable and can be sewn and stuffed with air and kapok and hung or set down, sagging or collapsing. Most of the new materials are not as accessible as oil on canvas and are hard to relate to one another. They aren't obviously art. The form of a work and its materials are closely related. In earlier work the structure and the imagery were executed in some neutral and homogeneous material. Since not many things are lumps, there are problems in combining the different surfaces and colors and in relating the parts so as not to weaken the unity.

Three-dimensional work usually doesn't involve ordinary anthropomorphic imagery. If there is a reference it is single and explicit. In any case the chief interests are obvious. Each of Bontecou's reliefs is an image. The image, all of the parts and the whole shape are coextensive. The parts are either part of the hole or part of the mound which forms the hole. The hole and the mound are only two things, which, after all, are the same thing. The parts and divisions are either radial or concentric in regard to the hole, leading in and out and enclosing. The radial and concentric parts meet more or less at right angles and in detail are structure in the old sense, but collectively are subordinate to the single form. Most of the new work has no structure in the usual sense, especially the work of Oldenburg and Stella. Chamberlain's work does involve composition. The nature of Bontecou's single image is not so different from that of images which occurred in a small way in semiabstract painting. The image is primarily a single emotive one, which alone wouldn't resemble the old imagery so much, but to which internal and external references, such as violence and war, have been added. The additions are somewhat pictorial, but the image is essentially new and surprising; an image has never before been the whole work, been so large, been so explicit and aggressive. The abatised orifice is like a strange and dangerous object. The quality is intense and narrow and obsessive. The boat and the furniture that Kusama covered with white protuberances have a related intensity and obsessiveness and are also strange objects. Kusama is inter-

Eine Arbeit muß nur interessant sein. Die meisten Arbeiten haben letztlich eine Qualität. In älterer Kunst wurde die Vielschichtigkeit hervorgehoben und machte die Qualität aus. In neuerer Malerei lag die Komplexität im Format und den wenigen Hauptformen, die aufgrund verschiedener Interessen und Probleme zustande gekommen waren. Ein Bild von Newman ist letzten Endes nicht einfacher als eines von Cézanne. Bei dreidimensionalen Arbeiten ist das Ganze aufgrund komplexer Absichten gemacht worden, und diese werden nicht zerstreut, sondern durch eine Form zur Geltung gebracht. Es ist nicht nötig, daß eine Arbeit viele Dinge zum Angucken, Vergleichen, Eins-nach-dem-anderen-Analysieren oder Nachsinnen hat. Das Ding als Ganzes ist das Interessante. Die Hauptsachen stehen für sich allein und wirken intensiver, reiner und kraftvoller. Sie werden nicht durch ein überkommenes Format, Variationen einer Form, gedämpfte Kontraste, verbindende Teile und Gebiete verwässert. Europäische Kunst mußte einen Raum und seinen Inhalt darstellen und dazu noch verhältnismäßig einheitlich und ästhetisch interessant sein. Die abstrakte Malerei vor 1946 und der größte Teil der Malerei danach behielt die darstellungsmäßige Unterordnung des Ganzen unter seine Teile bei; Bildhauerei heute noch. In den neuen Arbeiten stehen Form, Image, Farbe und Oberfläche autonom, nicht als Teil und verstreut. Es gibt keine unbeteiligten oder zweitrangigen Gebiete oder Teile, keine verbindenden oder überleitenden Flächen. Der Unterschied zwischen den neuen Arbeiten und älterer Malerei wie zeitgenössischer Bildhauerei ist ähnlich dem, zwischen einem von Brunelleschis Fenstern in der Badia die Fiesole und der Fassade des Palazzo Rucellai, die als Ganzes nur ein unentwickeltes Rechteck und hauptsächlich eine Sammlung von sehr geordneten Teilen ist.

Wenn man drei Dimensionen benutzt, kann man alle möglichen Materialien und Farben verwenden. Die meisten Arbeiten enthalten neues Material, entweder neue Erfindungen oder Dinge, die bisher in der Kunst nicht gebraucht wurden. Bis vor kurzem hat man kaum etwas mit dem weiten Bereich industrieller Produkte gemacht. Fast nichts ist mit industriellen Techniken gemacht worden, und das wird wohl auch wegen der Kosten nicht so schnell geschehen. Kunst könnte in Massenproduktion gemacht und in sonst nicht verfügbaren Möglichkeiten, wie Stanzen, gebraucht werden. Dan Flavin, der Leuchtstoffröhren verwendet, hat sich die Ergebnisse industrieller Produktion zu eigen gemacht. Materialien sind sehr verschieden und einfach Material – Formica, Aluminium, Kaltwalzstahl, Plexiglas, rotes und normales Messing usw. Sie sind spezifisch. Wenn sie unverändert eingesetzt werden um so mehr. Normalerweise sind sie auch aggressiv. Es liegt etwas von Objektivität in der nackten Identität eines Materials. Natürlich werden die Qualitäten des Materials – harte oder weiche Masse, Stärken von $1/32$, $1/16$ oder $1/8$ Inch, Biegsamkeit, Glätte, Lichtdurchlässigkeit, Stumpfheit – nicht-objektiv gebraucht. Das Vinyl bei Oldenburgs weichen Objekten sieht aus wie immer, glatt, schlaff und ein bißchen unangenehm, und ist objektiv, aber man kann es biegen, nähen, mit Luft oder Kapok füllen und aufhängen oder niedersetzen, wo es zusammensackt und einfällt. Die meisten neuen Materialien sind nicht so leicht zu

ested in obsessive repetition, which is a single interest. Yves Klein's blue paintings are also narrow and intense.

The trees, figures, food or furniture in a painting have a shape or contain shapes that are emotive. Oldenburg has taken this anthropomorphism to an extreme and made the emotive form, with him basic and biopsychological, the same as the shape of an object, and by blatancy subverted the idea of the natural presence of human qualities in all things. And further, Oldenburg avoids trees and people. All of Oldenburg's grossly anthropomorphized objects are man-made—which right away is an empirical matter. Someone or many made these things and incorporated their preferences. As practical as an ice-cream cone is, a lot of people made a choice, and more agreed, as to its appearance and existence. This interest shows more in the recent appliances and fixtures from the home and especially in the bedroom suite, where the choice is flagrant. Oldenburg exaggerates the accepted or chosen form and turns it into one of his own. Nothing made is completely objective, purely practical or merely present. Oldenburg gets along very well without anything that would ordinarily be called structure. The ball and cone of the large ice-cream cone are enough. The whole thing is a profound form, such as sometimes occurs in primitive art. Three fat layers with a small one on top are enough. So is a flaccid, flamingo switch draped from two points. Simple form and one or two colors are considered less by old standards. If changes in art are compared backwards, there always seems to be a reduction, since only old attributes are counted and these are always fewer. But obviously new things are more, such as Oldenburg's techniques and materials. Oldenburg needs three dimensions in order to simulate and enlarge a real object and to equate it and an emotive form. If a hamburger were painted it would retain something of the traditional anthropomorphism. George Brecht and Robert Morris use real objects and depend on the viewer's knowledge of these objects.

The composition and imagery of Chamberlain's work is primarily the same as that of earlier painting, but these are secondary to an appearance of disorder and are at first concealed by the material. The crumpled tin tends to stay that way. It is neutral at first, not artistic, and later seems objective. When the structure and imagery become apparent, there seems to be too much tin and space, more chance and casualness than order. The aspects of neutrality, redundancy and form and imagery could not be coextensive without three dimensions and without the particular material. The color is also both neutral and sensitive and, unlike oil colors, has a wide range. Most color that is integral, other than in painting, has been used in three-dimensional work. Color is never unimportant, as it usually is in sculpture.

Stella's shaped paintings involve several important characteristics of three-dimensional work. The periphery of a piece and the lines inside correspond. The stripes are nowhere near being discrete parts. The surface is farther from the wall than usual,

handhaben wie Öl auf Leinwand und schwer aufeinander abzustimmen. Sie sind nicht von vornherein Kunst. Form und Material einer Arbeit stehen in enger Beziehung. Früher wurden Struktur und Bildhaftigkeit einer Arbeit in neutralem und homogenem Material ausgeführt. Da nur wenige Arbeiten auf Zusammenballung von Material beruhen, entstehen Probleme beim Kombinieren der verschiedenen Oberflächen und Farben und dabei, die Einzelteile so miteinander zu verbinden, daß die Einheit nicht gefährdet wird.

Dreidimensionale Arbeiten enthalten normalerweise keine anthropomorphe Bildhaftigkeit. Wenn darauf angespielt wird, geschieht das für sich und explizite. Auf jeden Fall sind die Hauptinteressen ganz klar. Jedes Relief von Bontecou ist ein Image. Das Image, die einzelnen Teile und die gesamte Form sind koextensiv. Die Teile sind entweder Teil des Lochs oder Teil des Walls, durch den das Loch gebildet wird. Loch und Wall sind zwei Dinge, letztlich aber das gleiche Ding. Die Teile und Unterabteilungen sind radial oder konzentrisch zum Loch angelegt, führen hinein, heraus oder schließen ein. Die radialen und konzentrischen Teile treffen sich mehr oder weniger im rechten Winkel und sind im Detail Strukturen im alten Sinne, aber zusammengenommen der Einzelform untergeordnet. Die meisten neuen Arbeiten haben keine Struktur im üblichen Sinn, vor allem die Arbeiten von Oldenburg und Stella. Die Arbeiten von Chamberlain enthalten Komposition. Die Natur von Bontecous einzelnem Image ist gar nicht so verschieden von denen, die in einem kleinen Bereich der halbabstrakten Malerei vorkamen. Das Image steht in erster Linie für sich, gefühlsmäßig, was nicht so sehr an die alte Bildhaftigkeit erinnern würde, aber interne und externe Bezüge – wie Gewalttätigkeit und Krieg – sind mit ins Spiel gebracht worden. Diese Hinzufügungen sind etwas bildhaft, aber das Image ist in seinem Kern neu und aufregend; ein Image war noch nie vorher die ganze Arbeit, so groß, so explizit und aggressiv. Die verspannte Mündung ist wie ein fremdes gefährliches Objekt. Die Qualität ist intensiv, knapp und manisch. Das Boot und die Möbel, die Kusama mit weißen Auswüchsen bedeckt hat, haben verwandte Intensität, sind von gleicher Besessenheit und auch fremde Objekte. Kusama hat Interesse an manischer Wiederholung; das ist ein autonomes Interesse. Yves Kleins blaue Bilder sind auch knapp und intensiv.

Bäume, Gestalten, Nahrungsmittel oder Möbel in einem Gemälde haben Formen oder enthalten Formen, die gefühlsbezogen sind. Oldenburg hat diesen Anthropomorphismus bis ins Extrem geführt und die gefühlsbezogene, durch ihn grundlegende und bio-psychologische Form gemacht – mit der gleichen äußeren Form wie ein Objekt – und lautstark die Idee von der naturgegebenen Präsenz menschlicher Qualitäten in allen Dingen untergraben. Darüber hinaus macht Oldenburg keine Bäume und Menschen. Alle zum großen Teil anthropomorphen Objekte Oldenburgs sind von Menschen gemacht – geradezu eine empirische Tatsache. Ein einzelner oder mehrere haben diese Dinge gemacht und ihre Vorlieben mit einverleibt. So praktisch wie ein Eiskremhörnchen ist – eine Menge Leute haben eine Wahl getroffen, und die Mehrzahl fand das Äußere und die Existenz in Ordnung. Dies Interesse zeigt sich noch stärker in seinen

though it remains parallel to it. Since the surface is exceptionally unified and involves little or no space, the parallel plane is unusually distinct. The order is not rationalistic and underlying but is simply order, like that of continuity, one thing after another. A painting isn't an image. The shapes, the unity, projection, order and color are specific, aggressive and powerful.

neuen Haushaltsgeräten und dem Haushaltszubehör, vor allem in der ›Bedroom Suite‹, wo die Wahl grauenhaft ist. Oldenburg übertreibt die akzeptierte oder gewählte Form und verwandelt sie in seine eigene. Nichts Hergestelltes ist völlig objektiv, rein praktisch oder nur da. Oldenburg kommt sehr gut ohne etwas aus, was man normalerweise Struktur nennen würde. Kugel und Hörnchen des großen Eiskremhörnchens sind genug. Das Ganze ist eine profunde Form, wie sie einem manchmal in primitiver Kunst begegnet. Drei dicke Lagen mit einer kleinen oben drauf genügen. Oder ein schlaffer, rosafarbener, an zwei Seiten aufgehängter Lichtschalter. Eine einfache Form und ein oder zwei Farben sind nach alten Maßstäben gemessen recht wenig. Wenn man Veränderungen in der Kunst von rückwärts her vergleicht, sieht es so aus, als würde es immer reduzierter, da nur die alten Merkmale zählen und die immer weniger werden. Aber die neuen Dinge sind augenscheinlich ein Mehr, wie Oldenburgs Materialien und Techniken. Oldenburg braucht drei Dimensionen, um ein reales Objekt zu simulieren und zu vergrößern sowie das und eine gefühlsbezogene Form gleichzusetzen. Wenn man einen Hamburger malte, hätte er immer noch etwas vom traditionellen Anthropomorphismus. George Brecht und Robert Morris brauchen reale Objekte und sind darauf angewiesen, daß der Betrachter diese Objekte kennt.

Komposition und Bildhaftigkeit in Chamberlains Arbeiten sind primär die gleichen wie bei älterer Malerei, aber sie sind zweitrangig, gemessen an dem äußeren Eindruck von Unordnung, und sie werden zuerst vom Material verborgen. Das zerknüllte Blech hat die Tendenz, so zu bleiben. Zuerst ist es neutral, nicht künstlerisch, und scheint später objektiv. Wenn Struktur und Bildhaftigkeit einem klarwerden, scheint es zuviel Blech und Raum, mehr Zufall und Beiläufigkeit als Ordnung. Die Aspekte von Neutralität, Zu-viel, Form und Bildhaftigkeit könnten ohne drei Dimensionen und das bestimmte Material nicht zusammen eingebunden sein. Die Farbe ist auch neutral und sensitiv und hat – anders als Ölfarben – ein weites Spektrum. Jede wesentliche Farbe ist – anders als bei Malerei – in dreidimensionalen Arbeiten verwendet worden. Farbe ist nie unwichtig wie normalerweise bei Skulptur.

Stellas ›Shaped Paintings‹ enthalten mehrere wichtige Merkmale dreidimensionaler Arbeiten. Die Peripherie einer Arbeit und die Linien im Innern korrespondieren miteinander. Die Streifen wirken nirgendwo wie separate Teile. Die Oberfläche ist weiter von der Wand abgerückt als gewöhnlich, bleibt aber parallel zu ihr. Da die Oberfläche außergewöhnlich vereinheitlicht ist und kaum oder überhaupt keine Raumtiefe enthält, wird die parallele Ebene außergewöhnlich deutlich. Es handelt sich nicht um eine rationalistische oder zugrunde liegende Ordnung, sondern um ganz einfache Ordnung wie die von Kontinuität: Aufeinanderfolge von Dingen. Ein Gemälde ist kein Abbild. Die Formen, die Einheitlichkeit, Entwurf, Anordnung und Farbe sind spezifisch, aggressiv und kraftvoll.

Joseph Kosuth

Art after Philosophy

I

'The fact that it has recently become fashionable for physicists themselves to be sympathetic towards religion ... marks the physicists' own lack of confidence in the validity of their hypotheses, which is a reaction on their part from the anti-religious dogmatism of nineteenth-century scientists, and a natural outcome of the crisis through which physics has just passed.'–A.J. Ayer.

'... once one has understood the *Tractatus* there will be no temptation to concern oneself any more with philosophy, which is neither empirical like science nor tautological like mathematics; one will, like Wittgenstein in 1918, abandon philosophy, which, as traditionally understood, is rooted in confusion.'–J.O. Urmson.

Traditional philosophy, almost by definition, has concerned itself with the *unsaid*. The nearly exclusive focus on the *said* by twentieth-century analytical linguistic philosophers is the shared contention that the *unsaid* is *unsaid* because it is *unsayable*. Hegelian philosophy made sense in the nineteenth century and must have been soothing to a century that was barely getting over Hume, the Enlightenment, and Kant.[1] Hegel's philosophy was also capable of giving cover for a defence of religious beliefs, supplying an alternative to Newtonian mechanics, and fitting in with the growth of history as a discipline, as well as accepting Darwinian Biology.[2] He appeared to give an acceptable resolution to the conflict between theology and science, as well.

The result of Hegel's influence has been that a great majority of contemporary philosophers are really little more than *historians* of philosophy, Librarians of the Truth, so to speak. One begins to get the impression that there 'is nothing more to be said.' And certainly if one realizes the implications of Wittgenstein's thinking, and the thinking influenced by him and after him, 'Continental' philosophy need not seriously be considered here.[3]

Is there a reason for the 'unreality' of philosophy in our time? Perhaps this can be answered by looking into the difference between our time and the centuries preceding

Joseph Kosuth

Kunst nach der Philosophie

I

»Der Umstand, daß es neuerdings für Physiker selber zur Mode wurde, mit der Religion zu liebäugeln . . . kennzeichnet das mangelnde Vertrauen der Physiker in die Stichhaltigkeit ihrer Hypothesen, und das ist eine Reaktion ihrerseits auf den antireligiösen Dogmatismus der Wissenschaftler im 19. Jahrhundert und eine natürliche Folge der Krisis, welche die Physik eben durchlaufen hat.« – A. J. Ayer

». . . sobald man den *Tractatus* verstanden hat, besteht keine Versuchung mehr, sich weiter mit Philosophie zu befassen, die weder empirisch wie Naturwissenschaft noch tautologisch wie Mathematik ist; man wird, wie Wittgenstein 1918, die Philosophie aufgeben, die, nach ihrem traditionellen Verständnis, in der Verwirrung wurzelt.« – J. O. Urmson

Traditionelle Philosophie befaßt sich, fast per definitionem, mit dem *Ungesagten.* Die fast ausschließliche Ausrichtung der sprachanalytischen Philosophen des 20. Jahrhunderts auf das *Gesagte* beruht auf der gemeinsamen Ansicht, daß das *Ungesagte* deshalb *ungesagt* ist, weil es *unsagbar* ist. Die Hegelsche Philosophie ergab im 19. Jahrhundert einen Sinn und muß für ein Jahrhundert beruhigend gewesen sein, das kaum über Hume, die Aufklärung und Kant hinausgelangte.[1] Hegels Philosophie war außerdem dazu imstande, eine Verteidigung religiöser Überzeugungen abzudecken, eine Alternative zur Newtonschen Mechanik zu liefern, mit der Heraufkunft der Geschichte als einer Geisteswissenschaft zu harmonisieren wie auch die Darwinsche Biologie zu billigen.[2] Offenbar bot er auch noch eine annehmbare Lösung im Konflikt zwischen Theologie und Naturwissenschaft.

Hegels Einfluß hatte zur Folge, daß die heutigen Philosophen in ihrer großen Mehrheit wenig mehr denn Philosophie-*Historiker*, sozusagen Bibliothekare der Wahrheit sind. Man gewinnt allmählich den Eindruck, daß ›nichts mehr zu sagen ist‹. Und wenn man sich die Implikationen von Wittgensteins Denken, das von ihm beeinflußte Denken und das nach ihm vergegenwärtigt, ist es gewiß nicht nötig, hier ernstlich auf die ›Kontinentaleuropäische‹ Philosophie einzugehen.[3]

Gibt es einen Grund für die ›Irrealität‹ der zeitgenössischen Philosophie? Vielleicht läßt sich das durch einen Blick auf den Unterschied zwischen unserer Zeit und den Jahrhunderten vor uns beantworten. In der Vergangenheit beruhten die Schlußfolge-

us. In the past man's conclusions about the world were based on the information he had about it–if not specifically like the Empiricists, then generally like the Rationalists. Often in fact, the closeness between science and philosophy was so great that scientists and philosophers were one and the same person. In fact, from the times of Thales, Epicurus, Heraclitus, and Aristotle to Descartes and Leibniz, 'the great names in philosophy were often great names in science as well.'[4]

That the world as perceived by twentieth-century science is a vastly more different one than the one of its preceding century, need not be proved here. Is it possible, then, that in effect man has learned so much, and his 'intelligence' is such, that he cannot *believe* the reasoning of traditional philosophy? That perhaps he knows too much about the world to make those *kinds* of conclusions? As Sir James Jeans has stated:

'. . . When philosophy has availed itself of the results of science, it has not been by borrowing the abstract mathematical description of the pattern of events, but by borrowing the then current pictorial description of this pattern; thus it has not appropriated certain knowledge but conjectures. These conjectures were often good enough for the man-sized world, but not, as we now know, for those ultimate processes of nature which control the happenings of the man-sized world, and brings us nearest to the true nature of reality.'[5] He continues:

'One consequence of this is that the standard philosophical discussions of many problems, such as those of causality and freewill or of materialism or mentalism, are based on an interpretation of the pattern of events which is no longer tenable. The scientific basis of these older discussions has been washed away, and with their disappearance have gone all the arguments . . .'[6]

The twentieth century brought in a time which could be called 'the end of philosophy and the beginning of art'. I do not mean that, of course, strictly speaking, but rather as the 'tendency' of the situation. Certainly linguistic philosophy can be considered the heir to empiricism, but it's a philosophy in one gear.[7] And there is certainly an 'art condition' to art preceding Duchamp, but its other functions or reasons-to-be are so pronounced that its ability to function clearly as art limits its art condition so drastically that it's only minimally art.[8] In no mechanistic sense is there a connection between philosophy's 'ending' and art's 'beginning', but I don't find this occurence entirely coincidental. Though the same reasons may be responsible for both occurences the connection is made by me. I bring this all up to analyse art's function and subsequently its viability. And I do so to enable others to understand the reasoning of my– and, by extension, other artists'–art, as well as to provide a clearer understanding of the term 'Conceptual art'.[9]

rungen des Menschen über die Welt auf den Informationen, die er über sie besaß – wenn schon nicht spezifisch nach Art der Empiristen, so doch allgemein nach Art der Rationalisten. Tatsächlich war die Verbindung zwischen Naturwissenschaft und Philosophie häufig so eng, daß Naturwissenschaftler und Philosophen in Personalunion auftraten. Ja, seit Thales, Epikur, Heraklit und Aristoteles bis zu Descartes und Leibniz »waren die großen Namen der Philosophie oft auch große Namen der Naturwissenschaft«.[4]

Daß die Welt, wie sie die Wissenschaft des 20. Jahrhunderts wahrnimmt, eine erheblich andere ist als die des vorangegangenen Jahrhunderts, braucht hier nicht bewiesen zu werden. Ist es demnach möglich, daß der Mensch so viel gelernt hat und daß seine ›Intelligenz‹ derart ist, daß er dem Denken der traditionellen Philosophie nicht *glauben* kann? Daß er vielleicht zu viel über die Welt weiß, um Schlußfolgerungen jener *Art* zu ziehen? Wie Sir James Jeans feststellte: »... Wenn sich die Philosophie die Resultate der Wissenschaft zunutze gemacht hat, dann nicht dadurch, daß sie die abstrakte mathematische Beschreibung der Ereignisstrukturen entlehnte, vielmehr dadurch, daß sie die damals gängige bildliche Beschreibung dieses Musters übernahm; damit eignete sie sich nicht gewisse Erkenntnisse, sondern Konjekturen an. Diese Konjekturen waren häufig gut genug für eine auf den Menschen zugeschnittene Welt, doch nicht, wie wir jetzt wissen, für jene letzten Naturprozesse, die die Ereignisse jener Welt bestimmen und uns so nahe wie möglich an das wahre Wesen der Realität heranführen.«[5] Er fährt fort: »Eine Folge davon ist, daß die üblichen philosophischen Erörterungen vieler Probleme, wie der Kausalität und der Willensfreiheit oder des Materialismus oder des Spiritualismus, auf einer Interpretation der Ereignisstruktur beruhen, die nicht mehr haltbar ist. Die wissenschaftliche Basis dieser älteren Erörterungen ist weggeschwemmt, und mit ihrem Verschwinden sind auch sämtliche Argumente dahingegangen ...«[6]

Das 20. Jahrhundert führte eine Zeit herauf, die ›das Ende der Philosophie und der Beginn der Kunst‹ heißen könnte. Ich meine das selbstverständlich nicht im wortwörtlichen Sinn, sondern verstehe darunter eher die ›Tendenz‹ der Situation. Sicher kann Sprachphilosophie als Erbe des Empirismus gelten, aber es ist eine Philosophie mit nur einem Gang.[7] Und es gibt gewiß eine ›Kunstverfassung‹ für Kunst vor Duchamp, aber ihre anderen Funktionen oder Daseinsgrundlagen sind so ausgeprägt, daß ihre Fähigkeit, eindeutig als Kunst zu wirken, ihre Kunstverfassung derart drastisch begrenzt, daß sie nur in minimaler Weise Kunst ist.[8] In mechanischer Hinsicht gibt es keine Verbindung zwischen dem ›Ende‹ der Philosophie und dem ›Beginn‹ der Kunst, aber mir erscheint dieser Sachverhalt doch nicht völlig zufällig. Obgleich dieselben Gründe für die beiden Ereignisse verantwortlich sein mögen, ist die Verbindung von mir. Ich bringe all das vor, um die Funktion der Kunst und anschließend ihre Lebensfähigkeit zu analysieren. Und ich tue es, um andere in die Lage zu versetzen, die Begründung meiner Kunst – und, durch Erweiterung, derjenigen anderer Künstler – zu verstehen, und ebenso, um für ein deutlicheres Verständnis des Ausdrucks ›konzeptuelle Kunst‹ zu sorgen.[9]

'The main qualifications to the lesser position of painting is that advances in art are certainly not always formal ones.'–Donald Judd (1963).

'Half or more of the best new work in the last few years has been neither painting nor sculpture.'–Donald Judd (1965).

'Everything sculpture has, my work doesn't.'–Donald Judd (1967).

'The idea becomes a machine that makes the art.'–Sol LeWitt (1965).

'The one thing to say about art is that it is one thing. Art is art-as-art and everything else is everything else. Art as art is nothing but art. Art is not what is not art.'–Ad Reinhardt (1963).

'The meaning is the use.'–Wittgenstein.

'A more functional approach to the study of concepts has tended to replace the method of introspection. Instead of attempting to grasp or describe concepts bare, so to speak, the psychologist investigates the way in which they function as ingredients in beliefs and in judgements.'–Irving M. Copi.

'Meaning is always a presupposition of function.'–T. Segerstedt.

'. . . the subject-matter of conceptual investigations is the *meaning* of certain words and expressions–and not the things and states of affairs themselves about which we talk, when using those words and expressions.'–G. H. Von Wright.

'Thinking is radically metaphoric. Linkage by analogy is its constituent law or principle, its causal nexus, since meaning only arises through the causal *contexts* by which a sign stands for (takes the place of) an instance of a sort. To think of anything is to take it *as* of a sort (as a such and such) and that 'as' brings in (openly or in disguise) the analogy, the parallel, the metaphoric grapple or ground or grasp or draw by which alone the mind takes hold. It takes no hold if there is nothing for it to haul from, for its thinking is the haul, the attraction of likes.'–I. A. Richards.

In this section I will discuss the separation between aesthetics and art; consider briefly Formalist art (because it is a leading proponent of the idea of aesthetics as art), and assert that art is analogous to an analytic proposition, and that it is art's existence as a tautology which enables art to remain 'aloof' from philosophical presumptions.

It is necessary to separate aesthetics from art because aesthetics deals with opinions on perception of the world in general. In the past one of the two prongs of art's function was its value as decoration. So any branch of philosophy which dealt with 'beauty' and thus, taste, was inevitably duty bound to discuss art as well. Out of this 'habit' grew the notion that there was a conceptual connection between art and aesthetics, which is not true. This idea never drastically conflicted with artistic considerations before recent times, not only because the morphological characteristics of art perpetuated the continuity of this error, but as well, because the apparent other 'functions' of art

»Die hauptsächliche Voraussetzung für die niedrigere Position der Malerei besteht darin, daß Fortschritte in der Kunst gewiß nicht immer formaler Natur sind.« – Donald Judd (1963)

»Die Hälfte oder noch mehr der besten neuen Arbeiten in den letzten Jahren ist weder Malerei noch Skulptur.« – Donald Judd (1965)

»Alles, was Skulptur besitzt, hat meine Arbeit nicht.« – Donald Judd (1967)

»Die Idee wird zu einer Maschine, die die Kunst macht.« – Sol LeWitt (1965)

»Die eine Sache, die sich über Kunst sagen läßt, ist, daß sie eine Sache ist. Kunst ist Kunst-als-Kunst, und alles andere ist alles andere. Kunst als Kunst ist nichts als Kunst. Kunst ist nicht, was nicht Kunst ist.« – Ad Reinhardt (1963)

»Die Bedeutung liegt im Gebrauch.« – Wittgenstein

»Ein funktionalerer Ansatz für das Studium von Begriffen tendiert dazu, die Methode der Introspektion abzulösen. Statt daß er versucht, Begriffe sozusagen nackt zu erfassen oder zu beschreiben, untersucht der Psychologe die Art und Weise, wie sie als Bestandteile von Überzeugungen und Urteilen fungieren.« – Irving M. Copi

»Bedeutung ist stets eine Voraussetzung der Funktion.« – T. Segerstedt

»... den Gegenstand konzeptueller Untersuchungen bildet die *Bedeutung* gewisser Wörter und Ausdrücke – und nicht die Dinge und Sachverhalte selber, von denen wir sprechen, wenn wir jene Wörter und Ausdrücke gebrauchen.« – G. H. von Wright

»Das Denken ist radikal metaphorisch. Sein konstitutives Gesetz oder Prinzip, sein Kausalnexus ist die Verknüpfung durch Analogie, da sich Bedeutung nur durch die kausalen *Zusammenhänge* ergibt, dank derer ein Zeichen für dieses oder jenes Beispiel einer Art steht (seinen Platz einnimmt). An etwas denken, heißt, es *als* etwas nehmen (als dieses und jenes), und jenes ›als‹ bringt (offen oder verdeckt) die Analogie, die Parallele, den metaphorischen Zugriff oder Grund oder Ansatz oder Zug zuwege, durch den allein der Geist Halt findet. Er findet keinen Halt, wenn nichts vorhanden ist, wovon er etwas herholen könnte, denn sein Denken ist das Herholen, die Anziehung von Ähnlichem.« – I. A. Richards.

In diesem Abschnitt möchte ich die Trennung zwischen Ästhetik und Kunst erörtern, kurz auf formalistische Kunst eingehen (weil sie führend daran beteiligt ist, die Idee von Ästhetik als Kunst vorzutragen) und behaupten, daß Kunst einer analytischen Proposition analog ist und daß gerade die tautologische Existenz von Kunst ihr ermöglicht, von philosophischen Annahmen ›unberührt‹ zu bleiben.

Es ist notwendig, Ästhetik von Kunst zu trennen, weil sich Ästhetik mit Meinungen über die Wahrnehmung der Welt im allgemeinen befaßt. In der Vergangenheit war einer der zwei Sprossen der Funktion von Kunst ihr dekorativer Wert. Daher war jeder Zweig der Philosophie, der sich mit ›Schönheit‹ und demnach mit Geschmack beschäftigte, unausweichlich verpflichtet, ebenso auf Kunst einzugehen. Aus diesem ›Brauch‹ erwuchs die Vorstellung, es bestehe von der Konzeption her eine Verbindung zwischen

(depiction of religious themes, portraiture of aristocrats, detailing of architecture, etc.) used art to cover up art.

When objects are presented within the context of art (and until recently objects always have been used) they are as eligible for aesthetic consideration as are any objects in the world, and an aesthetic consideration of an object existing in the realm of art means that the object's existence or functioning in an art context is irrelevant to the aesthetic judgement.

The relation of aesthetics to art is not unlike that of aesthetics to architecture, in that architecture has a very specific *function* and how 'good' its design is is *primarily* related to how well it performs its function. Thus, judgements on what it looks like correspond to taste, and we can see that throughout history different examples of architecture are praised at different times depending on the aesthetics of particular epochs. Aesthetic thinking has even gone so far as to make examples of architecture not related to 'art' at all, works of art in themselves (e.g. the pyramids of Egypt).

Aesthetic considerations are indeed *always* extraneous to an object's function or 'reason to be'. Unless of course, that object's 'reason to be' is strictly aesthetic. An example of a purely aesthetic object is a decorative object, for decoration's primary function is 'to add something to, so as to make more attractive; adorn; ornament',[10] and this relates directly to taste. And this leads us directly to 'Formalist' art and criticism.[11] Formalist art (painting and sculpture) is the vanguard of decoration, and, strictly speaking, one could reasonably assert that its art condition is so minimal that for all functional purposes it is not art at all, but pure exercises in aesthetics. Above all things Clement Greenberg is the critic of taste. Behind every one of his decisions is an aesthetic judgement, with those judgements reflecting his taste. And what does his taste reflect? The period he grew up in as a critic, the period 'real' for him: the fifties.[12]

How else can one account for, given his theories–if they have any logic to them at all,–his disinterest in Frank Stella, Ad Reinhardt, and others applicable to his historical scheme? Is it because he is '. . . basically unsympathetic on personally experiential grounds.'[13] Or, in other words, their work doesn't suit his taste?'

But in the philosophic *tabula rasa* of art, 'if someone calls it art,' as Don Judd has said, 'it's art.' Given this, formalist painting and sculpture can be granted an 'art condition', but only by virtue of its presentation in terms of its art idea (e.g. a rectangularly-shaped canvas stretched over wooden supports and stained with such and such colours, using such and such forms, giving such and such a visual experience, etc.). If one looks at contemporary art in this light one realizes the minimal creative effort taken on the part of formalist artists specifically, and all painters and sculptors (working as such today) generally.

Kunst und Ästhetik, was nicht der Fall ist. Dieser Gedanke geriet bis vor kurzem mit künstlerischen Erwägungen nie drastisch in Konflikt und nicht nur, weil die morphologischen Merkmale der Kunst die Beständigkeit dieses Irrtums perpetuierten, sondern ebenso, weil die offensichtlichen anderen ›Funktionen‹ von Kunst (Schilderung religiöser Themen, Porträtieren von Aristokraten, Wiedergabe von Architektur und so fort) Kunst verwendeten, um Kunst zu verhüllen.

Werden Objekte im Kunstzusammenhang vorgeführt (und bis vor kurzem wurden stets Objekte verwendet), sind sie für ästhetische Betrachtungen genau so geeignet wie irgendwelche anderen Objekte in der Welt, und eine ästhetische Betrachtung eines im Bereich von Kunst existierenden Objekts bedeutet, daß das Vorhandensein oder das Fungieren des Objekts in einem Kunstzusammenhang für das ästhetische Urteil unerheblich ist.

Die Beziehung zwischen Ästhetik und Kunst ist nicht unähnlich derjenigen zwischen Ästhetik und Architektur, insofern als Architektur eine sehr spezifische *Funktion* hat und die ›Qualität‹ ihrer Anlage *vorwiegend* damit zusammenhängt, wie gut sie ihre Funktion erfüllt. Damit richten sich Urteile darüber, wie sie aussieht, nach dem Geschmack, und wir können sehen, daß in der ganzen Geschichte zu verschiedenen Zeiten verschiedene Beispiele von Architektur je nach der Ästhetik bestimmter Epochen gerühmt werden. Das ästhetische Denken ging sogar so weit, Beispiele von Architektur zu liefern, die sich überhaupt nicht auf ›Kunst‹ beziehen, Kunstwerke in sich (etwa die ägyptischen Pyramiden).

Ästhetische Erwägungen treten tatsächlich *stets* von außen an die Funktion oder die ›raison d'être‹ eines Objekts heran. Es sei denn natürlich, die ›raison d'être‹ des Objekts wäre rein ästhetischer Natur. Ein Fall eines rein ästhetischen Objekts ist ein dekoratives Objekt, denn die hauptsächliche Funktion der Dekoration ist: »etwas hinzuzufügen, um reizvoller zu machen; zu schmücken; zu verzieren«,[10] und das bezieht sich unmittelbar auf den Geschmack. Und das bringt uns auch unmittelbar zu ›formalistischer‹ Kunst und Kritik.[11] Formalistische Kunst (Malerei und Skulptur) ist die Vorhut der Dekoration, und man könnte, genaugenommen, mit gutem Recht feststellen, ihre Kunstverfassung sei so minimal, daß sie bei allen funktionalen Absichten überhaupt keine Kunst ist, sondern pure ästhetische Übung. Vor allem Clement Greenberg ist der Kritiker des Geschmacks. Hinter jeder seiner Entscheidungen steht ein ästhetisches Urteil, wobei jene Urteile seinen Geschmack widerspiegeln. Und was spiegelt sein Geschmack wieder? Die Periode, in der er sich als Kritiker entwickelte, die für ihn 'wirkliche' Periode: die fünfziger Jahre.[12]

Wie sonst ließe sich bei seinen Theorien — falls ihnen überhaupt eine Logik zukommen sollte — sein Desinteresse an Frank Stella, Ad Reinhardt und anderen erklären, die in sein historisches Schema paßten? Kommt dies daher, weil er ». . . aus persönlichen Erfahrungsgründen heraus grundsätzlich teilnahmslos« ist?[13] Oder mit anderen Worten: weil ihre Arbeiten nicht nach seinem Geschmack sind?

This brings us to the realization that formalist art and criticism accepts as a definition of art one which exists solely on morphological grounds. While a vast quantity of similarly looking objects or images (or visually related objects or images) may seem to be related (or connected) because of a similarity of visual/experiential 'readings', one cannot claim from this an artistic or conceptual relationship.

It is obvious then that formalist criticism's reliance on morphology leads necessarily with a bias toward the morphology of traditional art. And in this sense their criticism is not related to a 'scientific method' or any sort of empiricism (as Michael Fried, with his detailed descriptions of paintings and other 'scholarly' paraphernalia would want us to believe). Formalist criticism is no more than an analysis of the physical attributes of particular objects which happen to exist in a morphological context. But this doesn't add any knowledge (or facts) to our understanding of the nature or function of art. And nor does it comment on whether or not the objects analysed are even works of art, in that formalist critics always by-pass the conceptual element in works of art. Exactly why they don't comment on the conceptual element in works of art is precisely because formalist art is only art by virtue of its resemblance to earlier works of art. It's a mindless art. Or, as Lucy Lippard so succinctly described Jules Olitski's paintings: 'they're visual *Muzak*'.[14]

Formalist critics and artists alike do not question the nature of art, but as I have said elsewhere: 'Being an artist now means to question the nature of art. If one is questioning the nature of painting, one cannot be questioning the nature of art. If an artist accepts painting (or sculpture) he is accepting the tradition that goes with it. That's because the word art is general and the word painting is specific. Painting is a *kind* of art. If you make paintings you are already accepting (not questioning) the nature of art. One is then accepting the nature of art to be the European tradition of a painting-sculpture dichotomy.'[15]

The strongest objection one can raise against a morphological justification for traditional art is that morphological notions of art embody an implied *a priori* concept of art's possibilities. And such an *a priori* concept of the nature of art (as separate from analytically framed art propositions or 'work' which I will discuss later) makes it, indeed, *a priori:* impossible to question the nature of art. And this questioning of the nature of art is a very important concept in understanding the function of art.

The function of art, as a question, was first raised by Marcel Duchamp. In fact it is Marcel Duchamp whom we can credit with giving art its own identity. (One can certainly see a tendency toward this self-identification of art beginning with Manet and Cézanne through to Cubism,[16] but their works are timid and ambiguous by comparison with Duchamp's). 'Modern' art and the work before seemed connected by virtue of their

Doch in der philosophischen *Tabula rasa* der Kunst »ist etwas Kunst«, wie Don Judd sagt, »wenn es jemand Kunst nennt«. Unter diesen Umständen kann man formalistischer Malerei und Skulptur eine ›Kunstverfassung‹ zubilligen, doch allein dank ihrer Präsentation im Sinn ihrer Kunstidee (beispielsweise als rechteckige, über Holzleisten gespannte Leinwand, mit diesen und jenen Farben bedeckt, unter Verwendung dieser und jener Formen, mit der Vermittlung dieser und jener optischen Erfahrungen, und so fort). Betrachtet man zeitgenössische Kunst in diesem Licht, erkennt man die minimale schöpferische Bemühung auf Seiten formalistischer Künstler im besonderen und sämtlicher Maler und Bildhauer (die heute als solche arbeiten) im allgemeinen.

Das führt uns zu der Erkenntnis, daß formalistische Kunst und Kritik als Kunstdefinition eine akzeptiert, die nur auf morphologischen Grundlagen beruht. Obgleich eine riesige Menge ähnlich aussehender Objekte oder Bilder (oder optisch verwandter Bilder oder Objekte) als verwandt (oder in Verbindung stehend) erscheinen kann, weil eine Ähnlichkeit der visuell/erfahrungshaften ›Lesarten‹ besteht, läßt sich daraus keine künstlerische oder begriffliche Verwandtschaft behaupten.

Daher ist offensichtlich, daß der Verlaß der formalistischen Kritik auf die Morphologie notwendig einen Hang zur Morphologie der traditionellen Kunst mit sich bringt. Und in diesem Sinn bezieht sich ihre Kritik nicht auf eine ›wissenschaftliche Methode‹ oder auf irgendeinen Empirismus (wie uns Michael Fried mit seinen detaillierten Beschreibungen von Gemälden und mit anderen ›gelehrten‹ Dingen glauben machen möchte). Formalistische Kritik ist nichts weiter als eine Analyse der materiellen Attribute bestimmter Objekte, die zufällig in einem morphologischen Zusammenhang existieren. Doch dies trägt zu unserem Verständnis dessen, was die Funktion von Kunst ist, keine weiteren Erkenntnisse (oder Fakten) bei. Und es besagt insofern nichts darüber, ob die analysierten Objekte überhaupt Kunstwerke sind oder nicht, als formalistische Kritiker stets das konzeptuelle Element in Kunstwerken übergehen. Daß sie gerade nicht auf das konzeptuelle Element in Kunstwerken eingehen, rührt eben daher, daß formalistische Kunst nur dank ihrer Ähnlichkeit mit früheren Kunstwerken Kunst ist. Sie ist eine geistlose Kunst. Oder, wie Lucy R. Lippard so bündig die Malereien Jules Olitskis beschrieb: »Sie sind optisch *Muzak* (Geräuschkulisse).«[14]

Formalistische Kritiker und gleicherweise Künstler fragen nicht nach dem Wesen der Kunst; aber wie ich anderswo sagte: »Jetzt ein Künstler zu sein, bedeutet, nach dem Wesen der Kunst zu fragen. Fragt man nach dem Wesen der Malerei, kann man nicht nach dem Wesen der Kunst fragen. Akzeptiert ein Künstler die Malerei (oder die Bildhauerei), akzeptiert er die Tradition, die dazu gehört. Dies ist so, weil das Wort Kunst allgemein und das Wort Malerei spezifisch ist. Malerei ist eine *Art* von Kunst. Macht man Gemälde, akzeptiert man bereits das Wesen der Kunst (und fragt nicht danach). Damit akzeptiert man, daß das Wesen der Kunst die europäische Tradition der Dichotomie von Malerei und Skulptur ist.«[15]

Der stärkste Einwand, der sich gegen die morphologische Rechtfertigung der traditionellen Kunst vorbringen läßt, besteht darin, daß morphologische Vorstellungen von

morphology. Another way of putting it would be that art's 'language' remained the same, but it was saying new things. The event that made conceivable the realization that it was possible to 'speak another language' and still make sense in art was Marcel Duchamp's first unassisted *Readymade*. With the unassisted *Readymade,* art changed its focus from the form of the language to what was being said. Which means that it changed the nature of art from a question of morphology to a question of function. This change–one from 'appearance' to 'conception'–was the beginning of 'modern' art and the beginning of 'conceptual' art. All art (after Duchamp) is conceptual (in nature) because art only exists conceptually.

The 'value' of particular artists after Duchamp can be weighed according to how much they questioned the nature of art; which is another way of saying 'what they *added* to the conception of art' or what wasn't there before they started. Artists question the nature of art by presenting new propositions as to art's nature. And to do this one cannot concern oneself with the handed-down 'language' of traditional art, as this activity is based on the assumption that there is only one way of framing art propositions. But the very stuff of art is indeed greatly related 'creating' new propositions.

The case is often made–particularly in reference to Duchamp–that objects of art (such as the readymades, of course, but all art is implied in this) are judged as *objets d'art* in later years and the artists' *intentions* become irrelevant. Such an argument is the case of a preconceived notion ordering together not necessarily related facts. The point is this: aesthetics, as we have pointed out, are conceptually irrelevant to art. Thus, any physical thing can become *objet d'art,* that is to say, can be considered tasteful, aesthetically pleasing, etc. But this has no bearing on the object's application to an art context; that is, its *functioning* in an art context. (E. g. if a collector takes a painting, attaches legs, and uses it as a dining-table it's an act unrelated to art or the artist because, *as art,* that wasn't the artist's *intention.*)

And what holds true for Duchamp's work applies as well to most of the art after him. In other words, the value of Cubism–for instance–is its idea in the realm of art, not the physical or visual qualities seen in a specific painting, or the particularization of certain colours or shapes. For these colours and shapes are the art's 'language', not its meaning conceptually as art. To look upon a Cubist 'masterwork' *now* as art is non-sensical, conceptually speaking, as far as art is concerned. (That visual information which was unique in Cubism's language has now been generally absorbed and has a lot to do with the way in which one deals with painting 'linguistically'. [E. g. what a Cubist painting meant experimentally and conceptually to, say, Gertrude Stein, is beyond our speculation because the same painting then 'meant' something different than it does now.]) The 'value' now of an original Cubist painting is not unlike, in most

Kunst einen impliziten *A-priori*-Begriff von Kunstmöglichkeiten verkörpern. Und ein derartiger *A-priori*-Begriff des Wesens von Kunst (anders als analytisch gefaßte Kunstpropositionen oder ->werke<, auf die ich später eingehen möchte) macht es tatsächlich *a-priori:* unmöglich, nach dem Wesen von Kunst zu fragen. Und dieses Fragen nach dem Wesen von Kunst ist ein wichtiger Begriff im Verständnis der Funktion von Kunst.

Die Funktion von Kunst tauchte als Frage zum erstenmal bei Marcel Duchamp auf. In der Tat gebührt Marcel Duchamp die Ehre, der Kunst ihre eigene Identität verliehen zu haben. (Gewiß läßt sich eine Tendenz in Richtung dieser Selbstidentifizierung von Kunst seit Manet und Cézanne bis hin zum Kubismus erkennen,[16] doch ihre Arbeiten sind im Vergleich zu denen Duchamps schüchtern und mehrdeutig.) ›Moderne‹ Kunst und frühere Arbeiten schienen dank ihrer Morphologie zusammenzuhängen. Anders ausgedrückt, ließe sich sagen: die ›Sprache‹ der Kunst blieb sich gleich, sie sagte nur neue Dinge. Das Ereignis, das die Erkenntnis denkbar machte, daß es möglich war, in der Kunst ›eine andere Sprache zu sprechen‹ und dennoch einen Sinn zu erzielen, war Marcel Duchamps erstes unbearbeitetes *Ready-made*. Mit dem unbearbeiteten *Ready-made* änderte die Kunst ihre Ausrichtung: von der Form der Sprache auf das Gesagte. Was bedeutet, daß es das Wesen von Kunst aus einer Morphologiefrage in eine Funktionsfrage umwandelte. Dieser Wandel – von der ›Erscheinungsform‹ zur ›Konzeption‹ – war der Beginn der ›modernen‹ Kunst und der Beginn der ›konzeptuellen‹ Kunst. Alle Kunst (nach Duchamp) ist konzeptuell (ihrem Wesen nach), weil Kunst nur konzeptuell existiert.

Der ›Wert‹ bestimmter Künstler nach Duchamp läßt sich danach abwägen, wie sehr sie nach dem Wesen der Kunst fragten – eine andere Ausdrucksweise dafür ›was sie der Konzeption von Kunst *hinzufügten*‹, oder dafür, was nicht vorhanden war, ehe sie begannen. Künstler fragen nach dem Wesen der Kunst, indem sie neue Propositionen im Hinblick auf das Wesen von Kunst vorlegen. Und um das zu tun, kann man sich nicht auf die überkommene ›Sprache‹ der traditionellen Kunst einlassen, da diese Tätigkeit auf der Annahme beruht, es gebe nur eine einzige Möglichkeit, Kunstaussagen zu fassen. Doch das eigentliche Material von Kunst ist tatsächlich sehr mit der ›Schaffung‹ neuer Aussagen verknüpft.

Häufig wurde – zumal in Hinblick auf Duchamp – vorgebracht, Kunstobjekte (wie die Ready-mades natürlich, aber darin ist alle Kunst eingeschlossen) würden in späteren Jahren als *objets d'art* bewertet und die *Intentionen* der Künstler würden unerheblich. Ein derartiges Argument ist ein Beispiel einer vorgefaßten Vorstellung, die nicht notwendig zusammengehörige Tatsachen aufeinander bezieht. Entscheidend ist: Ästhetik ist, wie gezeigt, konzeptuell irrelevant für Kunst. Damit kann jedes physische Ding zu einem *objet d'art* werden und läßt sich mithin nach dem Geschmack, nach dem ästhetischen Gefallen und so fort betrachten. Doch das besagt nichts über die Verwendung des Objekts in einem Kunstzusammenhang, nämlich über seine *Funktion* in einem Kunstzusammenhang. (Nimmt beispielsweise ein Sammler ein Gemälde her, bringt

respects, an original manuscript by Lord Byron, or *The Spirit of St. Louis* as it is seen in the Smithsonian Institute. (Indeed, museums fill the very same function as the Smithsonian Institute–why else would the *Jeu de Paume* wing of the Louvre exhibit Cézanne's and Van Gogh's palettes as proudly as they do their paintings?) Actual works of art are little more than historical curiosities. As far as *art* is concerned Van Gogh's paintings aren't worth any more than his palette is. They are both 'collector's items'.[17]

Art 'lives' through influencing other art, not by existing as the physical residue of an artist's ideas. The reason why different artists from the past are 'brought alive' again is because some aspect of their work becomes 'useable' by living artists. That there is no 'truth' as to what art is seems quite unrealized.

What is the function of art, or the nature of art? If we continue our analogy of the forms art takes as being art's *language* one can realize then that a work of art is a kind of *proposition* presented within the context of art as a comment on art. We can then go further and analyse the types of 'propositions'.

A. J. Ayer's evaluation of Kant's distinction between analytic and synthetic is useful to us here: 'A proposition is analytic when its validity depends solely on the definitions of the symbols it contains, and synthetic when its validity is determined by the facts of experience.'[18] The analogy I will attempt to make is one between the art condition and the condition of the analytic proposition. In that they don't appear to be believable as anything else, or be about anything (other than art) the forms of art most clearly finally referable only to art have been forms closest to analytical propositions.

Works of art are analytic propositions. That is, if viewed within their context–as art–they provide no information what-so-ever about any matter of fact. A work of art is a tautology in that it is a presentation of the artist's intention, that is, he is saying that that particular work of art *is* art, which means, is a *definition* of art. Thus, that it is art is true *a priori* (which is what Judd means when he states that 'if someone calls it art, it's art').

Indeed, it is nearly impossible to discuss art in general terms without talking in tautologies–for to attempt to 'grasp' art by any other 'handle' is to merely focus on another aspect or quality of the proposition which is usually irrelevant to the art work's 'art condition'. One begins to realize that art's 'art condition' is a conceptual state. That the language forms which the artist frames his propositions in are often 'private' codes or languages is an inevitable outcome of art's freedom from morphological constrictions; and it follows from this that one has to be familiar with contemporary art to appreciate it and understand it. Likewise one understands why the 'man on the street' is intolerant to artistic art and always demands art in a traditional

Beine daran an und benutzt es als Eßtisch, handelt es sich um einen Vorgang ohne Bezug auf Kunst oder den Künstler, weil das, *als Kunst,* nicht die *Intention* des Künstlers war.)

Und was auf Duchamps Arbeiten zutrifft, gilt ebenso für die meiste Kunst nach ihm. Mit anderen Worten: die Bedeutung des Kubismus – beispielsweise – beruht auf seiner Idee im Bereich von Kunst, nicht auf den physischen oder optischen Qualitäten, in einem bestimmten Gemälde, oder in der Detaillierung bestimmter Farben oder Formen. Denn diese Farben und Formen sind die ›Sprache‹ der Kunst, nicht ihre konzeptuelle Bedeutung. Ein kubistisches ›Meisterwerk‹ *heute* als Kunst zu betrachten, ist, begrifflich gesprochen, unsinnig, soweit es sich um Kunst handelt. (Jene visuelle Information, die in der Sprache des Kubismus einzigartig war, ist jetzt allgemein absorbiert und hat eine Menge mit dem zu tun, wie man sich ›linguistisch‹ mit Malerei befaßt. [Was beispielsweise ein kubistisches Gemälde erfahrungsgemäß und begrifflich etwa für Gertrude Stein bedeutete, liegt jenseits unserer Spekulation, weil dasselbe Gemälde damals etwas anderes als heute ›bedeutete‹.]) Der heutige ›Wert‹ eines kubistischen Gemäldes ist in vieler Hinsicht nicht unähnlich dem eines Originalmanuskripts von Lord Byron oder dem *Spirit of St. Louis* im Smithsonian Institute. (Ja, Museen erfüllen die gleiche Funktion wie das Smithsonian Institute – warum würde sonst das *Jeu de Paume* des Louvre Cézannes und van Goghs Paletten ebenso stolz ausstellen wie ihre Gemälde?) Wirkliche Kunstwerke sind kaum mehr als historische Kuriositäten. In bezug auf *Kunst* sind van Goghs Gemälde nicht mehr wert als seine Palette. Beide sind ›Sammelstücke‹.[17]

Kunst ›lebt‹ dadurch, daß sie andere Kunst beeinflußt, nicht dadurch, daß sie als physisches Residuum der Gedanken eines Künstlers existiert. Der Grund dafür, warum verschiedene Künstler der Vergangenheit wieder ›zum Leben erweckt‹ werden, liegt darin, daß irgendein Aspekt ihrer Arbeit für lebende Künstler wieder ›brauchbar‹ wird. Daß es keine ›Wahrheit‹ darüber gibt, was Kunst sei, scheint völlig unerkannt zu sein.

Was ist die Funktion der Kunst oder das Wesen der Kunst? Führen wir unsere Analogie, daß die Formen, die Kunst annimmt, die *Sprache* der Kunst sei, fort, läßt sich erkennen, daß ein Kunstwerk eine Art *Proposition* ist, die im Kunstzusammenhang als Kommentar zur Kunst präsentiert wird. Man kann dann weitergehen und die Typen von ›Propositionen‹ analysieren.

Wie A. J. Ayer Kants Unterscheidung zwischen dem Analytischen und dem Synthetischen beurteilt, ist uns hier von Nutzen: »Eine Proposition ist analytisch, wenn ihre Gültigkeit allein von den Definitionen der in ihr enthaltenen Symbole abhängt, und synthetisch, wenn ihre Gültigkeit von den Erfahrungstatsachen bestimmt wird.«[18] Die Analogie, die ich herzustellen suche, ist eine zwischen der Beschaffenheit von Kunst und der Beschaffenheit der analytischen Proposition. Insofern sie nicht wie irgend etwas sonst glaubbar erscheinen oder von irgend etwas (anderem als Kunst) zu handeln

'language'. (And one understands why formalist art sells 'like hot cakes'.) Only in painting and sculpture did the artists all speak the same language. What is called 'Novelty Art' by the Formalists is often the attempt to find new languages, although a new language doesn't necessarily mean the framing of new propositions: e. g. most kinetic and electronic art.

Another way of stating in relation to art what Ayer asserted about the analytic method in the context of language would be the following: The validity of artistic propositions is not dependent on any empirical, much less any aesthetic, presupposition about the nature of things. For the artist, as an analyst, is not directly concerned with the physical properties of things. He is concerned only with the way (1.) in which art is capable of conceptual growth and (2.) how his propositions are capable of logically following that growth.[19] In other words, the propositions of art are not factual, but linguistic in *character*–that is, they do not describe the behaviour of physical, or even mental objects; they express definitions of art, or the formal consequences of definitions of art. Accordingly, we can say that art operates on a logic. For we shall see that the characteristic mark of a purely logical enquiry is that it is concerned with the formal consequences of our definitions (of art) and not with questions of empirical fact.[20]

To repeat, what art has in common with logic and mathematics is that it is a tautology; i. e., the 'art idea' (or 'work') and art are the same and can be appreciated as art without going outside the context of art for verification.

On the other hand, let us consider why art cannot be (or has difficulty when it attempts to be) a synthetic proposition. Or, that is to say, when the truth or falsity of its assertion is verifiable on empirical grounds. Ayer states: '. . . The criterion by which we determine the validity of an *a priori* or analytical proposition is not sufficient to determine the validity of an empirical or synthetic proposition. For it is characteristic of empirical propositions that their validity is not purely formal. To say that a geometrical proposition, or a system of geometrical propositions, is false, is to say that it is self-contradictory. But an empirical proposition, or a system of empirical propositions, may be free from contradiction, and still be false. It is said to be false, not because it is formally defective, but because it fails to satisfy some material criterion.'[21]

The unreality of 'realistic' art is due to its framing as an art proposition in synthetic terms: one is always tempted to 'verify' the proposition empirically. Realism's synthetic state does not bring one to a circular swing back into a dialogue with the larger framework of questions about the nature of *art* (as does the work of Malevich, Mondrian, Pollock, Reinhardt, early Rauschenberg, Johns, Lichtenstein, Warhol, Andre, Judd, Flavin, LeWitt, Morris, and others), but rather, one is flung out of art's 'orbit' into the 'infinite space' of the human condition.

scheinen, sind letzten Endes die eindeutigsten Formen solche, die analytischen Propositionen am nächsten stehen.

Kunstwerke sind analytische Propositionen. Das besagt, daß sie, innerhalb ihres Zusammenhangs – als Kunst – betrachtet, keinerlei Information über irgendwelche Tatsachen liefern. Ein Kunstwerk ist insofern eine Tautologie, als es die Intention des Künstlers aufzeigt; er sagt mithin, dieses bestimmte Kunstwerk *ist* Kunst, was bedeutet, daß es eine *Definition* von Kunst ist. Damit auch, daß Kunst *a priori* wahr ist (was Judd meint, wenn er feststellt: »Wenn es jemand Kunst nennt, ist es Kunst«.)

Ja, es ist nahezu unmöglich, Kunst in allgemeinen Ausdrücken zu erörtern, ohne in Tautologien zu sprechen – denn der Versuch, Kunst an einem anderen ›Griff‹ zu ›fassen‹, bedeutet nur, sich auf einen anderen Aspekt oder eine andere Eigenschaft der Proposition zu konzentrieren, die gewöhnlich unerheblich für die ›Kunstverfassung‹ des Kunstwerks sind. Man beginnt einzusehen, daß die ›Kunstverfassung‹ von Kunst ein konzeptueller Zustand ist. Daß die Sprachformen, in die der Künstler seine Aussagen faßt, oft ›private‹ Codes oder Sprachen sind, ist ein unvermeidliches Resultat dessen, daß Kunst frei von morphologischen Einschränkungen ist; und daraus folgt, daß man mit zeitgenössischer Kunst vertraut sein muß, um sie zu beurteilen und zu verstehen. Gleichermaßen versteht man, warum der ›Mann auf der Straße‹ kunsthafter Kunst gegenüber so unduldsam ist und immer Kunst in einer traditionellen ›Sprache‹ fordert. (Und man versteht, warum sich formalistische Kunst ›wie warme Semmeln‹ verkauft.) Nur in Malerei und Skulptur sprachen sämtliche Künstler die gleiche Sprache. Was bei den Formalisten ›neuartige Kunst‹ heißt, ist häufig der Versuch, neue Sprachen zu finden, obwohl eine neue Sprache nicht unbedingt die Bildung neuer Propositionen bedeutet: beispielsweise im Großteil der kinetischen und elektronischen Kunst.

Eine andere Möglichkeit, in Beziehung zur Kunst zu setzen, was Ayer über die analytische Methode im Sprachzusammenhang feststellte, sähe so aus: Die Gültigkeit künstlerischer Aussagen ist nicht von einer empirischen, geschweige denn einer ästhetischen Vorentscheidung über das Wesen der Dinge abhängig. Denn der Künstler befaßt sich als Analytiker nicht unmittelbar mit den materiellen Eigenschaften der Dinge. Er beschäftigt sich nur damit, wie 1) Kunst zu konzeptueller Entfaltung fähig ist und wie 2) seine Propositionen imstande sind, jener Entfaltung logisch zu folgen.[19]

Mit anderen Worten: die Aussagen der Kunst sind ihrem *Wesen* nach nicht tatsachenbezogen, sondern sprachlich: das heißt, sie beschreiben nicht das Verhalten materieller oder auch geistiger Objekte; sie drücken Definitionen von Kunst oder die formalen Konsequenzen von Kunstdefinitionen aus. Infolgedessen läßt sich sagen, Kunst gehe nach einer Logik vor. Denn es wird sich zeigen, daß das charakteristische Merkmal einer rein logischen Untersuchung darin besteht, sich mit den formalen Konsequenzen unserer Definitionen (von Kunst) zu befassen, und nicht mit Fragen empirischer Sachverhalte.[20]

Um es zu wiederholen: Kunst hat mit Logik und Mathematik gemeinsam, daß sie eine Tautologie ist; das heißt, der ›Kunstgedanke‹ (oder das ›Werk‹) und Kunst sind

Pure Expressionism, continuing with Ayer's terms, could be considered as such: 'A sentence which consisted of demonstrative symbols would not express a genuine proposition. It would be a mere ejaculation, in no way characterizing that to which it was supposed to refer.' Expressionist works are usually such 'ejaculations' presented in the morphological language of traditional art. If Pollock is important it is because he painted on loose canvas horizontally to the floor. What *isn't* important is that he later put those drippings over stretchers and hung them parallel to the wall. (In other words what is important in art is what one *brings* to it, not one's adoption of what was previously existing.) What is even less important to art is Pollock's notions of 'self-expression' because those *kinds* of subjective meanings are useless to anyone other than those involved with him personally. And their 'specific' quality puts them outside of art's context.

'I do not make art,' Richard Serra says, 'I am engaged in an activity; if someone wants to call it art, that's his business, but it's not up to me to decide that. That's all figured out later.' Serra, then, is very much aware of the implications of his work. If Serra is indeed just 'figuring out what lead does' (gravitationally, molecularly, etc.) why should *anyone* think of it as art? If he doesn't take the responsibility of it being art, who can, or should? His work certainly appears to be empirically verifiable: lead can do and be used for many physical activities. In itself this does anything but lead us into a dialogue about the nature of art. In a sense then he is a primitive. He has no idea about art. How is it then that we know about 'his activity'? Because he has told us it is art by his actions *after* 'his activity' has taken place. That is, by the fact he is with several galleries, puts the physical residue of his activity in museums (and sells them to art collectors–but as we have pointed out, collectors are irrelevant to the 'condition of art' of a work). That he denies his work is art but plays the artist is more than just a paradox. Serra secretly feels that 'arthood' is arrived at empirically. Thus, as Ayer has stated: 'There are no absolutely certain empirical propositions. It is only tautologies that are certain. Empirical questions are one and all hypotheses, which may be confirmed or discredited in actual sense-experience. And the propositions in which we record the observations that verify these hypotheses are themselves hypotheses which are subject to the test of further sense-experience. Thus there is no final proposition.'[22]

What one finds all throughout the writings of Ad Reinhardt is this very similar thesis of 'art-as-art', and that 'art is always dead, and a "living" art is a deception'.[23] Reinhardt had a very clear idea about the nature of art, and his importance is far from being recognized.

Because forms of art that can be considered synthetic propositions are verifiable by the world, that is to say, to understand these propositions one must leave the tautological-like framework of art and consider 'outside' information. But to consider it as art it is

eines und dasselbe und lassen sich als Kunst begreifen, ohne daß man zur Verifikation den Kunstzusammenhang verlassen müßte.

Andererseits wollen wir überlegen, warum Kunst nicht eine synthetische Aussage sein kann (oder in Schwierigkeiten gerät, wenn sie es zu sein versucht). Oder mithin: wann sich die Wahrheit oder Falschheit ihrer Behauptung auf empirischer Grundlage ausmachen läßt. Ayer stellt fest: »... Das Kriterium, mittels dessen wir die Gültigkeit einer *a-priorischen* oder analytischen Proposition bestimmen, reicht nicht aus, die Gültigkeit einer empirischen oder synthetischen Proposition zu bestimmen. Denn für empirische Propositionen ist charakteristisch, daß ihre Gültigkeit nicht rein formal ist. Die Äußerung, eine geometrische Proposition oder ein System geometrischer Propositionen seien falsch, besagt, sie seien in sich widersprüchlich. Doch eine empirische Proposition oder ein System empirischer Propositionen können widerspruchsfrei und dennoch falsch sein. Sie heißen falsch, nicht weil sie formal unrichtig wären, sondern weil sie versäumen, bestimmte materielle Kriterien zu erfüllen.«[21]

Die Irrealität ›realistischer‹ Kunst beruht darauf, daß sie sich als Kunstproposition im synthetischen Sinn begreift: man ist immerzu versucht, die Proposition empirisch zu ›verifizieren‹. Der synthetische Zustand des Realismus versetzt einen nicht in eine rückläufige Kreisbewegung hin zu einem Dialog mit dem größeren Rahmen von Fragen über das Wesen von *Kunst* (wie es die Arbeiten von Malevič, Mondrian, Pollock, Reinhardt, des frühen Rauschenberg, Johns, Lichtenstein, Warhol, Andre, Judd, Flavin, LeWitt, Morris und anderer tun), man wird vielmehr aus der Kunst-›Umlaufbahn‹ in den ›unendlichen Raum‹ der menschlichen Verfaßtheit geschleudert.

Reiner Expressionismus ließe sich unter Weiterverwendung von Ayers Termini so betrachten: »Ein Satz, der aus demonstrativen Symbolen bestände, drückte keine echte Proposition aus. Er wäre ein bloßer Ausruf, der in keiner Weise das bezeichnete, worauf er sich angeblich bezieht.« Expressionistische Arbeiten sind gewöhnlich derartige ›Ausrufe‹, vorgebracht in der morphologischen Sprache traditioneller Kunst. Falls Pollock wichtig ist, dann deshalb, weil er auf ungerahmte horizontal auf dem Boden liegende Leinwand malte. *Nicht* wichtig ist hier, daß er später jene Tropfarbeiten auf Keilrahmen spannte und sie parallel zur Wand aufhängte. (Mit anderen Worten: wichtig ist in der Kunst, was man *dazubringt*, nicht was man später mit dem schon Vorhandenen anfängt.) Noch weniger wichtig für Kunst sind Pollocks Vorstellungen über ›Selbstausdruck‹, denn jene *Arten* subjektiver Bedeutung sind für jedermann nutzlos, der nicht persönlich mit ihm zu tun hat. Und ihre ›spezifische‹ Eigenschaft stellt sie außerhalb des Kunstzusammenhangs.

»Ich mache keine Kunst«, sagt Richard Serra, »ich übe eine Tätigkeit aus; wenn jemand das Kunst nennen will, ist es seine Sache, aber es ist nicht meine Angelegenheit, darüber zu entscheiden. Das alles wird später ausgeknobelt.« Serra weiß mithin sehr genau über die Implikationen seiner Arbeit Bescheid. Wenn Serra tatsächlich einfach »ausknobelt, was Blei tut« (gravitationsmäßig, molekular und so fort): warum sollte das *irgendwer* als Kunst begreifen? Wenn nicht Serra die Verantwortung für den

necessary to ignore this same outside information, because outside information (experiential qualities, to note) have their own intrinsic worth. And to comprehend this worth one does not need a state of 'art condition'.

From this it is easy to realize that art's viability is not connected to the presentation of visual (or other) kinds of experience. That that may have been one of art's extraneous functions in the preceding centuries is not unlikely. After all, man in even the nineteenth-century lived in a fairly standardized visual environment. That is, it was ordinarily predictable as to what he would be coming into contact with day after day. His visual environment in the part of the world in which he lived was fairly consistent. In our time we have an experientially drastically richer environment. One can fly all over the earth in a matter of hours and days, not months. We have the cinema, and colour television, as well as the man-made spectacle of the lights of Las Vegas or the skyscrapers of New York City. The whole world is there to be seen, and the whole world can watch man walk on the moon from their living rooms. Certainly art or objects of painting and sculpture cannot be expected to compete experientially with this?

The notion of 'use' is relevant to art and its 'language'. Recently the box or cube form has been used a great deal within the context of art. (Take for instance its use by Judd, Morris, LeWitt, Bladen, Smith, Bell, and McCracken—not even mentioning the quantity of boxes and cubes that came after.) The difference between all the various uses of the box or cube form is directly related to the differences in the intentions of the artists. Further, as is particularly seen in Judd's work, the use of the box or cube form illustrates very well our earlier claim that an object is only art when placed in the context of art.

A few examples will point this out. One could say that if one of Judd's box forms was seen filled with debris, seen placed in an industrial setting, or even merely seen setting on a street corner, it would not be identified with art. It follows then that understanding and consideration of it as an art work is necessary *a priori* to viewing it in order to 'see' it as a work of art. Advance information about the concept of art and about an artist's concepts is necessary to the appreciation and understanding of contemporary art. Any and all of the physical attributes (qualities) of contemporary works if considered separately and/or specifically are irrelevant to the art concept. The art concept (as Judd said, though he didn't mean it this way) must be considered in its whole. To consider a concept's parts is invariably to consider aspects that are irrelevant to its art condition—or like reading *parts* of a definition.

It comes as no surprise that the art with the least fixed morphology is the example from which we decipher the nature of the general term 'art'. For where there is a

Kunstcharakter übernimmt: wer könnte oder sollte es dann tun? Seine Arbeit erscheint gewiß als empirisch verifizierbar: Blei ist zu vielerlei materiellen Vorgängen befähigt und dafür verwendbar. An sich führt das überall hin, nur nicht zu einem Dialog über das Wesen von Kunst. In gewissem Sinn ist Serra mithin ein Primitiver. Er hat keine Idee von Kunst. Woher kommt es dann, daß wir etwas über ›seine Tätigkeit‹ wissen? Weil er uns erklärt hat, es sei Kunst dank seiner Handlungen, *nachdem* ›seine Tätigkeit‹ stattgefunden hat. Mithin durch die Tatsache, daß er mit mehreren Galerien zu tun hat, die physischen Rückstände seiner Tätigkeit in Museen bringt (und sie an Kunstsammler verkauft – doch Sammler sind, wie wir gezeigt haben, unerheblich für die ›Kunstverfassung‹ einer Arbeit). Daß er bestreitet, seine Arbeiten seien Kunst, aber dennoch den Künstler spielt, ist mehr als nur ein Paradox. Serra spürt insgeheim, daß ›Kunsthaftigkeit‹ empirisch erreicht wird. Wie Ayer mithin feststellt: »Es gibt keine absolut sicheren empirischen Propositionen. Allein Tautologien sind sicher. Empirische Fragen sind alles in allem Hypothesen, die sich in der aktuellen Sinneserfahrung bestätigen oder widerlegen lassen. Und die Propositionen, mit denen wir die Beobachtungen festhalten, welche jene Hypothesen verifizieren, sind selber Hypothesen, die der Prüfung durch weitere Sinneserfahrung unterliegen. Daher gibt es keine endgültige Proposition.«[22]

Was sich allenthalben in den Schriften Ad Reinhardts findet, ist die sehr ähnliche These der ›Kunst-als-Kunst‹ und die Äußerung: »Kunst ist immer tot, und eine ›lebendige‹ Kunst ist eine Täuschung.«[23] Reinhardt hat eine sehr klare Vorstellung vom Wesen der Kunst, und seine Bedeutung ist alles andere als erkannt.

Weil Kunstformen, die sich als synthetische Propositionen betrachten lassen, anhand der Welt verifizierbar sind, muß man mithin, um diese Propositionen zu verstehen, den tautologieartigen Rahmen der Kunst verlassen und Informationen ›von außen‹ in Betracht ziehen. Um sie jedoch als Kunst zu verstehen, ist es notwendig, eben diese Informationen von außen zu vernachlässigen, weil Informationen von außen (etwa Erfahrungsmerkmale) ihren eigenen inneren Wert besitzen. Und um diesen Wert zu begreifen, benötigt man nicht einen Zustand der ›Kunstverfassung‹.

Daraus läßt sich leicht erkennen, daß die Lebensfähigkeit von Kunst nicht an die Vorführung optischer (oder anderer) Erfahrungsarten geknüpft ist. Daß das in früheren Jahrhunderten zu den äußerlichen Funktionen von Kunst gehört haben mag, ist nicht unwahrscheinlich. Schließlich lebte der Mensch selbst noch im 19. Jahrhundert in einer ziemlich standardisierten optischen Umwelt. Das besagt, es war gewöhnlich vorhersagbar, womit er Tag um Tag in Berührung kommen würde. Sein optischer Umraum in dem Teil der Welt, in dem er lebte, war ziemlich beständig. In unserer Zeit haben wir, was die Erfahrung anlangt, eine drastisch reichhaltigere Umwelt. Es ist eine Sache von Stunden und Tagen, nicht von Monaten, um die ganze Erde zu fliegen. Wir haben das Kino und das Farbfernsehen ebenso wie das von Menschenhand geschaffene Schauspiel der Lichter von Las Vegas oder der New Yorker Wolkenkratzer. Die ganze Welt ist überschaubar, und die ganze Welt kann im Wohnzimmer zusehen, wie der

context existing separately of its morphology and consisting of its function one is more likely to find results less conforming and predictable. It is in modern art's possession of a 'language' with the shortest history that the plausibility of the abandonment of that 'language' becomes most possible. It is understandable then that the art that came out of Western painting and sculpture is the most energetic, questioning (of its nature), and the least assuming of all the general 'art' concerns. In the final analysis, however, all of the arts have but (in Wittgenstein's terms) a 'family' resemblance.

Yet the various qualities relatable to an 'art condition' possessed by poetry, the novel, the cinema, the theatre, and various forms of music, etc., is that aspect of them most reliable to the function of art as asserted here.

Is not the decline of poetry relatable to the implied metaphysics from poetry's use of 'common' language as an art language?[24] In New York the last decadent stages of poetry can be seen in the move by 'Concrete' poets recently toward the use of actual objects and theatre.[25] Can it be that they feel the unreality of their art form?

'We see now that the axioms of a geometry are simply definitions, and that the theorems of a geometry are simply the logical consequences of these definitions. A geometry is not in itself about physical space; in itself it cannot be said to be 'about' anything. But we can use a geometry to reason about physical space. That is to say, once we have given the axioms a physical interpretation, we can proceed to apply the theorems to the objects which satisfy the axioms. Whether a geometry can be applied to the actual physical world or not, is an empirical question which falls outside the scope of geometry itself. There is no sense, therefore, in asking which of the various geometries known to us are false and which are true. In so far as they are all free from contradiction, they are all true. The proposition which states that a certain application of a geometry is possible is not itself a proposition of that geometry. All that the geometry itself tells us is that if anything can be brought under the definitions, it will also satisfy the theorems. It is therefore a purely logical system, and its propositions are purely analytic propositions.'–A. J. Ayer[26]

Here then I propose rests the viability of art. In an age when traditional philosophy is unreal because of its assumptions, art's ability to exist will depend not only on its *not* performing a service–as entertainment, visual (or other) experience, or decoration–which is something easily replaced by kitsch culture and technology, but rather, it will remain viable by *not* assuming a philosophical stance; for in art's unique character is the capacity to remain aloof from philosophical judgements. It is in this context that art shares similarities with logic, mathematics and, as well, science. But whereas the other endeavours are useful, art is not. Art indeed exists for its own sake.

Mensch auf dem Mond spazieren geht. Gewiß ist von Kunst oder von Objekten der Malerei und der Bildhauerei doch nicht zu erwarten, daß sie erfahrungsgemäß damit konkurrieren?

Der Begriff des ›Gebrauchs‹ ist für Kunst und ihre ›Sprache‹ wesentlich. Vor kurzem fand die Kasten- oder Kubusform reichlich Verwendung im Kunstzusammenhang. (Man denke beispielsweise an ihre Verwertung durch Judd, Morris, LeWitt, Bladen, Smith, Bell und McCracken – ganz abgesehen von der Menge an Kästen und Kuben, die danach kamen.) Der Unterschied zwischen all den verschiedenen Verwendungen der Kasten- oder Kubusform steht in unmittelbarem Bezug zu den Unterschieden in den Intentionen der Künstler. Weiterhin illustriert der Gebrauch von Kasten- oder Kubusformen in Judds Arbeiten sehr gut unsere frühere Behauptung, ein Objekt sei nur Kunst, wenn man es in einen Kunstzusammenhang stellt.

Einige Beispiele können das erweisen. Man kann sagen, daß eine von Judds Kastenformen, sähe man sie mit Abfall gefüllt in einer Industrieumgebung oder auch nur an einer Straßenecke aufgestellt, nicht mit Kunst identifiziert würde. Daraus folgt mithin, daß ihr Verständnis und ihre Auffassung als Kunstwerke der Betrachtung *a-priorisch* sind, die darin ein Kunstwerk ›sieht‹. Eine fortgeschrittene Information über den Begriff von Kunst und über die Konzeptionen eines Künstlers ist notwendig, um zeitgenössische Kunst zu beurteilen und zu verstehen. Die physischen Attribute (Eigenschaften) zeitgenössischer Arbeiten sind, falls man sie separat und/oder spezifisch betrachtet, für den Kunstbegriff samt und sonders unerheblich. Der Kunstbegriff ist (wie Judd sagte, obwohl er es nicht so meinte) als Ganzer zu bedenken. Die Erörterung von Teilen eines Begriffs bedeutet unveränderlich die Erörterung von Aspekten, die unerheblich für seine Kunstverfassung sind – oder es gleicht der Lektüre von *Teilen* einer Definition.

Es überrascht nicht, daß die Kunst mit der am wenigsten festgelegten Morphologie das Beispiel darstellt, anhand dessen wir das Wesen des allgemeinen Ausdrucks ›Kunst‹ entschlüsseln. Denn wo ein Zusammenhang getrennt von seiner Morphologie und bestehend aus seiner Funktion vorhanden ist, dürfte man mit größerer Wahrscheinlichkeit weniger übereinstimmende und vorhersagbare Resultate finden. Gerade dadurch, daß die moderne Kunst eine ›Sprache‹ mit der kürzesten Geschichte besitzt, ist es sehr möglich, die Preisgabe jener ›Sprache‹ einleuchtend werden zu lassen. Daher ist verständlich, daß die Kunst, die aus westlicher Malerei und Bildhauerei hervorging, am entschiedensten fragt (nach ihrem Wesen fragt), und am wenigsten die allgemeinen ›Kunst‹-Bemühungen voraussetzt. In der letzten Analyse freilich haben sämtliche Künste (im Sinn Wittgensteins) nur eine ›Familien‹-Ähnlichkeit.

Dennoch bilden die verschiedenen, auf eine ›Kunstverfassung‹ von Lyrik, Roman, Film, Theater und verschiedenen Musikformen etc. beziehbaren Eigenschaften jenen Aspekt an ihnen, der sich am meisten auf die hier festgestellte Funktion von Kunst stützen kann.

In this period of man, after philosophy and religion, art may possibly be one endeavour that fulfills what another age might have called 'man's spiritual needs'. Or, another way of putting it might be that art deals analogously with the state of things 'beyond physics' where philosophy had to make assertions. And art's strength is that even the preceding sentence is an assertion, and cannot be verified by art. Art's only claim is for art. Art is the definition of art.

Läßt sich nicht der Niedergang der Poesie mit der implizierten Metaphysik dessen in Zusammenhang bringen, daß die Poesie ›gewöhnliche‹ Sprache als eine Kunstsprache verwendet?[24] In New York kann man die letzten dekadenten Phasen der Poesie darin sehen, daß sich ›konkrete‹ Poeten seit kurzem der Verwendung tatsächlicher Objekte und des Theaters annähern.[25] Könnte es sein, daß sie die Irrealität ihrer Kunstform spüren?

»Wir sehen jetzt, daß die Axiome einer Geometrie einfach Definitionen und daß die Theoreme einer Geometrie einfach die logischen Folgerungen dieser Definitionen sind. Eine Geometrie handelt nicht an sich vom physikalischen Raum; es läßt sich nicht sagen, daß sie an sich ›von‹ etwas handle. Aber wir können die Geometrie verwenden, um über den physikalischen Raum nachzudenken. Das heißt: sowie wir den Axiomen eine physikalische Deutung gegeben haben, können wir darangehen, die Theoreme auf die Objekte anzuwenden, die den Axiomen genügen. Ob sich eine Geometrie auf die tatsächliche materielle Welt anwenden läßt oder nicht, ist eine empirische Frage, die nicht in den Bereich der Geometrie selber fällt. Es ergibt daher keinen Sinn, danach zu fragen, welche der uns bekannten Geometrien falsch und welche richtig seien. Insofern sie alle widerspruchsfrei sind, sind sie alle richtig. Die Proposition, die feststellt, eine bestimmte Anwendung von Geometrie sei möglich, ist nicht selber eine Proposition jener Geometrie. Die Geometrie sagt uns nichts weiter, als daß etwas, das sich unter die Definitionen bringen läßt, auch die Theoreme erfüllen wird. Sie ist daher ein rein logisches System, und ihre Propositionen sind rein analytische Propositionen.« – A. J. Ayer.[26]

Ich sage hier also etwas über die Lebensfähigkeit von Kunst. In einem Zeitalter, in dem die traditionelle Philosophie aufgrund ihrer Annahmen irreal ist, wird die Fähigkeit der Kunst zu existieren nicht nur davon abhängen, daß sie *keinen* Dienst leistet — als Unterhaltung, als optische (oder sonstige) Erfahrung oder als Dekoration —, der sich leicht durch Kitschkultur und Technologie ersetzen ließe, daß sie vielmehr dann lebensfähig bleibt, wenn sie *keine* philosophische Haltung einnimmt; denn im einzigartigen Charakter von Kunst ist die Fähigkeit beschlossen, von philosophischen Urteilen unberührt zu bleiben. In eben diesem Zusammenhang weist Kunst Ähnlichkeiten mit Logik, Mathematik und ebenso mit den Naturwissenschaften auf. Doch während die anderen Disziplinen nützlich sind, ist es die Kunst nicht. Kunst existiert in der Tat um ihrer selbst willen.

In dieser Menschheitsepoche kann Kunst nach Philosophie und Religion möglicherweise ein Unterfangen sein, das befriedigt, was ein anderes Zeitalter vielleicht ›die geistigen Bedürfnisse des Menschen‹ nannte. Oder, anders ausgedrückt: es könnte sein, daß sich Kunst analogisch mit dem Zustand der Dinge ›jenseits der Physik‹ befaßt, worüber früher die Philosophie Feststellungen zu treffen hatte. Und die Stärke der Kunst besteht darin, daß noch der vorige Satz eine Behauptung ist und sich nicht durch Kunst verifizieren läßt. Der einzige Anspruch der Kunst gilt der Kunst. Kunst ist die Definition von Kunst.

II

'The disinterest in painting and sculpture is a disinterest in doing it again, not in it as it is being done by those who developed the last advanced versions. New work always involves objections to the old. They are part of it. If the earlier work is first rate it is complete.'–Donald Judd (1965)

'Abstract art or non-pictorial art is as old as this century, and though more specialized than previous art, is clearer and more complete, and like all modern thought and knowledge, more demanding in its grasp of relations.'–Ad Reinhardt (1948)

'In France there is an old saying, "stupid like a painter". The painter was considered stupid, but the poet and writer very intelligent. I wanted to be intelligent. I had to have the idea of inventing. It is nothing to do what your father did. It is nothing to be another Cézanne. In my visual period there is a little of that stupidity of the painter. All my work in the period before the *Nude* was visual painting. Then I came to the idea. I thought the ideatic formulation a way to get away from influences.'–Marcel Duchamp

'For each work of art that becomes physical there are many variations that do not.'–Sol LeWitt

'The main virtue of geometric shapes is that they aren't organic, as all art otherwise is. A form that's neither geometric or organic would be a great discovery.'–Donald Judd (1967)

'The one thing to say about art is its breathlessness, lifelessness, deathlessness, contentlessness, formlessness, spacelessness, and timelessness. This is always the end of art.'–Ad Reinhardt (1962)

Note: The discussion in the previous issue does more than merely 'justify' the recent art called 'conceptual'. It points out, I feel, some of the confused thinking which has gone on in regards to past–but particularly–present activity in art. This article is not intended to give evidence of a 'movement'. But as an early advocate (through works of art and conversation) of a particular kind of art best described as 'Conceptual' I have become increasingly concerned by the nearly arbitrary application of this term to an assortment of art interests–many of which I would never want to be connected with, and logically shouldn't be.

The 'purest' definition of conceptual art would be that it is inquiry into the foundations of the concept 'art', as it has come to mean. Like most terms with fairly specific meanings generally applied, 'Conceptual Art' is often considered as a *tendency*. In one sense it is a tendency of course because the 'definition' of 'Conceptual Art' is very close to the meanings of art itself.

But the reasoning behind the notion of such a tendency, I am afraid, is still connected to the fallacy of morphological characteristics as a connective between what are really

II

»Das Desinteresse an Malerei und Skulptur ist Desinteresse daran, es noch einmal zu tun, nicht Desinteresse an Malerei und Skulptur derer, die die letzten, avancierten Versionen entwickelt haben. Neue Arbeiten enthalten immer Einwände gegen alte, sie sind ein Bestandteil. Wenn die früheren Arbeiten erstklassig sind, ist es vollkommen.« — Donald Judd (1965)

»Abstrakte oder nicht-gegenständliche Kunst ist so alt wie das Jahrhundert und, obgleich spezialisierter als die vorhergehende, klarer und vollkommener und, wie das gesamte moderne Gedankengut und Wissen, anspruchsvoller in ihrem Beziehungsreichtum.« — Ad Reinhardt (1948)

»In Frankreich gibt es ein altes Sprichwort ›dumm wie ein Maler‹. Man hielt den Maler für dumm, aber den Dichter und Schriftsteller für sehr intelligent. Ich wollte intelligent sein. Ich mußte hin zur Idee des Erfindens, das heißt, nichts von dem tun, was der Vater tat, kein zweiter Cézanne sein. In meiner gegenständlichen Periode steckt ein wenig von jener Dummheit des Malers. Alle Arbeiten vor dem *Akt* waren gegenständlich. Dann kam ich zur Idee. Ich hielt die von der Idee ausgehende Formulierung für einen Weg, fremden Einflüssen zu entrinnen.« — Marcel Duchamp

»Zu jedem Kunstwerk, das physisch verwirklicht wird, gibt es viele unausgeführte Variationen.« — Sol LeWitt

»Der Hauptvorzug geometrischer Formen ist der, daß sie nicht organisch sind, wie sonst alle Kunst. Eine weder geometrisch noch organische Form wäre eine große Entdeckung.« — Donald Judd (1967)

»Das eine, was sich über Kunst sagen läßt, ist ihre Atemlosigkeit, Leblosigkeit, Unsterblichkeit, Inhaltslosigkeit, Formlosigkeit, Ruhelosigkeit und Zeitlosigkeit. Das ist immer das Ziel der Kunst.« — Ad Reinhardt (1962)

Merke: Die Abhandlung im vorhergehenden Heft ›rechtfertigt‹ nicht nur einfach den Begriff ›konzeptuell‹ für die neue Kunst. Sie weist, finde ich, klar auf einen Teil des unklaren Denkens hin, das sich in bezug auf vergangenes — aber vor allem zeitgenössisches — Kunstschaffen breitgemacht hat. Dieser Artikel möchte keine ›Bewegung‹ nachweisen. Im Gegenteil, als ein früher Vertreter (durch Arbeiten und im Gespräch) einer bestimmten, am besten mit ›konzeptuell‹ beschriebenen Art Kunst, bin ich immer mehr davon betroffen, daß dieser Ausdruck fast willkürlich auf ein ganzes Sortiment von Kunstsparten angewendet wird, mit denen ich auf keinen Fall in Verbindung gebracht werden möchte und logischerweise auch nicht gebracht werden sollte.

Die ›reinste‹ Definition von konzeptueller Kunst wäre die, daß sie eine Untersuchung der Grundlagen des Begriffs ›Kunst‹ ist, wie er heute verstanden wird. Wie fast immer, wenn Ausdrücke mit verhältnismäßig spezifischer Bedeutung allgemein angewendet werden, wird ›konzeptuelle Kunst‹ oft als *Richtung* verstanden. In einem bestimmten Sinn ist das natürlich richtig, weil die ›Definition‹ von ›konzeptueller Kunst‹ dem, was Kunst an sich ist, sehr nahe kommt.

disparate activities. In this case it is an attempt to detect stylehood. In assuming a primary cause-effect relationship to 'final outcomes', such criticism by-passes a particular artist's intents (concepts) to deal exclusively with his 'final outcome'. Indeed most criticism has dealt with only one very superficial aspect of this 'final outcome', and that is the apparent 'immateriality' or 'anti-object' similarity amongst most 'conceptual' works of art. But this can only be important if one assumes that objects are necessary to art–or to phrase it better, that they have a definitive relation to art. And in this case such criticism would be focusing on a negative aspect of the art.

If one has followed my thinking (in part one) one can understand my assertion that objects are conceptually irrelevant to the condition of art. This is not to say that a particular 'art investigation' may or may not employ objects, material substances, etc. within the confines of its investigation. Certainly the investigations carried out by Bainbridge and Hurrell are excellent examples of such a use.[27] Although I have proposed that all art is finally conceptual, some recent work is clearly conceptual in intent whereas other examples of recent art are only related to conceptual art in a superficial manner. And although this work is an advance–in most cases–over Formalist or 'Anti-Formalist' (Morris, Serra, Sonnier, Hesse, and others) tendencies, it should not be considered 'Conceptual Art' in the *purer* sense of the term.

Three artists often associated with me (through Seth Siegelaub's projects)–Douglas Huebler, Robert Barry, and Lawrence Weiner–are not concerned with, I do not think, 'Conceptual Art' as it was previously stated. Douglas Huebler, who was in the *Primary Structures* show at the Jewish Museum (New York), uses a non-morphologically art-like form of presentation (photographs, maps, mailings) to answer iconic, structural sculpture issues directly related to his formica sculpture (which he was making as late as 1968). This is pointed out by the artist in the opening sentence of the catalogue of his 'one-man show' (which was organized by Seth Siegelaub and existed only as a catalogue of documentation) ... 'The existence of each sculpture is documented by its documentation.' It is not my intention to point out a *negative* aspect of the work, but only to show that Huebler–who is in his mid-forties and much older than most of the artists discussed here–has not as much in common with the aims in the *purer* versions of 'Conceptual Art' as it would superficially seem.

The other men–Robert Barry and Lawrence Weiner–have watched their work take on a 'Conceptual Art' association almost by accident. Barry, whose painting was seen in the *Systemic Painting* show at the Guggenheim Museum, has in common with Weiner the fact that the 'path' to conceptual art came via decisions related to choices of art materials and processes. Barry's post-Newman/Reinhardt paintings 'reduced' (in physical material, not 'meaning') along a path from two-inch square paintings, to single lines of wire between architectural points, to radio-wave beams, to inert gases, and finally to

Aber das Urteil, das hinter der Auffassung steht, es sei eine Richtung, ist, fürchte ich, noch dem Trugschluß verhaftet, daß aufgrund morphologischer Kennzeichen eine Verbindung zwischen grundsätzlich verschiedenem Schaffen bestünde. In diesem Fall ist es ein Versuch, so etwas wie Stil zu entdecken. Indem sie eine elementare Ursache-Wirkung-Beziehung in bezug auf das ›Endergebnis‹ annimmt, übergeht so eine Kritik die Intentionen (Konzeptionen) des jeweiligen Künstlers und beschäftigt sich nur mit dem ›Endergebnis‹. In der Tat hat sich Kritik meistens nur mit einem ganz oberflächlichen Aspekt an diesem ›Endergebnis‹ beschäftigt, und das ist die augenscheinliche ›Immaterialität‹ oder ›Anti-Objekt‹-Ähnlichkeit, die zwischen den meisten ›konzeptuellen‹ Kunstwerken besteht. Aber das wäre nur wichtig, wenn man annähme, Objekte seien unentbehrlich für Kunst, oder besser gesagt, sie hätten eine entscheidende Stellung. Und in dem Fall würde sich solche Kritik auf einen negativen Aspekt der Kunst konzentrieren.

Wenn man meinem Gedankengang (in Teil I) gefolgt ist, kann man meine Behauptung verstehen, daß Objekte in konzeptueller Hinsicht für die Bedingung von Kunst irrelevant sind. Das soll nicht heißen, daß eine bestimmte ›Kunst-Untersuchung‹ innerhalb der Grenzen ihrer Untersuchung Gegenstände, materielle Substanzen usw. verwenden darf oder nicht. Ganz sicher sind die von Bainbridge und Hurrell durchgeführten Untersuchungen exzellente Beispiele für so eine Verwendung.[27] Obgleich ich behauptet habe, daß jede Kunst letztlich konzeptuell sei, ist ein Teil der neueren Arbeiten von der Intention her ganz klar konzeptuell, während ein anderer Teil nur einen oberflächlichen Bezug zu konzeptueller Kunst hat. Und obgleich diese Arbeiten – in den meisten Fällen – weiter sind als Form- oder ›Anti-Form‹-Tendenzen (Morris, Serra, Sonnier, Hesse u. a.), sollten sie nicht als ›konzeptuelle Kunst‹ im *engeren* Sinn angesehen werden.

Drei Künstler, die (wegen Seth Siegelaubs Aktivitäten) oft mit mir in Verbindung gebracht werden – Douglas Huebler, Robert Barry und Lawrence Weiner – befassen sich, wie ich glaube, nicht mit ›konzeptueller Kunst‹ wie oben definiert. Douglas Huebler, Teilnehmer an der *Primary Structures*-Ausstellung im Jewish Museum in New York, verwendet eine nicht-morphologische, kunst-ähnliche Präsentationsform (Photographien, Karten, Drucksachen) in Antwort auf ikonenhafte, strukturelle Skulpturen, unmittelbar verwandt seinen Kunststoffskulpturen (die er bis 1968 machte). Darauf wird vom Künstler im ersten Satz des Kataloges zu seiner ›Ein-Mann-Ausstellung‹ (die von Seth Siegelaub organisiert wurde und nur als Dokumentationskatalog bestand) hingewiesen: ›Die Existenz jeder Skulptur wird dokumentiert durch ihre Dokumentation‹. Ich will nicht auf einen *negativen* Aspekt der Arbeit hinweisen, sondern nur zeigen, daß Huebler – Mitte vierzig und viel älter als die meisten der hier genannten Künstler – nicht viel gemein hat mit dem, wohin die *engere* Lesart von ›konzeptueller Kunst‹ zielt, wie es oberflächlich gesehen erscheinen mag.

Die anderen – Robert Barry und Lawrence Weiner – konnten zusehen, wie ihre Arbeiten fast durch Zufall mit ›konzeptueller Kunst‹ assoziiert wurden. Barry, dessen

'brain energy'. His work then seems to exist conceptually only because the material is invisible. But his art does have a physical state, which is different than work which only exists conceptually.

Lawrence Weiner, who gave up painting in the spring of 1968, changed his notion of 'place' (in an Andrean sense) from the context of the canvas (which could only be specific) to a context which was 'general', yet all the while continuing his concern with specific materials and processes. It became obvious to him that if one is not concerned with 'appearance' (which he wasn't, and in this regard he preceded most of the 'Anti-Form' artists) there was not only no need for the fabrication (such as in his studio) of his work, but—more important—such fabrication would again invariably give his work's 'place' a specific context. Thus, by the summer of 1968, he decided to have his work exist only as a proposal in his notebook—that is, until a 'reason' (museum, gallery, or collector) or as he called them, a 'receiver' necessitated his work to be made. It was in the late fall of that same year that Weiner went one step further in deciding that it didn't matter whether it was made or not. In that sense his private notebooks became public.[28]

Purely conceptual art is first seen concurrently in the work of Terry Atkinson and Michael Baldwin in Coventry, England; and with my own work done in New York City, all generally around 1966.[29] On Kawara, a Japanese artist who has been continuously travelling around the world since 1959, has been doing a highly conceptualized kind of art since 1964.

On Kawara, who began with paintings lettered with one simple word, went to 'questions' and 'codes', and paintings such as the listing of a spot on the Sahara Desert in terms of its longitude and latitude, is most well known for his 'date' paintings. The 'date' paintings consist of the lettering (in paint on canvas) of that day's date on which the painting is executed. If a painting is not 'finished' on the day that it is started (that is, by 12.00 midnight) it is destroyed. Although he still does the date paintings (he spent last year travelling to every country in South America) he has begun doing other projects as well in the past couple of years. These include a 'One-hundred year calendar', a daily listing of everyone he meets each day *(I met)* which is kept in notebooks, as is *I went* which is a calendar of maps of the cities he is in with the marked streets where he travelled. He also mails daily postcards giving the time he woke up that morning.

On Kawara's reasons for his art are extremely private, and he has consciously stayed away from any publicity or public art-world exposure. His continued use of 'painting' as a medium is, I think, a pun on the morphological characteristics of traditional art, rather than an interest in painting 'proper'.

Malerei in der Ausstellung *Systemic Painting* im Guggenheim Museum zu sehen war, hat mit Weiner gemein, daß der ›Weg‹ zu konzeptueller Kunst über Entscheidungen in bezug auf Auswahl von Material und Prozessen eingeschlagen wurde. Barrys Nach-Newman/Reinhardt-Bilder wurden immer ›reduzierter‹ (in bezug auf das physische Material, nicht im ›Wesen‹), der Weg verlief von Bildern 2 Inch im Quadrat zu dünnem Draht zwischen zwei Häusern, Radiowellen, reaktionsträgen Gasen und endlich ›Gehirnenergie‹. Seine Arbeiten scheinen also nur aus dem Grund konzeptuell zu existieren, weil das Material unsichtbar ist. Aber seine Arbeiten sind physisch vorhanden, was ein Unterschied zu Arbeiten ist, die nur konzeptuell existieren.

Lawrence Weiner, der die Malerei im Frühjahr 1968 aufgab, änderte seine Auffassung von ›Ort‹ (in einem Andreschen Sinn) vom Kontext Leinwand (was nur spezifisch sein konnte) zu einem ›generellen‹, blieb aber bei seiner Beziehung zu bestimmten Materialien und Prozessen. Ihm wurde klar, daß, wenn man nicht an der ›äußeren Erscheinung‹ interessiert ist (was bei ihm zutraf, und insofern war er den meisten ›Anti-Form‹-Künstlern voraus), nicht nur keine Notwendigkeit für das Herstellen seiner Arbeiten bestand (wie in seinem Studio), sondern – was noch wichtiger ist – solch ein Herstellen dem ›Ort‹ seiner Arbeit wieder unveränderlich einen spezifischen Kontext geben würde. Daher entschloß er sich im Laufe des Sommers 1968, seine Arbeiten sollten nur noch als Projekte in seinem Notizbuch existieren – d. h. bis ein ›Grund‹ (Museum, Galerie, Sammler), oder wie er es nannte, ein ›Empfänger‹ die Ausführung der Arbeit erfordern machen würde. Im Spätherbst des gleichen Jahres ging Weiner noch einen Schritt weiter: er kam zu dem Schluß, es sei unwichtig, ob die Arbeit ausgeführt würde oder nicht. In diesem Sinn wurden seine privaten Notizbücher öffentlich.[28]

Reine konzeptuelle Kunst tritt zum ersten Mal gleichzeitig in den Arbeiten von Terry Atkinson und Michael Baldwin in Coventry, England, und meinen eigenen Arbeiten, die ich in New York machte, in Erscheinung, alle um 1966.[29] On Kawara, ein japanischer Künstler, der seit 1959 ununterbrochen um die Welt reist, macht seit 1964 eine höchst konzeptualisierte Form von Kunst.

On Kawara begann mit Bildern, auf denen ein einziges Wort stand, ging über zu ›Fragen‹ und ›Codes‹ und Bildern, auf denen ein Punkt in der Sahara durch Längen- und Breitengrad bestimmt war; am bekanntesten ist er durch seine ›Daten‹-Bilder geworden. Sie bestehen daraus, daß er (mit Farbe auf Leinwand) das Datum des betreffenden Tages aufträgt, an dem das Bild gemacht wird. Wird ein Bild an dem Tag, an dem es angefangen wurde, nicht ›fertig‹ (d. h. 24.00 Uhr), wird es zerstört. Obgleich er diese Datenbilder weiterhin macht (das letzte Jahr verbrachte er mit Reisen in alle Länder Südamerikas), hat er in den letzten Jahren noch andere Projekte angefangen. Dazu gehört ein ›Hundertjähriger Kalender‹, eine Aufstellung in seinem Notizbuch für jeden Tag von all den Leuten, die er trifft (*I met*), und *I went*, eine Liste von Plänen der Städte, in denen er sich befindet, wobei die Straßen, in denen er gegangen ist, mar-

Terry Atkinson and Michael Baldwin's work, presented as a collaboration, began in 1966 consisting of projects such as: a rectangle with linear depictions of the states of Kentucky and Iowa, titled *Map to not include: Canada, James Bay, Ontario, Quebec, St. Lawrence River, New Brunswick* ... and so on; conceptual drawings based on various serial and conceptual schemes; a map of a 36-square-mile area of the Pacific Ocean, west of Oahu, scale 3 inches to the mile (an empty square). Works from 1967 were the *Air-Conditioning show* and the *Air show. The Air show* as described by Terry Atkinson was, 'A series of assertions concerning a theoretical usage of a column of air comprising a base of one square mile and of unspecified distance in the vertical dimension'.[30] No particular square mile of the earth's surface was specified. The concept did not entail any such particular location. Also such works as *Frameworks, Hot-cold,* and *22 sentences: the French army* are examples of their more recent collaborations.[31] Atkinson and Baldwin in the past year have formed, along with David Bainbridge and Harold Hurrell, the Art & Language Press. From this press is published *Art-Language,* (a journal of conceptual art),[32] as well as other publications related to this enquiry.

Christine Kozlov has been working along conceptual lines as well since late 1966. Some of her work has consisted of a 'conceptual' film, using clear Leder tape; *Compositions for audio structures*–a coding system for sound; a stack of several hundred blank sheets of paper–one for each day on which a concept is rejected; *Figurative work* which is a listing of everything she ate for a period of six months; and a study of crime as an art activity.

The Canadian Iain Baxter has been doing a 'conceptual' sort of work since late 1967. As have the Americans James Byars and Frederic Barthelme; and the French and German artists Bernar Venet and Hanne Darboven. And certainly the books of Edward Ruscha since around that time are relevant too. As are *some* of Bruce Nauman's, Barry Flanagan's, Bruce McLean's, and Richard Long's works. Steven Kaltenbach's *Time capsules* from 1968, and much of his work since is relatable. And Ian Wilson's post-Kaprow 'Conversations' are conceptually presented.

The German artist Franz E. Walther in his work since 1965 has treated objects in a much different way than they are usually treated in an art context.

Within the past year other artists, though some only related peripherally, have begun a more 'conceptual' form of work. Mel Bochner gave up work heavily influenced by 'Minimal' art and began such work. And certainly some of the work by Jan Dibbets, Eric Orr, Allen Ruppersberg, and Dennis Oppenheim could be considered within a conceptual framework. Donald Burgy's work in the past year as well uses a conceptual format. One can also see a development in a *purer* form of 'conceptual' art in the recent

kiert sind. Er verschickt auch täglich Postkarten mit Angabe der Zeit, wann er morgens aufgewacht ist.

On Kawaras Gründe für seine Kunst sind höchst privater Natur, und er hat sorgfältig jede Publicity oder ein Der-Kunstwelt-ausgesetzt-Sein vermieden. Daß er immer noch ›Malerei‹ als Medium benutzt, ist eher ein Spiel mit den morphologischen Kennzeichen traditioneller Kunst, glaube ich, als ein Interesse an ›richtiger‹ Malerei.

Die Arbeit von Terry Atkinson und Michael Baldwin, präsentiert als Gemeinschaftswerk, begann 1966 mit Projekten wie: ein Rechteck mit den Umrißlinien der Staaten Kentucky und Iowa mit dem Titel *Karte, die nicht anzeigt: Kanada, James Bay, Ontario, Quebec, St. Lawrence River, New Brunswick . . . usw.*; konzeptuelle Zeichnungen, die auf verschiedenen seriellen und konzeptuellen Entwürfen beruhten; eine Karte von einem Gebiet im Pazifik, westlich von Oahu, 36 Meilen im Quadrat, im Maßstab eine Meile = drei Inch (eine leere Fläche). Arbeiten von 1967 sind *Air-conditioning show* und die *Air show*. Diese bestand, wie Terry Atkinson es formulierte »aus einer Reihe von Behauptungen in bezug auf den theoretischen Gebrauch einer Luftsäule von unbestimmter Länge in der Vertikalen über der Basis einer Quadratmeile«.[30] Eine bestimmte Quadratmeile auf der Erdoberfläche war nicht angegeben. Solch eine bestimmte Ortsangabe gehörte nicht zur Konzeption. Arbeiten wie *Frameworks, Hot-cold* oder *22 sentences: the French army* sind Beispiele für ihre jüngste Zusammenarbeit.[31] Atkinson und Baldwin bildeten im vergangenen Jahr mit David Bainbridge und Harold Hurrell die Art & Language Press, die *Art-Language* (eine Zeitschrift für konzeptuelle Kunst)[32] und andere Publikationen, die dieses Gebiet betreffen, veröffentlicht.

Die Arbeiten von Christine Kozlov seit Ende 1966 liegen auch auf dieser Linie. Einige ihrer Arbeiten sind folgende: ein ›konzeptueller‹ Film, der aus durchsichtigem Vorspannband besteht; *Compositions for audio structures* – eine Codesystem für Klänge; ein Stapel von mehreren Hundert Blättern weißen Papiers – eins für jeden Tag, an dem ein Konzept verworfen wurde; *Figurative work*, eine Aufstellung für sechs Monate von all den Dingen, die sie gegessen hat; ferner eine Studie über Verbrechen als künstlerische Tätigkeit.

Der Kanadier Iain Baxter macht seit Ende 1967 so etwas wie ›konzeptuelle‹ Arbeit. Ebenso die Amerikaner James Byars und Frederic Barthelme sowie die französischen bzw. deutschen Künstler Bernar Venet und Hanne Darboven. Und ganz sicher sind auch Edward Ruschas Bücher seit ungefähr jener Zeit wichtig, wie auch *einige* der Arbeiten von Bruce Nauman, Barry Flanagan, Bruce McLean und Richard Long. Steven Kaltenbachs *Time capsules* von 1968 und ein Großteil seiner Arbeit seitdem gehört mit dazu. Und Ian Wilsons Nach-Kaprow-›Gespräche‹ werden konzeptuell präsentiert.

Der deutsche Künstler Franz Erhard Walther hat in seinen Arbeiten seit 1965 Gegenstände auf ganz andere Art verwendet, als es normalerweise im Kunstkontext geschieht.

Im letzten Jahr haben andere Künstler, obgleich einige nur entfernt verwandt, mit einer ›konzeptuellen‹ Art von Arbeit angefangen. Mel Bochner gab seine Arbeit, die

beginnings of work by younger artists such as Saul Ostrow, Adrian Piper, and Perpetua Butler. Interesting work in this 'purer' sense is being done, as well, by a group consisting of an Australian and two Englishmen (all living in New York) Ian Burn, Mel Ramsden, and Roger Cutforth. (Although the amusing pop paintings of John Baldessari allude to this sort of work by being 'conceptual' cartoons of actual conceptual art, they are not really relevant to this discussion.)

Terry Atkinson has suggested, and I agree with him, that Sol LeWitt is notably responsible for creating an environment which made our art acceptable, if not conceivable. (I would hastily add to that, however, that I was certainly much more influenced by Ad Reinhardt, Duchamp via Johns and Morris, and by Donald Judd than I ever was specifically by LeWitt.) Perhaps added to conceptual art's history would be certainly early works by Robert Morris, particularly the *Card file* (1962). Much of Rauschenberg's early work such as his *Portrait of Iris Clert* and his *Erased DeKooning drawing* are some important examples of a conceptual kind of art. And the Europeans Klein and Manzoni fit into this history somewhere, too. And in Jasper John's work—such as his 'Target' and 'Flag' paintings and his ale cans—one has a particularly good example of art existing as an analytical proposition. Johns and Reinhardt are probably the last two painters that were legitimate *artists* as well.[33] Robert Smithson, *had* he recognized his articles in magazines as being his work (as he could of, and should of) and his 'work' serving as illustrations for them; his influence would be more relevant.[34]

Andre, Flavin, and Judd have exerted tremendous influence on recent art, though probably more as examples of high standards and clear thinking than in any specific way. Pollock and Judd are, I feel, the beginning and end of American dominance in art; partly due to the ability of many of the younger artists in Europe to 'purge' themselves of their traditions, but most likely due to the fact that nationalism is as out of place in art as it is in any other field. Seth Siegelaub, a former art dealer who now functions as a curator-at-large and was the first exhibition organizer to 'specialize' in this area of recent art, has had many group exhibitions that existed no *place* (other than in the catalogue). As Siegelaub has stated: 'I am very interested in conveying the idea that the artist can live where he wants to—not necessarily in New York or London or Paris as he has had to in the past—but *anywhere* and still make important art.'

stark von der ›Minimal‹ Art beeinflußt war, auf und wandte sich solcher Arbeit zu. Und sicher könnte man auch einige der Arbeiten von Jan Dibbets, Eric Orr, Allen Ruppersberg und Dennis Oppenheim innerhalb eines konzeptuellen Rahmens sehen.

Donald Burgys Arbeiten im letzten Jahr verwenden auch konzeptuelle Form. Die Entwicklung zu einer *reineren* Form ›konzeptueller‹ Kunst kann man auch in den gerade entstandenen ersten Arbeiten jüngerer Künstler wie Saul Ostrow, Adrian Piper und Perpetua Butler sehen. Interessante Arbeiten in diesem ›engeren‹ Sinn werden auch von einer Gruppe gemacht, die aus einem Australier und zwei Engländern besteht (die alle in New York leben): Ian Burn, Mel Ramsden und Roger Cutforth. (Obgleich die amüsanten Pop-Bilder von John Baldessari als ›konzeptuelle‹ Karikaturen von echter konzeptueller Kunst auf diese Art von Arbeiten anspielen, sind sie für diese Diskussion nicht wirklich relevant.)

Terry Atkinson hat aufgebracht, und da stimme ich mit ihm überein, daß vor allem Sol LeWitt für eine Umgebung verantwortlich ist, die unsere Kunst akzeptabel, wenn nicht begreiflich machte. (Dem muß ich allerdings schleunigst hinzufügen, daß ich bestimmt mehr von Ad Reinhardt, Duchamp über Johns und Morris und Donald Judd beeinflußt wurde als je in spezifischer Hinsicht von Sol LeWitt.) Der Geschichte der konzeptuellen Kunst müßte man vielleicht noch frühe Arbeiten von Robert Morris hinzurechnen, vor allem *Card file* (1962). Viele von Rauschenbergs frühen Arbeiten, wie sein *Portrait of Iris Clert* und *Erased DeKooning drawing,* sind wichtige Beispiele für eine konzeptuelle Art von Kunst. Und die Europäer Klein und Manzoni passen auch irgendwo in diese Geschichte. Und in Jasper Johns Arbeiten – wie den ›Zielscheiben‹- und ›Flaggen‹-Bildern und seinen Bierdosen – hat man ein besonders gutes Beispiel für Kunst als analytische Proposition. Johns und Reinhardt sind wahrscheinlich die beiden letzten Maler, die auch legitime *Künstler* waren.[33] *Hätte* Robert Smithson seine Zeitschriftenbeiträge als seine Arbeit angesehen (was er hätte tun können und sollen) und seine ›Arbeiten‹ als Illustrationen dazu, wäre sein Einfluß relevanter.[34]

Andre, Flavin und Judd haben unglaublich starken Einfluß auf die neuere Kunst gehabt, obgleich wohl mehr als Beispiele für hohes Niveau und klares Denken als in spezifischer Hinsicht. Pollock und Judd, habe ich das Gefühl, verkörpern Anfang und Ende der Herrschaft der Amerikaner in der Kunst; teils wegen der Fähigkeit vieler junger europäischer Künstler, sich von ihren Traditionen zu ›läutern‹, aber vor allem wegen der Tatsache, daß Nationalismus auf dem Gebiet der Kunst ebenso fehl am Platz ist wie irgendwo sonst. Seth Siegelaub, ein ehemaliger Kunsthändler, der jetzt als Kurator im Großen fungiert und der als erster Ausstellungs-Organisator sich auf diese Art von neuer Kunst ›spezialisierte‹, hat viele Gruppenausstellungen gemacht, die an keinem *Ort* (nur im Katalog) stattfanden. Wie Siegelaub es formulierte: »Ich bin sehr daran interessiert, die Idee zu vermitteln, daß der Künstler leben kann, wo er will – nicht unbedingt in New York, London oder Paris, wie in der Vergangenheit, sondern *überall* – und dennoch bedeutende Kunst machen.«

III

I suppose my first 'conceptual' work was the *Leaning Glass* from 1965. It consists of any five foot square sheet of glass to be leaned against any wall. It was shortly after this that I got interested in water because of its formless, colourless quality. I used water in every way I could imagine–blocks of ice, radiator steam, maps with areas of water used in a system, picture postcard collections of bodies of water, and so on until 1966 when I had a photostat made of the dictionary definition of the word water, which for me at that time was a way of just presenting the *idea* of water. I used a dictionary definition once before that, in late 1965, in a piece which consisted of a chair, a slightly smaller photographic blow-up of the chair–which I mounted to the wall next to the chair, and a definition of the word chair, which I mounted to the wall next to that. About the same time I did a series of works which were concerned with the relationship between words and objects (concepts and what they refer to). And as well a series of works which only existed as 'models': simple shapes–such as a five-foot square–with information that it should be thought of as a one-foot square; and other simple attempts to 'de objectify' the object.

With the aid of Christine Kozlov and a couple of others I founded The Museum of Normal Art in 1967. It was an 'exhibition' area run for and by artists. It only lasted a few months. One of the exhibitions there was my only 'one-man show' in New York and I presented it as a secret, titled *15 People Present their Favorite Book.* And the show was exactly what its title states. Some of the 'contributors' included Morris, Reinhardt, Smithson, LeWitt, as well as myself. Also related to this 'show' I did a series which consisted of quotations by artists, about their work, or art in general; these 'statements' were done in 1968.

I have subtitled all of my work beginning with the first 'water' definition, *Art as Idea as Idea.* I always considered the photostat the work's form of presentation (or media); but I never wanted anyone to think that I was presenting a photostat as a work of art–that's why I made that separation and subtitled them as I did. The dictionary works went from abstractions of particulars (like *Water*) to abstractions of abstractions (like *Meaning*). I stopped the dictionary series in 1968. The only 'exhibition' I ever had of them was last year in Los Angeles at Gallery 669. (Now defunct) The show consisted of the word 'nothing' from a dozen different dictionaries. In the beginning the photostats were obviously photostats, but as time went on they became confused for paintings, so the 'endless series' stopped. The idea with the photostat was that they could be thrown away and then re-made–if need be–as part of an irrelevant procedure connected with the form of presentation, but not with the 'art'. Since the dictionary series stopped I began one series (or 'investigations', as I prefer to call them) using the categories from the *Thesaurus,* presenting the information through general

III

Meine erste ›konzeptuelle‹ Arbeit war wohl *Leaning Glass* von 1965: eine beliebige, fünf Quadratfuß große, an irgendeine Wand gelehnte Glasplatte. Kurz darauf fing ich an, mich wegen seiner Form- und Farblosigkeit für Wasser zu interessieren. Ich verwendete es in jeder mir vorstellbaren Form: Eisblöcke, Heißluft zum Heizen, Karten mit Wassergebieten, Ansichtspostkarten von Wasserflächen usw., bis 1966, als ich eine photographische Vergrößerung von der Wörterbuchdefinition des Wortes Wasser machen ließ, für mich damals eine Möglichkeit, nur die *Idee* von Wasser zu präsentieren. So eine Wörterbuchdefinition hatte ich schon vorher einmal, Ende 1965, in einer Arbeit verwendet, die aus einem Stuhl bestand, einer etwas kleineren photographischen Vergrößerung dieses Stuhles und einer Definition des Wortes Stuhl, beide direkt neben dem Stuhl auf der Wand befestigt. Zur gleichen Zeit machte ich eine Serie von Arbeiten, die sich mit den Beziehungen zwischen Wörtern und Objekten (Begriffe und worauf sie sich beziehen) befaßten. Und auch eine Reihe von Arbeiten, die nur als ›Modell‹ existierten: einfache Formen – wie z. B. ein fünf Fuß großes Quadrat – mit der Angabe, man solle sich vorstellen, es sei ein Fuß groß; und andere einfache Versuche, das Objekt zu ›entobjektisieren‹.

Mit Hilfe von Christine Kozlov und einigen anderen gründete ich 1967 The Museum of Normal Art, ein ›Ausstellungsraum‹ von und für Künstler. Es existierte nur einige Monate. Eine der Ausstellungen dort war meine einzige ›Einzelausstellung‹ in New York, was ich aber verheimlichte, es hieß einfach *15 People Present their Favorite Book*. Und genau so sah die Ausstellung aus. Einen ›Beitrag‹ lieferten u. a. Morris, Reinhardt, Smithson, LeWitt und ich. Dieser ›Ausstellung‹ verwandt war eine Serie, die aus Zitaten von Künstlern über ihre Arbeit oder Kunst allgemein bestand: ›Statements‹ von 1968.

Seit der ersten ›Wasser‹-Definition tragen alle meine Arbeiten den Untertitel *Art as Idea as Idea*. Die Photovergrößerung war für mich immer die Form der Präsentation (das Medium), und es war nie meine Absicht, die Leute glauben zu machen, sie sei das Kunstwerk – deshalb machte ich diese Unterscheidung und gab ihnen den Untertitel. Die Wörterbucharbeiten gingen aus von Abstraktionen von Konkreta (wie *Water)* bis zu Abstraktionen von Abstrakta (wie *Meaning)*. Die Serie ging 1968 zu Ende. Die einzige ›Ausstellung‹ damit hatte ich im letzten Jahr in Los Angeles in der Gallery 669 (die nicht mehr existiert). Sie bestand aus dem Wort ›Nichts‹ aus zwölf verschiedenen Wörterbüchern. Am Anfang waren die Vergrößerungen ganz klar Vergrößerungen, aber im Laufe der Zeit wurden sie mit Bildern verwechselt, deshalb wurde die an sich ›unbegrenzte Serie‹ eingestellt. Die Idee bei den Photovergrößerungen war die, daß man sie wegwerfen und neu machen konnte – falls nötig – als Teil einer nicht zur eigentlichen Sache gehörigen Handlungsweise, die mit der Präsentationsform zu tun hatte, nicht aber mit der ›Kunst‹. Nachdem diese Wörterbuchserie zu Ende war, begann ich mit einer Reihe (oder ›Investigationen‹, wie ich sie lieber nenne), die mit den Katego-

advertising media. (This makes clearer in my work the separation of the art from its form of presentation.) Currently I am working on a new investigation which deals with 'games'.

Footnotes

1 Morton White, *The Age of Analysis*, Mentor Books, New York, p. 14.

2 Ibid., p. 15.

3 I mean by this Existentialism and Phenomenology. Even Merleau-Ponty, with his middle-of-the-road position between Empiricism and Rationalism, cannot express his philosophy without the use of words (thus using concepts); and following this, how can one discuss experience without sharp distinctions between ourselves and the world?

4 Sir James Jeans, *Physics and Philosophy*, University of Michigan Press, Ann Arbor, Mich., p. 17.

5 Ibid., p. 190.

6 Ibid., p. 190.

7 The task such philosophy has taken upon itself is the only 'function' it could perform without making philosophic assertions.

8 This is dealt with in the following section.

9 I would like to make it clear, however, that I intend to speak for no one else. I arrived at these conclusions alone, and indeed, it is from this thinking that my art since 1966 (if not before) evolved. Only recently did I realize after meeting Terry Atkinson that he and Michael Baldwin share similar, though certainly not identical, opinions to mine.

10 *Webster's New World Dictionary of the American Language.*

11 The conceptual level of the work of Kenneth Noland, Jules Olitski, Morris Louis, Ron Davis, Anthony Caro, John Hoyland, Dan Christensen *et al.* is so dismally low, that any that is there is supplied by the critics promoting it. This is seen later.

12 Michael Fried's reasons for using Greenberg's rationale reflect his background (and most of the other formalist critics) as a 'scholar', but more of it is due to his desire, I suspect, to bring his scholarly studies into the modern world. One can easily sympathize with his desire to connect, say, Tiepolo with Jules Olitski. One should never forget, however, that an historian loves history more than anything, even art.

13 Lucy Lippard uses this quotation in a footnote to Ad Reinhardt's retrospective catalogue, p. 28.

14 Lucy Lippard again, in her *Hudson Review* review of the last painting exhibition of the Whitney Annual.

15 'Four interviews', by Arthur R. Rose; *Arts Magazine*, Feb. 1969.

16 As Terry Atkinson pointed out in his introduction to *Art Language* (vol. 1, no. 1), the Cubists never questioned *if* art had morphological characteristics, but *which* ones in *painting* were acceptable.

17 When someone 'buys' a Flavin he isn't buying a light show, for if he was he could just go to a hardware store and get the goods for considerably less. He isn't 'buying' anything. He is subsidizing Flavin's activity as an artist.

18 A. J. Ayer, *Language, Truth, and Logic*, Dover, New York, p. 78.

19 Ibid., p. 57.

20 Ibid., p. 57.

21 Ibid., p. 90.

22 Ibid., p. 94.

23 Ad Reinhardt's retrospective catalogue (Jewish Museum) written by Lucy Lippard, p. 12.

24 It is poetry's use of common language to attempt to *say the unsayable* which is problematic, not any inherent problem in the use of language within the context of art.

rien des *Thesaurus* arbeitet, wobei die Information in den üblichen Werbemedien präsentiert wird. (Das macht die Trennung zwischen der Kunst und ihrer Präsentationsform in meiner Arbeit noch deutlicher.) Im Augenblick arbeite ich an einer neuen Investigation über ›Spiele‹.

Anmerkungen

1 Morton White, *The Age of Analysis*, Mentor Books, New York, S. 14.
2 Ebd., S. 15.
3 Ich verstehe darunter Existentialismus und Phänomenologie. Selbst Merleau-Ponty, der zwischen Empirizismus und Rationalismus steht, kann seine Philosophie nicht ohne Verwendung von Wörtern (und damit ohne den Gebrauch von Begriffen) formulieren; und wie kann man infolgedessen über Erfahrung sprechen, ohne scharf zwischen uns und der Welt zu unterscheiden?
4 Sir James Jeans, *Physics and Philosophy*, University of Michigan Press, Ann Arbor, Mich., S. 17.
5 Ebd., S. 190.
6 Ebd., S. 190.
7 Die Aufgabe, die eine solche Philosophie übernommen hat, ist die einzige ›Funktion‹, die sie ausüben kann, ohne philosophische Behauptungen aufzustellen.
8 Damit befaßt sich der folgende Abschnitt.
9 Ich möchte jedoch klarstellen, daß ich für niemanden sonst zu sprechen beabsichtige. Ich kam allein zu diesen Schlußfolgerungen, und in der Tat entwickelte sich meine Kunst seit 1966 (wenn nicht schon länger) aus diesem Denken. Erst kürzlich erkannte ich nach einer Begegnung mit Terry Atkinson, daß er und Michael Baldwin ähnliche Ansichten teilen wie ich, obgleich gewiß nicht dieselben.
10 *Webster's New World Dictionary of the American Language.*
11 Das konzeptuelle Niveau der Arbeiten von Kenneth Noland, Jules Olitski, Morris Louis, Ron Davis, Anthony Caro, John Hoyland, Dan Christensen und anderen ist so erbärmlich niedrig, daß alles, was vorhanden ist, von den dafür plädierenden Kritikern beigetragen wurde. Dies wird sich später zeigen.
12 M. Frieds Gründe für die Verwendung von Greenbergs Grundvoraussetzung spiegelt seine Herkunft (und die der meisten anderen formalistischen Kritiker) aus der ›Gelehrsamkeit‹, doch mehr noch beruht sie, wie ich vermute, auf seinem Wunsch, seine gelehrten Studien in die moderne Welt hineinzutragen. Man kann leicht mit seinem Wunsch sympathisieren, etwa Tiepolo mit Jules Olitski zu verknüpfen. Freilich sollte man nicht vergessen, daß ein Historiker die Geschichte über alles, und mehr als die Kunst liebt.
13 Lucy R. Lippard verwendet dieses Zitat in einer Anmerkung im Katalog zur Ad Reinhardt-Retrospektive, S. 28.
14 Abermals Lucy R. Lippard in ihrer Besprechung der letzten Malereiausstellung des Whitney Annual im *Hudson Review*.
15 Arthur R. Rose, ›Four interviews‹, *Arts Magazine*, Februar 1969.
16 Wie Terry Atkinson in seiner Einführung zu *Art-Language* (Vol. I, Nr. 1) aufzeigte, fragten die Kubisten nie danach, *ob* Kunst morphologische Merkmale aufweise, sondern danach, *welche* in der *Malerei* anwendbar seien.
17 Wenn jemand einen Flavin ›kauft‹, kauft er keine Lichtvorführung, denn wenn es ihm darauf ankäme, könnte er einfach in einen Eisenwarenladen gehen und die Waren für beträchtlich weniger Geld erhalten. Er ›kauft‹ überhaupt nichts. Er unterstützt Flavins Tätigkeit als Künstler.
18 A. J. Ayer, *Language, Truth, and Logic*, Dover, New York, S. 78.
19 Ebd., S. 57.
20 Ebd., S. 57.

25 Ironically, many of them call themselves 'Conceptual Poets'. Much of this work is very similar to Walter de Maria's work and this is not coincidental; de Maria's work functions as a kind of 'object' poetry, and his intentions are very poetic: he really wants his work to change men's lives.

26 *Op. cit.*, p. 82.

27 *Art-Language* (vol. 1, no. 1).

28 I did not (and still do not) understand this last decision. Since I first met Weiner, he defended his position (quite alien to mine) of being a 'Materialist'. I always found this last direction (e.g. *Statements*) sensical in *my* terms, but I never understood how it was in his.

29 I began dating my work with the *Art as Idea as Idea* series.

30 Terry Atkinson, pp. 5–6.

31 All obtainable from *Art & Language Press*, 84 Jubilee Crescent, Coventry, England.

32 (Of which the author is the American editor.)

33 And Stella, too, of course. But Stella's work, which was greatly weakened by being painting, was made obsolete very quickly by Judd and others.

34 Smithson of course did spearhead the Earthwork activity–but his only disciple, Michael Heizer, is a 'one idea' artist who hasn't contributed much. If you have thirty men digging holes and nothing develops out of that idea you haven't got much, have you? A very large ditch, maybe.

21 Ebd., S. 90.

22 Ebd., S. 94.

23 Katalog der Ad Reinhardt-Retrospektive (Jewish Museum), geschrieben von Lucy Lippard, S. 12.

24 Problematisch ist die Verwendung der gewöhnlichen Sprache in der Poesie als Versuch, *das Unsagbare zu sagen*, nicht irgendein inhärentes Problem im Gebrauch von Sprache innerhalb des Kunstzusammenhangs.

25 Ironischerweise nennen sich viele von ihnen ›konzeptuelle Poeten‹. Vieles in diesen Arbeiten gleicht sehr der Arbeit Walter de Marias, und das ist kein Zufall; de Marias Arbeit fungiert als eine Art ›Objekt‹-Poesie, und seine Absichten sind sehr poetisch: er möchte wirklich, daß seine Arbeit das Leben der Menschen verändert.

26 A. a. O., S. 82.

27 *Art-Language* (Vol. I, Nr. 1).

28 Diese letzte Entscheidung habe ich nicht verstanden (und verstehe sie immer noch nicht). Seit ich Weiner das erste Mal traf, verteidigt er seine Position (die mir fremd ist) als ›Materialist‹. Diese letzte Wendung (z. B. *Statements*) fand ich immer verständlich von *meinem* Gesichtspunkt aus, aber mir war nie klar, wie sie das von seinem aus sein konnte.

29 Ich begann meine eigentliche Arbeit mit der *Art as Idea as Idea*-Serie.

30 Terry Atkinson, S. 5–6.

31 Alle bei *Art & Language Press*, 84 Jubilee Crescent, Coventry, England, erhältlich.

32 (Der Verfasser ist der amerikanische Herausgeber.)

33 Und natürlich auch Stella. Aber Stellas Arbeiten, die dadurch, daß sie Malerei waren, empfindlich geschwächt wurden, veralteten sehr schnell durch die von Judd und anderen.

34 Smithson war natürlich der Anführer der Earthwork-Aktivität – sein einziger Schüler, Michael Heizer, ist ein ›eine Idee‹-Künstler, der nicht viel geleistet hat. Wenn man dreißig Mann Löcher graben läßt und sich nichts aus diesem Einfall entwickelt, hat man nicht gerade viel als Ergebnis oder? Einen sehr großen Graben vielleicht.

Sol LeWitt

Paragraphs on Conceptual Art

The editor has written me that he is in favor of avoiding »the notion that the artist is a kind of ape that has to be explained by the civilized critic«. This should be good news to both artists and apes. With this assurance I hope to justify his confidence. To continue a baseball metaphor (one artist wanted to hit the ball out of the park, another to stay loose at the plate and hit the ball where it was pitched), I am grateful for the opportunity to strike out for myself.

I will refer to the kind of art in which I am involved as conceptual art. In conceptual art the idea or concept is the most important aspect of the work.[1] When an artist uses a conceptual form of art, it means that all of the planning and decisions are made beforehand and the execution is a perfunctory affair. The idea becomes a machine that makes the art. This kind of art is not theoretical or illustrative of theories; it is intuitive, it is involved with all types of mental processes and it is purposeless. It is usually free from the dependence on the skill of the artist as a craftsman. It is the objective of the artist who is concerned with conceptual art to make his work mentally interesting to the spectator, and therefore usually he would want it to become emotionally dry. There is no reason to suppose however, that the conceptual artist is out to bore the viewer. It is only the expectation of an emotional kick, to which one conditioned to expressionist art is accustomed, that would deter the viewer from perceiving this art.

Conceptual art is not necessarily logical. The logic of a piece or series of pieces is a device that is used at times only to be ruined. Logic may be used to camouflage the real intent of the artist, to lull the viewer into the belief that he understands the work, or to infer a paradoxical situation (such as logic vs. illogic).[2] The ideas need not be complex. Most ideas that are successful are ludicrously simple. Successful ideas generally have the appearance of simplicity because they seem inevitable. In terms of idea the artist is free to even surprise himself. Ideas are discovered by intuition.

What the work of art looks like isn't too important. It has to look like something if it has physical form. No matter what form it may finally have it must begin with an idea. It is the process of conception and realization with which the artist is concerned. Once given physical reality by the artist the work is open to the perception of all,

Sol LeWitt

Paragraphen über konzeptuelle Kunst

Der Herausgeber hat mir geschrieben, er wäre dafür, ›die Auffassung, daß der Künstler eine Art Affe sei, der vom zivilisierten Kritiker interpretiert werden müsse‹ anzufechten. Gute Nachrichten für Künstler und Affen! Mit dieser Versicherung hoffe ich, sein Vertrauen zu rechtfertigen. Um eine Baseballmethaper weiterzuführen (ein Künstler wollte den Ball aus dem Gelände schlagen, ein anderer beim Schlagmal stehen bleiben und warten, wohin der Ball geschleudert würde, um ihn von dort zu schlagen): ich bin dankbar für die Gelegenheit, selbst losschlagen zu können.

Die Art von Kunst, die mich beschäftigt, möchte ich als konzeptuelle Kunst bezeichnen. Bei konzeptueller Kunst ist die Idee oder die Konzeption der wichtigste Aspekt der Arbeit.[1] Wenn ein Künstler eine konzeptuelle Form von Kunst benutzt, heißt das, daß alle Pläne und Entscheidungen im voraus erledigt werden und die Ausführung eine rein mechanische Angelegenheit ist. Die Idee wird zu einer Maschine, die die Kunst macht. Diese Art von Kunst ist nicht theoretisch und keine Illustration von Theorien; sie ist intuitiv, schließt alle Typen geistiger Prozesse mit ein und ist ohne Zweck. Sie ist normalerweise unabhängig von der handwerklichen Geschicklichkeit des Künstlers. Es ist das Ziel des Künstlers, der sich mit konzeptueller Kunst beschäftigt, seine Arbeit in geistiger Hinsicht für den Betrachter interessant zu machen, und deshalb möchte er normalerweise, daß sie in emotionaler Hinsicht nüchtern, trocken wirkt. Es besteht allerdings kein Grund zur Annahme, der konzeptuelle Künstler wolle den Betrachter langweilen. Nur würde die Erwartung eines emotionalen ›Kicks‹ – an den man durch expressionistische Kunst gewöhnt ist – den Betrachter bei der Erfassung dieser Kunst fehlleiten.

Konzeptuelle Kunst ist nicht unbedingt logisch. Die Logik in einer Arbeit oder in einer Reihe von Arbeiten ist ein Kunstgriff, der manchmal angewendet wird, nur, um ihn dann wieder zu zerstören. Logik kann dazu benutzt werden, die wirkliche Absicht des Künstlers zu tarnen, den Betrachter im Glauben zu wiegen, er verstünde die Arbeit, oder um daraus eine paradoxe Situation abzuleiten (wie Logik gegen Alogik).[2] Die Ideen müssen nicht komplex sein. Die meisten erfolgreichen Ideen sind lächerlich einfach. Erfolgreiche Ideen haben gewöhnlich den Anschein von Einfachheit, weil sie zwingend erscheinen. Was die Idee angeht, ist der Künstler so frei, daß er sogar sich selbst überraschen kann. Ideen werden intuitiv entdeckt.

including the artist. (I use the word »perception« to mean the apprehension of the sense data, the objective understanding of the idea and simultaneously a subjective interpretation of both.) The work of art can only be perceived after it is completed.

Art that is meant for the sensation of the eye primarily would be called perceptual rather than conceptual. This would include most optical, kinetic, light and color art.

Since the functions of conception and perception are contradictory (one pre-, the other postfact) the artist would mitigate his idea by applying subjective judgment to it. If the artist wishes to explore his idea thoroughly, then arbitrary or chance decisions would be kept to a minimum, while caprice, taste and other whimsies would be eliminated from the making of the art. The work does not necessarily have to be rejected if it does not look well. Sometimes what is initially thought to be awkward will eventually be visually pleasing.

To work with a plan that is pre-set is one way of avoiding subjectivity. It also obviates the necessity of designing each work in turn. The plan would design the work. Some plans would require millions of variations, and some a limited number, but both are finite. Other plans imply infinity. In each case however, the artist would select the basic form and rules that would govern the solution of the problem. After that the fewer decisions made in the course of completing the work, the better. This eliminates the arbitrary, the capricious, and the subjective as much as possible. That is the reason for using this method.

When an artist uses a multiple modular method he usually chooses a simple and readily available form. The form itself is of very limited importance; it becomes the grammar for the total work. In fact it is best that the basic unit be deliberately uninteresting so that it may more easily become an intrinsic part of the entire work. Using complex basic forms only disrupts the unity of the whole. Using a simple form repeatedly narrows the field of the work and concentrates the intensity to the arrangement of the form. This arrangement becomes the end while the form becomes the means.

Conceptual art doesn't really have much to do with mathematics, philosophy or any other mental discipline. The mathematics used by most artists is simple arithmetic or simple number systems. The philosophy of the work is implicit in the work and is not an illustration of any system of philosophy.

It doesn't really matter if the viewer understands the concepts of the artist by seeing the art. Once out of his hand the artist has no control over the way a viewer will perceive the work. Different people will understand the same thing in a different way.

Recently there has been much written about minimal art, but I have not discovered anyone who admits to doing this kind of thing. There are other art forms around called

Wie das Kunstwerk aussieht, ist nicht allzu wichtig. Es muß irgendwie aussehen, wenn es physische Form hat. Egal welche Form es letztlich haben wird, es muß mit einer Idee anfangen. Der Prozeß von Konzeption und Realisation ist das, was den Künstler beschäftigt. Wenn der Künstler der Arbeit erst einmal physische Realität gegeben hat, steht sie dem Erfassen aller offen, den Künstler eingeschlossen. (Mit dem Wort ›Erfassen‹ meine ich das Aufnehmen der Sinneseindrücke, das objektive Verstehen der Idee und gleichzeitig eine subjektive Interpretation beider.) Das Kunstwerk kann erst nach seiner Vollendung erfaßt werden.

Kunst, die primär auf die Erregung des Auges zielt, wäre eher perzeptuell als konzeptuell zu nennen. Das schließt den größten Teil der Op Art, Kinetik und Kunst mit Licht und Farben ein.

Da die Funktionen von Konzeption und Perzeption im Gegensatz zueinander stehen (die eine prae- die andere postfactum) würde der Künstler seine Idee abschwächen, wenn er subjektives Urteil mit einarbeitete. Will der Künstler seine Idee gründlich untersuchen, sind willkürliche oder zufällige Entscheidungen auf ein Mindestmaß zu beschränken, Launen, Geschmack und andere Schrullen aber vom Kunstmachen auszuschließen. Die Arbeit muß nicht unbedingt verworfen werden, wenn sie nicht gut aussieht. Manchmal wird etwas, das man anfangs für unbeholfen, linkisch hielt, im Laufe der Zeit visuell angenehm.

Nach einem vorgefaßten Plan zu arbeiten, ist ein Weg, um Subjektivität zu vermeiden. Es beugt auch der Notwendigkeit vor, jede Arbeit einzeln zu bestimmen: der Plan würde die Arbeit bestimmen. Einige Pläne würden Millionen an Variationen erfordern, andere eine begrenzte Anzahl, aber beide wären endlich. Andere Entwürfe schließen Unendlichkeit mit ein. In jedem Fall würde der Künstler jedoch die grundlegende Form und die Vorschriften auswählen, die die Lösung des Problems regeln. Je weniger Entscheidungen danach im Verlauf der Fertigstellung der Arbeit getroffen werden, desto besser. Das schließt das Willkürliche, Launenhafte und Subjektive so weit wie möglich aus. Das ist der Grund, diese Methode zu verwenden.

Wenn ein Künstler ein vielseitiges modulares System verwendet, wählt er normalerweise eine einfache und leicht verfügbare Form. Die Form selbst ist von sehr begrenzter Bedeutung, sie dient als Grammatik der gesamten Arbeit. Es ist tatsächlich am besten, wenn die Grundeinheit bewußt uninteressant bleibt, um so leichter kann sie ein echter Bestandteil der gesamten Arbeit werden. Die Verwendung komplexer Grundformen zerbricht nur die Einheit der Arbeit. Die wiederholte Verwendung einer einfachen Form verengt den Bereich der Arbeit und verdichtet die Intensität zur Anordnung der Form. Diese Anordnung wird zum Endzweck, die Form zum Mittel.

Konzeptuelle Kunst hat nicht wirklich viel mit Mathematik, Philosophie oder irgendeiner anderen geistigen Disziplin zu tun. Die Mathematik, die von den meisten Künstlern benutzt wird, ist einfache Arithmetik oder ein einfaches Zahlensystem. Die Philosophie der Arbeit liegt in der Arbeit beschlossen und ist keine Illustration irgendeines philosophischen Systems.

primary structures, reductive, rejective, cool, and mini-art. No artist I know will own up to any of these either. Therefore I conclude that it is part of a secret language that art critics use when communicating with each other through the medium of art magazines. Mini-art is best because it reminds one of mini-skirts and long-legged girls. It must refer to very small works of art. This is a very good idea. Perhaps »mini-art« shows could be sent around the country in matchboxes. Or maybe the mini-artist is a very small person, say under five feet tall. If so, much good work will be found in the primary schools (primary school primary structures).

If the artist carries through his idea and makes it into visible form, then all the steps in the process are of importance. The idea itself, even if not made visual is as much a work of art as any finished product. All intervening steps–scribbles, sketches, drawings, failed work, models, studies, thoughts, conversations–are of interest. Those that show the thought process of the artist are sometimes more interesting than the final product.

Determining what size a piece should be is difficult. If an idea requires three dimensions then it would seem any size would do. The question would be what size is best. If the thing were made gigantic then the size alone would be impressive and the idea may be lost entirely. Again, if it is too small, it may become inconsequential. The height of the viewer may have some bearing on the work and also the size of the space into which it will be placed. The artist may wish to place objects higher than the eye level of the viewer, or lower. I think the piece must be large enough to give the viewer whatever information he needs to understand the work and placed in such a way that will facilitate this understanding. (Unless the idea is of impediment and requires difficulty of vision or access.)

Space can be thought of as the cubic area occupied by a three-dimensional volume. Any volume would occupy space. It is air and cannot be seen. It is the interval between things that can be measured. The intervals and measurements can be important to a work of art. If certain distances are important they will be made obvious in the piece. If space is relatively unimportant it can be regularized and made equal (things placed equal distances apart), to mitigate any interest in interval. Regular space might also become a metric time element, a kind of regular beat or pulse. When the interval is kept regular whatever is irregular gains more importance.

Architecture and three-dimensional art are of completely opposite natures. The former is concerned with making an area with a specific function. Architecture, whether it is a work of art or not, must be utilitarian or else fail completely. Art is not utilitarian. When three dimensional art starts to take on some of the characteristics of architecture such as forming utilitarian areas it weakens its function as art. When the viewer is dwarfed by the large size of a piece this domination emphasizes the physical and emotive power of the form at the expense of losing the idea of the piece.

Es kommt nicht wirklich darauf an, ob der Betrachter die Konzeption des Künstlers versteht, wenn er die Kunst betrachtet. Wenn der Künstler sie einmal aus der Hand gegeben hat, hat er keine Kontrolle über die Art und Weise, wie ein Betrachter die Arbeit erfassen wird. Verschiedene Leute werden das Gleiche anders verstehen.

In letzter Zeit ist viel über Minimal Art geschrieben worden, aber ich habe noch niemanden gefunden, der sagen würde, daß er so etwas macht. Es gibt da auch noch andere Kunstformen, wie Primary Structures, Reductive, Rejective, Cool und Mini-Art. Kein Künstler von denen, die ich kenne, würde sich zu einer dieser Richtungen bekennen. Daraus schließe ich, daß es Teil einer Geheimsprache ist, die Kunstkritiker verwenden, wenn sie durch das Medium Kunstmagazin miteinander kommunizieren. Dabei ist Mini Art (Mini-Kunst) noch das Beste, weil es einen an Mini-Röcke und langbeinige Mädchen erinnert. Der Ausdruck bezieht sich wohl auf sehr kleine Kunstwerke. Eine schöne Idee; vielleicht könnte man ›Mini-Art‹-Ausstellungen in Streichholzschachteln über Land schicken. Vielleicht ist aber auch der Mini-Künstler sehr klein, zum Beispiel weniger als 150 cm. In dem Fall fände man sicher viele gute Arbeiten in den Grundschulen (Grundschulgrundstrukturen).

Gesetzt den Fall, daß der Künstler seine Idee durchführt und in sichtbare Form bringt, dann sind alle Stadien in dem Prozeß wichtig. Die Idee selbst, auch wenn nicht in sichtbare Form gebracht, ist ebenso ein Kunstwerk, wie irgendein abgeschlossenes Produkt. Alle Zwischenstadien – erstes Gekritzel, Skizzen, Zeichnungen, mißlungene Arbeiten, Modelle, Studien, Gedanken, Gespräche – sind von Interesse. Die, die den gedanklichen Prozeß des Künstlers anzeigen, sind manchmal interessanter als das Endergebnis.

Zu bestimmen, welche Größe ein Stück haben soll, ist schwierig. Wenn eine Idee drei Dimensionen erfordert, scheint es, als wäre jede Größe passend. Die Frage ist aber, welche am besten ist. Würde man das Stück riesig machen, wäre allein die Größe schon beeindruckend, und die Idee würde vielleicht völlig untergehen. Andererseits, zu klein, wäre es vielleicht inkonsequent. Die Größe des Betrachters kann einigen Bezug zur Arbeit haben, und auch die Größe des Raumes, in dem sie aufgestellt werden soll. Der Künstler möchte vielleicht die Objekte höher – oder niedriger – als die Augenhöhe der Betrachter haben. Ich finde, das Stück muß groß genug sein, um dem Betrachter jedwede Information zu geben, die er zum Verständnis der Arbeit benötigt, und so aufgestellt sein, daß die Aufstellung das Verstehen erleichtert. (Es sei denn, die Idee wäre, sich zu sperren und erfordere Schwierigkeiten in der Einsichtnahme und im Zugang.)

Man könnte sich Raum als würfelförmiges, von einem dreidimensionalen Volumen besetztes Gebilde denken. Jedes Volumen nimmt Raum ein. Es besteht aus Luft und ist unsichtbar. Aber der Raum zwischen den Dingen ist meßbar. Die Zwischenräume und Abmessungen können für ein Kunstwerk von Bedeutung sein. Sind bestimmte Entfernungen wichtig, wird man sie im Stück offen darlegen. Ist Raum verhältnismäßig unwichtig, kann man ihn in Regeln fassen und gleichmachen (in gleichem Abstand voneinander aufgestellte Dinge), um jegliches Interesse an Zwischenräumen abzubauen.

New materials are one of the great afflictions of contemporary art. Some artists confuse new materials with new ideas. There is nothing worse than seeing art that wallows in gaudy baubles. By and large most artists who are attracted to these materials are the ones that lack the stringency of mind that would enable them to use the materials well. It takes a good artist to use new materials and make them into a work of art. The danger is, I think, in making the physicality of the materials so important that it becomes the idea of the work (another kind of expressionism).

Three-dimensional art of any kind is a physical fact. This physicality is its most obvious and expressive content. Conceptual art is made to engage the mind of the viewer rather than his eye or emotions. The physicality of a three-dimensional object then becomes a contradiction to its non-emotive intent. Color, surface, texture, and shape only emphasize the physical aspects of the work. Anything that calls attention to and interests the viewer in this physicality is a deterrent to our understanding of the idea and is used as an expressive device. The conceptual artist would want to ameliorate this emphasis on materiality as much as possible or to use it in a paradoxical way. (To convert it into an idea.) This kind of art then, should be stated with the most economy of means. Any idea that is better stated in two dimensions should not be in three dimensions. Ideas may also be stated with numbers, photographs, or words or any way the artist chooses, the form being unimportant.

These paragraphs are not intended as categorical imperatives but the ideas stated are as close as possible to my thinking at this time.[3] These ideas are the result of my work as an artist and are subject to change as my experience changes. I have tried to state them with as much clarity as possible. If the statements I make are unclear it may mean the thinking is unclear. Even while writing these ideas there seemed to be obvious inconsistencies (which I have tried to correct, but others will probably slip by). I do not advocate a conceptual form of art for all artists. I have found that it has worked well for me while other ways have not. It is one way of making art: other ways suit other artists. Nor do I think all conceptual art merits the viewer's attention. Conceptual art is only good when the idea is good.

Footnotes

1 In other forms of art the concept may be changed in the process of execution.
2 Some ideas are logical in conception and illogical perceptually.
3 I dislike the term »work of art« because I am not in favor of work and the term sounds pretentious. But I don't know what other term to use.

Ein regelmäßig strukturierter Raum kann auch ein metrisches Zeitmoment werden, eine Art regelmäßiger Rhythmus oder Pulsschlag. Wenn man die Zwischenräume regelmäßig hält, gewinnt alles, was unregelmäßig ist, mehr Bedeutung.

Architektur und dreidimensionale Kunst sind völlig gegensätzlicher Natur. Architektur geht es darum, einen Raum mit spezifischer Funktion herzustellen, sie muß – ob ein Kunstwerk oder nicht – von Nutzen sein, oder sie wäre ein totaler Versager. Kunst ist nicht nützlich. Wenn dreidimensionale Kunst anfängt, einige Charakteristika von Architektur anzunehmen, zum Beispiel verwendbare Räume zu entwerfen, weicht sie ihre Kunstfunktion auf. Wenn der Betrachter sich wegen der Größe eines Stückes wie ein Zwerg vorkommt, betont dieses Dominieren noch die physische und emotionale Macht der Form auf Kosten und unter Verlust der Idee des Stückes.

Neues Material ist eins der großen Leiden zeitgenössischer Kunst. Einige Künstler verwechseln neues Material mit neuen Ideen. Nichts ist schlimmer als Kunst, die in üppigem Glitzerkram schwelgt. Im großen und ganzen sind die meisten Künstler, die von solchem Material angezogen werden, gerade die, denen die geistige Stringenz fehlt, dies Material wirklich sinnvoll zu verwenden. Es braucht einen guten Künstler, um neues Material zu verwenden und ein Kunstwerk daraus zu machen. Die Gefahr ist, glaube ich, daß man das Physische am Material so sehr mit Bedeutung auflädt, daß es zur Idee der Arbeit wird (eine neue Art Expressionismus).

Dreidimensionale Kunst jeder Art ist ein physisches Faktum. Dieses physische Sein ist ihr offensichtlichster und expressivster Inhalt. Konzeptuelle Kunst soll eher den Verstand des Betrachters als sein Auge oder sein Gefühl ansprechen und beschäftigen. Das physische Sein eines dreidimensionalen Gegenstandes gerät damit in Widerspruch zu seiner nicht-gefühlsmäßigen Intention. Farbe, Oberfläche, Textur und Form verstärken nur die physischen Aspekte der Arbeit. Alles, was Aufmerksamkeit auf das physische Sein lenkt und das Interesse des Betrachters an ihm weckt, führt fort von unserem Verständnis der Idee und wird als expressives Mittel benutzt. Ein konzeptueller Künstler würde lieber diese Betonung des Materiellen so weit wie möglich zum Positiven wenden oder sie in paradoxer Form gebrauchen (sie in eine Idee verwandeln). Diese Art Kunst sollte also mit größtmöglicher Ökonomie der Mittel gestaltet werden. Jede Idee, die sich besser in zwei Dimensionen formulieren läßt, sollte nicht dreidimensional sein. Ideen lassen sich auch durch Zahlen, Photographien, Wörter oder jede beliebige Art ausdrücken, die der Künstler wählt; die Form ist unwichtig.

Diese Paragraphen sind nicht als kategorische Imperative gemeint, sondern die geäußerten Ideen entsprechen so weit wie möglich meinem augenblicklichen Denken.[3] Sie sind Ergebnis meiner Arbeit als Künstler und Veränderungen unterworfen, wie auch meine Erfahrungen sich ändern. Ich habe versucht, sie so klar wie möglich zu formulieren. Wenn meine Darlegungen unklar sind, kann es bedeuten, daß das Denken unklar ist. Sogar bei der Niederschrift dieser Ideen fielen mir offensichtliche Unstimmigkeiten auf (die ich zu korrigieren versucht habe, aber andere werden vermutlich durchschlüpfen). Ich verfechte keine konzeptuelle Form von Kunst für alle Künstler.

Ich habe festgestellt, daß sich diese Art zu arbeiten bei mir bewährt hat und andere Arten nicht. Es ist eine Art, Kunst zu machen, anderen Künstlern entsprechen andere Arten. Ich denke auch nicht, daß alle konzeptuellen Arbeiten die Aufmerksamkeit des Betrachters verdienen. Konzeptuelle Kunst ist nur dann gut, wenn die Idee gut ist.

Anmerkungen

1   In anderen Kunstformen wird das Konzept im Prozeß der Ausführung unter Umständen geändert.
2   Manche Ideen sind in der Konzeption logisch und perzeptuell alogisch.
3   Ich mag den Ausdruck ›Kunstwerk‹ nicht, weil mir Werk mißfällt und der Ausdruck prätentiös klingt. Aber ich weiß keinen anderen.

Sol LeWitt

Sentences on Conceptual Art

1. Conceptual Artists are mystics rather than rationalists. They leap to conclusions that logic cannot reach.

2. Rational judgements repeat rational judgements.

3. Illogical judgements lead to new experience.

4. Formal Art is essentially rational.

5. Irrational thoughts should be followed absolutely and logically.

6. If the artist changes his mind midway through the execution of the piece he compromises the result and repeats past results.

7. The artist's will is secondary to the process he initiates from idea to completion. His wilfulness may only be ego.

8. When words such as painting and sculpture are used, they connote a whole tradition and imply a consequent acceptance of this tradition, thus placing limitations on the artist who would be reluctant to make art that goes beyond the limitations.

9. The concept and idea are different. The former implies a general direction while the latter are the components. Ideas implement the concept.

10. Ideas alone can be works of art; they are in a chain of development that may eventually find some form. All ideas need not be made physical.

Sol LeWitt

Sätze über konzeptuelle Kunst

1. Konzeptuelle Künstler sind eher Mystiker als Rationalisten. Sie gelangen sprunghaft zu Lösungen, die der Logik verschlossen sind.

2. Rationale Urteile wiederholen rationale Urteile.

3. Nicht-logische Urteile führen zu neuen Erfahrungen.

4. Formale Kunst ist im wesentlichen rational.

5. Irrationale Gedanken sollten streng und logisch verfolgt werden.

6. Wenn der Künstler während der Ausführung einer Arbeit seine Meinung ändert, kompromittiert er das Ergebnis und wiederholt frühere Ergebnisse.

7. Der Wille des Künstlers ist dem von ihm ausgelösten Prozeß von der Idee zur Vollendung der Arbeit untergeordnet. Sein Wille zielt vielleicht nur auf Ich-Bestätigung.

8. Wenn Wörter wie Malerei und Skulptur verwendet werden, bezeichnen sie eine ganze Tradition und beinhalten eine konsequente Anerkennung dieser Tradition; damit erlegen sie dem Künstler, der ohnehin ein Überschreiten der Grenzen scheut, Beschränkungen auf.

9. Konzeption und Idee sind verschieden. Konzeption beinhaltet die allgemeine Richtung, während Ideen Bestandteile davon sind. In den Ideen verwirklicht sich die Konzeption.

10. Ideen allein können Kunstwerke sein. Sie sind Teil einer Entwicklung, die irgendwann einmal ihre Form finden mag. Nicht alle Ideen müssen physisch verwirklicht werden.

11. Ideas do not necessarily proceed in logical order. They may set one off in unexpected directions but an idea must necessarily be completed in the mind before the next one is formed.

12. For each work of art that becomes physical there are many variations that do not.

13. A work of art may be understood as a conductor from the artist's mind to the viewer's. But it may never reach the viewer, or it may never leave the artist's mind.

14. The words of one artist to another may induce an ideas chain, if they share the same concept.

15. Since no form is intrinsically superior to another, the artist may use any form, from an expression of words, (written or spoken) to physical reality, equally.

16. If words are used, and they proceed from ideas about art, then they are art and not literature, numbers are not mathematics.

17. All ideas are art if they are concerned with art and fall within the conventions of art.

18. One usually understands the art of the past by applying the conventions of the present thus misunderstanding the art of the past.

19. The conventions of art are altered by works of art.

20. Successful art changes our understanding of the conventions by altering our perceptions.

21. Perception of ideas leads to new ideas.

22. The artist cannot imagine his art, and cannot perceive it until it is complete.

23. One artist may mis-perceive (understand it differently than the artist) a work of art but still be set off in his own chain of thought by that misconstrual.

11. Ideen entwickeln sich nicht unbedingt in logischer Folge. Sie können einen in eine Richtung weisen, die man nicht erwartet, aber eine Idee muß zwangsläufig im Geist abgeschlossen sein, bevor die nächste geformt wird.

12. Zu jedem Kunstwerk, das physisch verwirklicht wird, gibt es viele unausgeführte Variationen.

13. Ein Kunstwerk läßt sich als Verbindung zwischen dem Geist des Künstlers und dem des Betrachters verstehen. Aber es erreicht vielleicht nie den Betrachter, oder verläßt nie den Geist des Künstlers.

14. Die Worte eines Künstlers zu einem anderen können eine Ideenkette auslösen, wenn beide die gleiche Konzeption teilen.

15. Da keine Form ihrer Natur nach einer anderen überlegen ist, kann der Künstler jede gleichwertig benutzen, von (geschriebenen oder gesprochenen) Wörtern bis hin zu physisch Vorhandenem.

16. Wenn Wörter benutzt werden, und sie aus Gedanken über Kunst hervorgehen, dann sind sie Kunst und nicht Literatur; Zahlen sind nicht Mathematik.

17. Alle Ideen sind Kunst, wenn sie sich auf Kunst beziehen und innerhalb der Konventionen von Kunst liegen.

18. Normalerweise glaubt man, die Kunst der Vergangenheit zu verstehen, wenn man die Konventionen der Gegenwart auf sie anwendet; so mißversteht man sie aber.

19. Die Konventionen von Kunst werden durch Kunstwerke verändert.

20. Gelungene Kunst verändert unsere Auffassung von den Konventionen, indem sie unser Erkenntnisvermögen verändert.

21. Das Erkennen von Ideen führt zu neuen Ideen.

22. Der Künstler kann sich seine Kunst nicht vorstellen und sie nicht erkennen, bevor sie nicht vollendet ist.

23. Ein Künstler kann ein Kunstwerk falsch auffassen (anders verstehen als der Künstler, der es gemacht hat), aber durch diese Mißinterpretation dennoch zu eigenen Gedanken angeregt werden.

24. Perception is subjective.

25. The artist may not necessarily understand his own art. His perception is neither better nor worse than that of others.

26. An artist may perceive the art of others better than his own.

27. The concept of a work of art may involve the matter of the piece or the process in which it is made.

28. Once the idea of the piece is established in the artist's mind and the final form is decided, the process is carried out blindly. There are many side-effects that the artist cannot imagine. These may be used as ideas for new works.

29. The process is mechanical and should not be tampered with. It should run its course.

30. There are many elements involved in a work of art. The most important are the most obvious.

31. If an artist uses the same form in a group of works, and changes the material, one would assume the artist's concept involved the material.

32. Banal ideas cannot be rescued by beautiful execution.

33. It is difficult to bungle a good idea.

34. When an artist learns his craft too well he makes slick art.

35. These sentences comment on art, but are not art.

24. Auffassung ist subjektiv.

25. Der Künstler muß nicht unbedingt seine eigene Kunst verstehen. Seine Auffassung ist weder besser noch schlechter als die von anderen.

26. Ein Künstler kann unter Umständen die Kunst von anderen besser verstehen als seine eigene.

27. Die Konzeption eines Kunstwerks kann Gegenstand oder Herstellungsprozeß der Arbeit beinhalten.

28. Wenn sich die Idee der Arbeit erst einmal im Geist des Künstlers festgesetzt hat, und die endgültige Form feststeht, geht der Herstellungsprozeß automatisch vonstatten. Es gibt viele Nebenwirkungen, die der Künstler sich nicht vorstellen kann. Diese können als Ideen für weitere Arbeiten dienen.

29. Der Prozeß ist mechanisch, und man sollte nicht in ihn eingreifen. Er sollte seinen eigenen Verlauf nehmen.

30. In einem Kunstwerk sind viele Elemente enthalten. Die wichtigsten sind die hervorstechendsten.

31. Wenn ein Künstler in einer Reihe von Arbeiten die gleiche Form, aber anderes Material benutzt, sollte man annehmen, daß die Konzeption des Künstlers das Material mit einschließt.

32. Belanglose Ideen kann man nicht durch eine schöne Ausführung retten.

33. Es ist schwierig, eine gute Idee zu verpfuschen.

34. Wenn ein Künstler sein Handwerk zu gut beherrschen lernt, wird seine Kunst glatt.

35. Diese Sätze sind Bemerkungen zu Kunst, keine Kunst.

Robert Morris

Notes on Sculpture

»What comes into appearance must segregate in order to appear.«　　　　Goethe

There has been little definitive writing on present day sculpture. When it is discussed it is often called in to support a broad iconographic or iconological point of view—after the supporting examples of painting have been exhausted. Kubler has raised the objection that iconological assertions presuppose that experiences so different as those of space and time must somehow be interchangeable.[1] It is perhaps more accurate to say, as Barbara Rose has recently written, that specific elements are held in common between the various arts today–an iconographic rather than an iconological point of view. The distinction is helpful, for the iconographer who locates shared elements and themes has a different ambition than the iconologist, who, according to Panofsky, locates a common meaning. There may indeed be a general sensibility in the arts at this time. Yet the histories and problems of each, as well as the experiences offered by each art, indicate involvements in very separate concerns. At most, the assertions of common sensibilities are generalizations which minimize differences. The climactic incident is absent in the work of John Cage and Barnett Newman. Yet it is also true that Cage has consistently supported a methodology of collage which is not present in Newman. A question to be asked of common sensibilities is to what degree they give one a purchase on the experience of the various arts from which they are drawn. Of course this is an irrelevant question for one who approaches the arts in order to find identities of elements or meanings.

In the interest of differences it seems time that some of the distinctions sculpture has managed for itself be articulated. To begin in the broadest possible way it should be stated that the concerns of sculpture have been for some time not only distinct but hostile to those of painting. The clearer the nature of the values of sculpture become the stronger the opposition appears. Certainly the continuing realization of its nature has had nothing to do with any dialectical evolution which painting has enunciated for itself. The primary problematic concerns with which advanced painting has been occupied for about half a century have been structural. The structural element has been gradually revealed to be located within the nature of the literal qualities of the support.[2] It has been a long dialogue with a limit. Sculpture, on the other hand, never

Robert Morris

Bemerkungen über Skulptur

»Was in Erscheinung tritt, muß sich absondern, um zu erscheinen.«   Goethe

Über die gegenwärtige Skulptur ist wenig Entscheidendes geschrieben worden. Erörtert man sie, so bemüht man sie häufig zur Untermauerung eines umfassenderen ikonographischen oder ikonologischen Gesichtspunkts – wenn nämlich die bestätigenden Beispiele aus der Malerei erschöpft sind. Kubler erhob den Einwand, ikonologische Aussagen setzten voraus, daß so unterschiedliche Erfahrungen wie diejenigen von Raum und Zeit irgendwie gegeneinander austauschbar sein müßten.[1] Es wäre vielleicht genauer, zu sagen – wie das Barbara Rose kürzlich geschrieben hat –, daß die verschiedenen Künste heutzutage gewisse spezifische Elemente gemeinsam haben: eher ein ikonographischer als ein ikonologischer Gesichtspunkt. Die Unterscheidung ist hilfreich, denn der Ikonograph, der gemeinsame Elemente und Themen ausfindig macht, hat andere Absichten als der Ikonologe, der, nach Panofsky, eine gemeinsame Bedeutung feststellt. Die Künste mögen zu dieser Zeit in der Tat eine allgemein zutreffende Sensibilität aufweisen. Doch die Geschichte und die Probleme jeder Kunst lassen, wie die von ihnen vermittelten Erfahrungen, Engagements für sehr unterschiedliche Interessen erkennen. Bestenfalls sind die Aussagen über gemeinsame Sensibilitäten Verallgemeinerungen, die die Unterschiede auf ein Minimum herabsetzen. Der Einfluß des Klimatischen fehlt in den Arbeiten John Cages und Barnett Newmans. Doch ebenso trifft zu, daß Cage folgerichtig einer Methodologie der Collage Geltung verschaffte, die sich bei Newman nicht findet. Eine Frage im Zusammenhang mit gemeinsamen Sensibilitäten wäre, in welchem Maß sie einem Handgreifliches über die Erfahrungen derjenigen Künste vermitteln, von denen sie abgeleitet sind. Das ist natürlich eine belanglose Frage für denjenigen, der sich den Künsten zu dem Zweck nähert, Identitäten von Elementen und Bedeutungen zu entdecken.

Um der Unterschiede willen scheint es an der Zeit zu sein, einige der Besonderheiten zur Sprache zu bringen, die sich die Skulptur verschafft hat. Will man auf die umfassendste Weise damit beginnen, wäre festzustellen, daß sich die Interessen der Skulptur zeitweilig nicht nur von denen der Malerei unterscheiden, sondern ihnen sogar feindlich gegenüberstehen. Je deutlicher das Wesen der skulpturellen Werte wird, um so ausgeprägter erscheint der Gegensatz. Sicherlich hat die beständige Verwirklichung dieses Wesens nichts mit einer dialektischen Entwicklung zu tun, wie sie die Malerei

having been involved with illusionism could not possibly have based the efforts of fifty years upon the rather pious, if somewhat contradictory, act of giving up this illusionism and approaching the object. Save for replication, which is not to be confused with illusionism, the sculptural facts of space, light, and materials have always functioned concretely and literally. Its allusions or references have not been commensurate with the indicating sensibilities of painting. If painting has sought to approach the object it has sought equally hard to dematerialize itself on the way. Clearer distinctions between sculpture's essentially tactile nature and the optical sensibilities involved in painting need to be made.

Tatlin was perhaps the first to free sculpture from representation and establish it as an autonomous form both by the kind of image, or rather non-image, he employed and by his literal use of materials. He, Rodchenko, and other Constructivists refuted Apollinaire's observation that »a structure becomes architecture, and not sculpture, when its elements no longer have their justification in nature«. At least the earlier works of Tatlin and other Constructivists made references to neither the figure nor architecture. In subsequent years Gabo, and to a lesser extent Pevsner and Vantongerloo, perpetuated the Constructivist ideal of a non-imagistic sculpture which was independent of architecture. This autonomy was not sustained in the work of the greatest American sculptor, the late David Smith. Today there is a reassertion of the non-imagistic as an essential condition. Although, in passing, it should be noted that this condition has been weakened by a variety of works which, while maintaining the non-imagistic, focus themselves in terms of the highly decorative, the precious, or the gigantic. There is nothing inherently wrong with these qualities; each offers a concrete experience. But they happen not to be relevant experiences for sculpture for they unbalance complex plastic relationships just to that degree that one focuses on these qualities in otherwise non-imagistic works.

The relief has always been accepted as a viable mode. However, it cannot be accepted today as legitimate. The autonomous and literal nature of sculpture demands that it have its own, equally literal space–not a surface shared with painting. Furthermore, an object hung on the wall does not confront gravity; it timidly resists it. One of the conditions of knowing an object is supplied by the sensing of the gravitational force acting upon it in actual space. That is, space with three, not two coordinates. The ground plane, not the wall, is the necessary support for the maximum awareness of the object. One more objection to the relief is the limitation of the number of possible views the wall imposes, together with the constant of up, down, right, left.

Color as it has been established in painting, notably by Olitski and Louis, is a quality not at all bound to stable forms. Michael Fried has pointed out that one of their major efforts has been, in fact, to free color of drawn shape. They have done this by either

für sich in Anspruch nimmt. Vom strukturellen Element wurde allmählich offenbar, daß es wesensmäßig den ursprünglichen Eigenschaften des Ausdrucksträgers zugehört.[2] Es war ein langer Dialog mit einem Endpunkt. Da sich die Skulptur andererseits nie mit dem Illusionismus eingelassen hatte, konnte sie auch unmöglich fünfzig Jahre lang ihre Bestrebungen auf das ziemlich fromme, wenngleich etwas widersprüchliche Geschäft stützen, den Illusionismus loszuwerden und zum Objekt zu gelangen. Abgesehen von der Gegenstandswiedergabe, die nicht mit Illusionismus zu verwechseln ist, waren die skulpturellen Tatbestände von Raum, Licht und Materialien stets konkret und buchstäblich in Geltung. Ihre Anspielungen und Bezugnahmen entsprechen nicht den verweisend-andeutenden Ausdrucksmitteln der Malerei. Wenn die Malerei versucht, dem Objekt näherzukommen, versucht sie gleicherweise, sich darüber zu entmaterialisieren. Es kommt darauf an, deutlichere Unterscheidungen zwischen der wesentlich taktilen Natur der Skulptur und den an der Malerei beteiligten optischen Sensibilitäten zu treffen.

Tatlin befreite vielleicht als erster die Skulptur vom Darstellerischen und etablierte sie als autonome Form, und zwar sowohl durch die Art von Bildhaftigkeit oder eigentlich Nicht-Bildhaftigkeit, wie er sie einsetzte, wie auch durch seinen unverblümten Gebrauch des Materials. Er, Rodčenko und andere Konstruktivisten wiesen die Bemerkung Apollinaires zurück, wonach »eine Struktur zur Architektur, nicht zur Skulptur wird, wenn ihre Elemente keine Rechtfertigung durch die Natur mehr finden«. Zumindest die früheren Arbeiten Tatlins und anderer Konstruktivisten bezogen sich weder auf Figürliches noch auf Architektonisches. In den darauffolgenden Jahren hielten Gabo und in geringerem Maß Pevsner und Vantongerloo das konstruktivistische Ideal einer nicht-bildhaften und zugleich von der Architektur unabhängigen Skulptur hoch. Diese Autonomie erhielt sich nicht in den Arbeiten des größten amerikanischen Bildhauers, des späten David Smith. Heute findet man eine neuerliche Bekräftigung des Nicht-Bildhaften als eine wesentliche Voraussetzung. Obgleich en passant festzuhalten wäre, daß diese Voraussetzung durch eine Vielzahl von Arbeiten unterminiert wurde, die zwar das Nicht-Bildhafte beibehalten, sich aber im Sinn des Hochdekorativen, des Kostbaren, des Gigantischen manifestieren. Diese Eigenschaften haben nichts inhärent Falsches an sich; jede vermittelt eine konkrete Erfahrung. Aber sie sind eben keine belangvollen Erfahrungen des Skulpturellen, denn sie bringen komplexe plastische Verhältnisse bis zu genau dem Grad aus dem Gleichgewicht, daß man sich bei ansonsten nicht-imagistischen Arbeiten auf eben diese Eigenschaften konzentriert.

Das Relief wurde stets als brauchbare Darstellungsweise akzeptiert. Heute allerdings kann man es nicht mehr als legitim gelten lassen. Das autonome und eigentliche Wesen der Skulptur verlangt, daß sie ihren eigenen, gleicherweise buchstäblichen Raum hat – nicht eine Fläche, die sie mit der Malerei gemeinsam hätte. Außerdem setzt sich ein an der Wand hängendes Objekt nicht mit der Schwerkraft auseinander: es entzieht sich ihr furchtsam. Eine der Vorbedingungen dafür, daß man ein Objekt erkennt,

enervating drawing (Louis) or eliminating it totally (recent Olitski) thereby establishing an autonomy for color which was only indicated by Pollock. This transcendence of color over shape in painting is cited here because it demonstrates that it is the most optical element in an optical medium. It is this essentially optical, immaterial, non-containable, non-tactile nature of color which is inconsistent with the physical nature of sculpture. The qualities of scale, proportion, shape, mass, are physical. Each of these qualities is made visible by the adjustment of an obdurate, literal mass. Color does not have this characteristic. It is additive. Obviously things exist as colored. The objection is raised against the use of color which emphasizes the optical and in so doing subverts the physical. The more neutral hues which do not call attention to themselves allow for the maximum focus on those essential physical decisions which inform sculptural works. Ultimately the consideration of the nature of sculptural surfaces is the consideration of light, the least physical element, but one which is as actual as the space itself. For unlike paintings, which are always lit in an optimum way, sculpture undergoes changes by the incidence of light. David Smith in the ›Cubi‹ works has been one of the few to confront sculptural surfaces in terms of light. Mondrian went so far as to claim that »Sensations are not transmissible, or rather, their purely qualitative properties are not transmissible. The same, however, does not apply to relations between sensations ... Consequently only relations between sensations can have an objective value ...« This may be ambiguous in terms of perceptual facts but in terms of looking at art it is descriptive of the condition which obtains. It obtains because art objects have clearly divisible parts which set up the relationships. Such a condition suggests the alternative question: could a work exist which has only one property? Obviously not, since nothing exists which has only one property. A single, pure sensation cannot be transmissible precisely because one perceives simultaneously more than one as parts in any given situation: if color, then also dimension; if flatness, then texture, etc. However, certain forms do exist which, if they do not negate the numerous relative sensations of color to texture, scale to mass, etc., they do not present clearly separated parts for these kinds of relations to be established in terms of shapes. Such are the simpler forms which create strong gestalt sensations. Their parts are bound together in such a way that they offer a maximum resistance to perceptual separation. In terms of solids, or forms applicable to sculpture, these gestalts are the simpler polyhedrons. It is necessary to consider for a moment the nature of three dimensional gestalts as they occur in the apprehension of the various types of polyhedrons. In the simpler regular polyhedrons such as cubes and pyramids one need not move around the object for the sense of the whole, the gestalt, to occur. One sees and immediately ›believes‹ that the pattern within one's mind corresponds to the existential fact of the object. Belief in this sense is both a kind of faith in spatial extension and a visualization of that extension. In other words it is those aspects of apprehension which are not coexistent with the visual field but rather the result of the experience of the visual field. The more specific nature of this belief and how it is formed involve perceptual theories of ›constancy of shape‹,

liefert die Wahrnehmung der im tatsächlichen Raum darauf einwirkenden Schwerkraft. Die Bodenebene, nicht die Wand, ist die notwendige Grundlage für ein maximales Bewußtwerden des Objekts. Ein weiterer Einwand gegen das Relief ist die durch die Wand auferlegte Begrenzung in der Anzahl möglicher Ansichten im Verein mit der Regelmäßigkeit von Oben und Unten, Rechts und Links.

Farbe, wie sie, vor allem durch Olitski und Louis, für die Malerei eingeführt ist, bildet eine überhaupt nicht an stabile Formen gebundene Qualität. Michael Fried hat darauf verwiesen, daß es eines ihrer Hauptarbeiten war, die Farbe von der gezeichneten Form zu befreien. Sie brachten das dadurch zustande, daß sie die Zeichnung entweder kraftlos machten (Louis) oder sie ganz eliminierten (der neuere Olitski) und damit der Farbe eine Autonomie einräumten, die sich einzig bei Pollock angedeutet hatte. Dieses Übergreifen der Farbe über die gezeichnete Form in der Malerei kommt hier deshalb zur Sprache, weil es zeigt, daß sie das optischste Element in einem optischen Medium ist. Eben diese wesentlich optische, immaterielle, nicht zügelbare, nicht-taktile Natur der Farbe ist nicht mit der materiellen Natur der Skulptur zu vereinbaren. Die Qualitäten des Maßstabs, der Proportion, der Gestalt, der Masse sind materiell. Jede dieser Qualitäten wird durch die Gestaltung handfester, buchstäblicher Materie sichtbar gemacht. Farbe weist diese Eigenschaft nicht auf. Sie ist additiv. Offensichtlich existieren die Dinge farblich. Der Einwand richtet sich gegen denjenigen Gebrauch von Farbe, der das Optische hervorhebt und eben dadurch das Materielle untergräbt. Die neutraleren Farbtöne, die nicht die Aufmerksamkeit auf sich ziehen, gestatten ein Maximum an Interesse für jene wesentlichen materiellen Entscheidungen, die für skulpturelle Arbeiten verantwortlich sind. Schließlich zieht man, wenn man das Wesen skulptureller Oberflächen erörtert, das Licht in Betracht: das geringfügigste physikalische Element, das aber so tatsächlich ist wie der Raum selber. Denn anders als bei Gemälden, die stets auf optimale Weise beleuchtet sind, machen Skulpturen unter dem Lichteinfall Veränderungen durch. David Smith war mit seinen *Cubi*-Arbeiten einer der wenigen, die skulpturelle Flächen im Hinblick auf Licht einander zuordneten.

Mondrian ging so weit zu behaupten: »Sinneseindrücke sind nicht übertragbar oder genauer: ihre rein qualitativen Eigenschaften sind nicht übertragbar. Das gleiche gilt jedoch nicht für *Beziehungen* zwischen Sinneseindrücken ... Infolgedessen können nur *Beziehungen* zwischen Sinneseindrücken einen objektiven Wert haben ...« Das mag im Hinblick auf Wahrnehmungsfakten doppeldeutig sein, doch im Hinblick auf die Betrachtung von Kunst ist es bezeichnend für die gültige Voraussetzung. Sie ist gültig, weil Kunstobjekte deutlich unterscheidbare Teile haben, die die Beziehungen zustande bringen. Eine derartige Voraussetzung legt die alternative Frage nahe: Könnte eine Arbeit existieren, die nur eine Eigenschaft aufweist? Offensichtlich nicht, da nichts existiert, das nur eine Eigenschaft hätte. Ein einzelner, reiner Sinneseindruck kann eben deshalb nicht übertragbar sein, weil man immer gleichzeitig mehrere als Bestandteile einer bestimmten Situation empfängt: wenn Farbe, dann auch Ausdehnung; wenn Flächigkeit, dann auch Textur; und so fort. Allerdings existieren doch gewisse Formen,

›tendencies toward simplicity‹, kinesthetic clues, memory traces, and physiological factors regarding the nature of binocular parallax vision and the structure of the retina and brain. Neither the theories nor the experiences of gestalt effects relating to three dimensional bodies are as simple and clear as they are for two dimensions. But experience of solids establishes the fact that, as in flat forms, some configurations are dominated by wholeness, others tend to separate into parts. This becomes clearer if the other types of polyhedrons are considered. In the complex regular type there is a weakening of visualization as the number of sides increases. A 64-sided figure is difficult to visualize, yet because of its regularity one senses the whole, even if seen from a single viewpoint. *Simple* irregular polyhedrons such as beams, inclined planes, truncated pyramids are relatively more easy to visualize and sense as wholes. The fact that some are less familiar than the regular geometric forms does not affect the formation of a gestalt. Rather the irregularity becomes a particularizing quality. Complex irregular polyhedrons (for example, crystal formations) if they are complex and irregular enough can frustrate visualization almost completely, in which case it is difficult to maintain one is experiencing a gestalt. Complex irregular polyhedrons allow for divisibility of parts insofar as they create weak gestalts. They would seem to return one to the conditions of works which, in Mondrian's terms, transmit relations easily in that their parts separate. Complex regular polyhedrons are more ambiguous in this respect. The simpler regular and irregular ones maintain the maximum resistance to being confronted as objects with separate parts. They seem to fail to present lines of fracture by which they could divide for easy part-to-part relationships to be established. I term these simple regular and irregular polyhedrons ›unitary‹ forms. Sculpture involving unitary forms, being bound together as it is with a kind of energy provided by the gestalt, often elicits the complaint among critics that such works are beyond analysis.

Characteristic of a gestalt is that once it is established all the information about it, qua gestalt, is exhausted. (One does not, for example, seek the gestalt of a gestalt.) Furthermore, once it is established it does not disintegrate. One is then both free of the shape and bound to it. Free or released because of the exhaustion of information about it, as shape, and bound to it because it remains constant and indivisible.

Simplicity of shape does not necessarily equate with simplicity of experience. Unitary forms do not reduce relationships. They order them. If the predominant, hieratic nature of the unitary form functions as a constant, all those particularizing relations of scale, proportion, etc., are not thereby canceled. Rather they are bound more cohesively and indivisibly together. The magnification of this single most important sculptural value, shape, together with greater unification and integration of every other essential sculptural value makes on the one hand, the multipart, inflected formats of past sculpture extraneous, and on the other, establishes both a new limit and a new freedom for sculpture.

die, wenn sie schon nicht die zahlreichen relativen Sinneseindrücke von Farbe und Textur, Maßstab und Masse und dergleichen negieren, doch keine voneinander getrennten Teile für derartige, im Sinn von Gestalten auszumachende Beziehungen zu erkennen geben. Dies sind die einfacheren Formen, die nachhaltige ›Gestalt‹-Eindrücke entstehen lassen. Ihre Teile sind derart miteinander verbunden, daß sie der Trennung in der Wahrnehmung ein Maximum an Widerstand leisten. Im Sinn fester Körper oder skulpturell anwendbarer Formen sind diese ›Gestalten‹ die einfacheren Polyeder. Es ist nötig, einen Augenblick lang das Wesen dreidimensionaler Gestalten zu bedenken, wie sie beim Erfassen der verschiedenen Polyedertypen auftreten. Bei den einfacheren regelmäßigen Polyedern wie Kuben und Pyramiden braucht man sich nicht um das Objekt herumzubewegen, damit der Eindruck des Ganzen, der Gestalt entsteht. Man sieht hin und ›glaubt‹ augenblicklich, daß das geistige Muster, das man in sich hat, mit dem existentiellen Faktum des Objekts übereinstimmt. Glaube in diesen Sinn ist sowohl ein Verlaß auf räumliche Ausdehnung wie eine Visualisierung jener Ausdehnung. Mit anderen Worten: Es handelt sich um jene Aspekte des Erfassens, die nicht mit dem Gesichtsfeld koexistent, sondern eher das Resultat aus der Gesichtsfelderfahrung sind. Zum spezifischen Wesen dieses Glaubens und seines Zustandekommens gehören Wahrnehmungstheorien über ›Formkonstanz‹, ›Vereinfachungstendenzen‹, kinästhetische Anhaltspunkte, Gedächtnisspuren und physikalische Faktoren im Hinblick auf die Zwei-Augen-Parallaxe des Sehens und auf die Struktur von Netzhaut und Gehirn. Weder die Theorien noch die Erfahrungen mit ›Gestalt‹-Wirkungen bei dreidimensionalen Körpern sind so einfach und eindeutig wie diejenigen von zwei Dimensionen. Doch die Erfahrung fester Körper bestätigt die Tatsache, daß, wie bei flachen Formen, gewisse Konfigurationen einer Ganzheit untergeordnet sind, während andere dazu tendieren, sich in Teile zu zerlegen. Dies wird klarer, wenn man die anderen Polyedertypen in Betracht zieht. Beim komplexen regelmäßigen Typus schwächt sich die Visualisierung im selben Maß ab, wie die Zahl der Seiten zunimmt. Eine vierundsechzigseitige Figur ist schwer zu visualisieren, doch dank ihrer Regelmäßigkeit bekommt man ein Gespür für das Ganze, auch wenn man es nur unter einem Blickwinkel sieht. *Einfache* unregelmäßige Polyeder wie Balken, schiefe Ebenen, abgestumpfte Pyramiden sind verhältnismäßig einfacher zu visualisieren und als Ganzheiten zu erkennen. Der Umstand, daß einige von ihnen weniger vertraut sind als die regelmäßigen geometrischen Formen, wirkt sich nicht auf das Zustandekommen einer ›Gestalt‹ aus. Vielmehr wird die Unregelmäßigkeit zu einer spezifizierenden Eigenschaft. Komplexe unregelmäßige Polyeder (beispielsweise Kristallbildungen) können, falls sie genügend komplex und unregelmäßig sind, die Visualisierung fast vollständig vereiteln, und in diesem Fall ist es schwierig zu behaupten, man mache eine ›Gestalt‹-Erfahrung. Komplexe unregelmäßige Polyeder lassen insofern die Zerlegung in Teile zu, als sie schwache ›Gestalten‹ zustande bringen. Sie führen einen offenbar zu den Voraussetzungen von Arbeiten zurück, die, im Sinn Mondrians insofern Beziehungen leicht übertragen, als sich ihre Teile voneinander abheben. Komplexe regelmäßige Polyeder sind in diesem Betracht

vieldeutiger. Die einfacheren regelmäßigen und unregelmäßigen leisten ein Maximum an Widerstand dagegen, daß man ihnen als Objekten mit getrennten Teilen begegnet. Sie bieten offenbar keine Bruchlinien dar, entlang denen man sie zerlegen könnte, um sinnfällige Teil-zu-Teil-Beziehungen herzustellen. Ich bezeichne diese einfachen regelmäßigen und unregelmäßigen Polyeder als ›einheitliche‹ Formen. Skulpturen aus einheitlichen Formen, die so miteinander verbunden sind, als geschehe es durch eine von der ›Gestalt‹ bereitgestellte Energie, lösen bei Kritikern häufig Klagen aus, solche Arbeiten entzögen sich der Analyse. Charakteristisch für eine ›Gestalt‹ ist, daß in dem Augenblick, da sie zustande gekommen ist, alle Informationen über sie qua ›Gestalt‹ ausgeschöpft sind. (Man sucht beispielsweise nicht nach der ›Gestalt‹ einer ›Gestalt‹.) Sowie sie einmal besteht, zerfällt sie außerdem nicht wieder. Man ist also sowohl frei von der Form wie an sie gebunden. Frei oder gelöst deshalb, weil die Informationen über sie als Form ausgeschöpft sind; und daran gebunden, weil sie konstant und unteilbar bleibt.

Einfachheit der Form ist nicht notwendig das gleiche wie Einfachheit der Erfahrung. Einheitliche Formen verringern nicht die Beziehungen. Sie ordnen sie. Fungiert das beherrschende, hierarchische Wesen der einheitlichen Form als Konstante, werden dadurch nicht all jene Eigentümlichkeit bewirkenden Beziehungen des Maßstabs, der Proportion und dergleichen abgeschafft. Sie werden vielmehr enger und unlösbarer miteinander verknüpft. Die Verherrlichung dieses wichtigsten skulpturellen Einzelwerts, der Form, macht im Verein mit größerer Vereinheitlichung und mit stärkerer Integration aller anderen wesentlichen skulpturellen Werte einerseits die vielteiligen, modulatorischen Erscheinungen vergangener Bildhauerei zu etwas Fremdem und verschafft andererseits der Skulptur sowohl eine neue Grenze wie eine neue Freiheit.

Q: Why didn't you make it larger so that it would loom over the observer?
A: I was not making a monument.
Q: Then why didn't you make it smaller so that the observer could see over the top?
A: I was not making an object.
— Toni Smith's replies to questions about his six-foot steel cube.

The size range of useless three-dimensional things is a continuum between the monument and the ornament. Sculpture has generally been thought of as those objects not at the polarities but falling between. The new work being done today falls between the extremes of this size continuum. Because much of it presents an image of neither figurative nor architectonic reference, the works have been described as "structures" or "objects". The word structure applies to either anything or to how a thing is put together. Every rigid body is an object. A particular term for the new work is not as important as knowing what its values and standards are.

In the perception of relative size the human body enters into the total continuum of sizes and establishes itself as a constant on that scale. One knows immediately what is smaller and what is larger than himself. It is obvious yet important to take note of the fact that things smaller than ourselves are seen differently than things larger. The quality of intimacy is attached to an object in a fairly direct proportion as its size diminishes in relation to oneself. The quality of publicness is attached in proportion as the size increases in relation to oneself. This holds true so long as one is regarding the whole of a large thing and not a part. The qualities of publicness or privateness are imposed on things. This is due to our experience in dealing with objects which move away from the constant of our own size in increasing or decreasing dimension. Most ornaments from the past, Egyptian glassware, Romanesque ivories, etc., consciously exploit the intimate mode by highly resolved surface incident. The awareness that surface incident is always attended to in small objects allows for the elaboration of fine detail to sustain itself. Large sculptures from the past which exist now only in small fragments invite our vision to perform a kind of magnification (sometimes literally performed by the photograph) which gives surface variation on these fragments the quality of detail which it never had in the original whole work. The intimate mode is essentially closed, spaceless, compressed, and exclusive.

While specific size is a condition that structures one's response in terms of the more or less public or intimate, enormous objects in the class of monuments elicit a far more specific response to size qua size. That is, besides providing the condition for a set of responses, large-sized objects exhibit size more specifically as an element. It is the more conscious appraisal of size in monuments that makes for the quality of "scale". The

II

Frage: Warum haben Sie es nicht größer gemacht, so daß es den Betrachter drohend überragt?
Antwort: Ich habe kein Monument gemacht.
Frage: Warum haben Sie es dann nicht kleiner gemacht, so daß der Betrachter darüber hinweg sehen kann?
Antwort: Ich habe kein Objekt gemacht.
Tony Smiths Antworten auf Fragen bezüglich seines 180-Zentimeter-Stahlkubus

Der Größenspielraum nutzloser dreidimensionaler Dinge ist ein Kontinuum zwischen dem Monument und dem Ornament. Im allgemeinen versteht man unter Skulptur jene Objekte, die nicht an den äußersten Polen liegen, sondern dazwischenfallen. Die neuen Arbeiten, die heute geschaffen werden, liegen zwischen den Extremen dieses Größenkontinuums. Da vieles davon eine Bildlichkeit vor Augen führt, die weder einen figurativen noch einen architektonischen Bezug hat, bezeichnet man die Arbeiten als ›Strukturen‹ oder ›Objekte‹. Das Wort Struktur ist entweder auf alles anwendbar oder auf die Art und Weise, wie ein Ding zusammengesetzt ist. Jeder feste Körper ist ein Objekt. Ein besonderer Terminus für die neuen Arbeiten ist nicht so wichtig wie die Erkenntnis, welches ihre Werte und Normen sind.

Bei der Wahrnehmung relativer Größe fügt sich der menschliche Körper in das Gesamtkontinuum der Größen ein und etabliert sich auf jener Skala als eine Konstante. Jemand weiß augenblicklich, was kleiner und was größer ist als er selber. Es ist ganz offenkundig, doch wichtig, dem Umstand Beachtung zu schenken, daß wir Dinge, die kleiner sind als wir selber, anders sehen als solche, die größer sind. Die Eigenschaft der Intimität kommt einem Objekt in ziemlich direkter Proportion entsprechend dem Grad zu, wie seine Größe relativ zu uns abnimmt. Die Eigenschaft des Öffentlichen wächst in eben dem Maß, wie die Größe relativ zu uns zunimmt. Die trifft so lange zu, wie man das Ganze eines großen Gegenstands ins Auge faßt und nicht nur einen Teil. Die Eigenschaften des Öffentlichen und des Privaten werden den Dingen auferlegt. Das geht auf unsere Erfahrung im Umgang mit Objekten zurück, die sich in zunehmender oder abnehmender Dimension von der Konstante unserer eigenen Größe wegbewegen. Die meisten Ornamente der Vergangenheit, ägyptische Glasarbeiten, romanische Elfenbeinschnitzereien und dergleichen, bedienen sich vermittels höchst aufgelockerter Oberflächenbeschaffenheit des intimen Modus. Die Erkenntnis, daß bei kleinen Gegenständen immer die Oberflächenbeschaffenheit Aufmerksamkeit erweckt, ist für die Ausarbeitung feiner Details um ihrer selbst willen verantwortlich. Große Skulpturen der Vergangenheit, die jetzt nur noch in kleinen Fragmenten existieren, laden unser Vorstellungsvermögen ein, eine Art Vergrößerung vorzunehmen (die zuweilen durch die Fotografie buchstäblich angefertigt sind), die der Oberflächenstruktur dieser Frag-

awareness of scale is a function of the comparison made between that constant, one's body size, and the object. Space between the subject and the object is implied in such a comparison. In this sense space does not exist for intimate objects. A larger object includes more of the space around itself than does a smaller one. It is necessary literally to keep one's distance from large objects in order to take the whole of any one view into one's field of vision. The smaller the object the closer one approaches it and, therefore, it has correspondingly less of a spatial field in which to exist for the viewer. It is this necessary greater distance of the object in space from our bodies, in order that it be seen at all, that structures the non-personal or public mode. However, it is just this distance between object and subject which creates a more extended situation, for physical participation becomes necessary. Just as there is no exclusion of literal space in large objects, neither is there an exclusion of the existing light.

Things on the monumental scale then include more terms necessary for their apprehension than objects smaller than the body, namely, the literal space in which they exist and the kinesthetic demands placed upon the body.

A simple form such as a cube will necessarily be seen in a more public way as its size increases from that of our own. It accelerates the valence of intimacy as its size decreases from that of one's own body. This is true even if the surface, material, and color are held constant. In fact it is just these properties of surface, color, material, which get magnified into details as size is reduced. Properties which are not read as detail in large works become detail in small works. Structural divisions in work of any size are another form of detail. (I have discussed the use of a strong gestalt or of unitary-type forms to avoid divisiveness and set the work beyond retardataire Cubist esthetics in *Notes on Sculpture, Part 1*.)* There is an assumption here of different kinds of things becoming equivalent. The term "detail" is used here in a special and negative sense and should be understood to refer to all factors in a work which pull it toward intimacy by allowing specific elements to separate from the whole, thus setting up relationships within the work. Objections to the emphasis on color as a medium foreign to the physicality of sculpture have also been raised previously, but in terms of its function as a detail a further objection can be raised. That is, intense color, being a specific element, detaches itself from the whole of the work to become one more internal relationship. The same can be said of emphasis on specific, sensuous material or impressively high finishes. A certain number of these intimacy-producing relations have been gotten rid of in the new sculpture. Such things as process showing through traces of the artist's hand have obviously been done away with. But one of the worst and most pretentious of these intimacy-making situations in some of the new work is the scientistic element which shows up generally in the application of mathematical or engineering concerns to generate or inflect images. This may have worked brilliantly for Jasper Johns (and he is the prototype for this kind of thinking) in his number and alphabet

mente etwas Detailliertes verleiht, wie es am originalen Gesamtwerk niemals vorhanden war. Der intime Modus ist wesentlich geschlossen, raumlos, gedrängt und exklusiv.

Obgleich die jeweilige Größe eine Bedingung ist, die jemandes Reaktion im Sinn des mehr oder weniger Öffentlichen oder Privaten strukturiert, rufen gewaltige Objekte aus der Klasse der Monumente eine weit spezifischere Reaktion auf Größe qua Größe hervor. Das besagt, daß großformatige Objekte nicht nur die Voraussetzung für einen Komplex an Reaktionen liefern, sondern die Größe auf spezifischere Weise als Element vor Augen führen. Die bewußtere Bewertung der Größe bei Monumenten ist für die Eigenschaft des ›Ausmaßes‹ verantwortlich. Die Wahrnehmung von Ausmaß ist eine Funktion des Vergleichs, den man zwischen jener Konstante, der eigenen Körpergröße, und dem Objekt anstellt. Der Abstand, der Raum zwischen dem Subjekt und dem Objekt, kommt bei einem derartigen Vergleich mit ins Spiel. In diesem Sinn gibt es für intime Objekte keinen Raum. Ein größeres Objekt bezieht mehr von dem es umgebenden Raum in sich ein als ein kleineres. Es ist buchstäblich unerläßlich, den Abstand gegenüber großen Objekten zu wahren, um aus jedem Blickwinkel heraus das Ganze ins Blickfeld zu bekommen. Je kleiner das Objekt ist, um so näher tritt man an es heran, und es hat infolgedessen ein geringeres räumliches Feld, in dem es für den Betrachter existiert. Eben jener notwendige größere Abstand und Zwischenraum zwischen dem Objekt und unserem Körper – wenn man das Objekt überhaupt sehen will – strukturiert den unpersönlichen oder öffentlichen Modus. Allerdings erzeugt gerade dieser Abstand zwischen Objekt und Subjekt eine umfassendere Situation, denn dabei wird eine physische Anteilnahme notwendig. Wie es bei großen Objekten kein Absehen vom tatsächlichen Raum gibt, so gibt es auch kein Absehen vom vorhandenen Licht.

Dinge von monumentalem Ausmaß weisen so mehr unerläßliche Elemente für ihr Erfassen auf als Objekte unterhalb der Körpergröße, nämlich den buchstäblichen Raum, in dem sie existieren, und die dem Körper auferlegten kinästhetischen Erfordernisse.

Eine einfache Form wie etwa ein Kubus wird notwendig auf öffentlichere Weise gesehen, wenn seine Größe über die unsrige hinausreicht. Und die Wertigkeit des Intimen erhöht sich, wenn ihre Größe unter diejenige unseres eigenen Körpers sinkt. Das trifft selbst dann noch zu, wenn Oberfläche, Material und Farbe konstant gehalten werden. In Wirklichkeit sind es gerade diese Eigenschaften der Oberfläche, der Farbe und des Materials, die bei einem Abnehmen der Größe Beachtung als Details finden. Eigenschaften, die man bei großen Arbeiten nicht als solche versteht, werden in kleinen Arbeiten zu Details. Strukturelle Unterteilungen in Arbeiten jeglicher Größe sind eine weitere Form des Details. (Ich habe oben die Verwendung einer deutlichen Gestalt oder von Formen des einheitlichen Typus zur Vermeidung der Unterteilbarkeit erörtert und damit das Kunstwerk über eine verspätete kubistische Ästhetik hinausgeführt.) Hier liegt die Annahme zugrunde, daß verschiedene Arten von Dingen gleichwertig werden. Der Ausdruck ›Detail‹ ist hier in speziellem und negativem Sinn verwendet, und man sollte ihn so verstehen, daß er alle Faktoren in einer Arbeit benennt, die sie insofern in Richtung Intimität ziehen, als sie zulassen, daß sich bestimmte Elemente

paintings, in which the exhaustion of a logical system closes out and ends the image and produces the picture. But appeals to binary mathematics, tensegrity techniques, mathematically derived modules, progressions, etc., within a work are only another application of the Cubist esthetic of having reasonableness or logic for the relating parts. The better new work takes relationships out of the work and makes them a function of space, light, and the viewer's field of vision. The object is but one of the terms in the newer esthetic. It is in some way more reflexive because one's awareness of oneself existing in the same space as the work is stronger than in previous work, with its many internal relationships. One is more aware than before that he himself is establishing relationships as he apprehends the object from various positions and under varying conditions of light and spatial context. Every internal relationship, whether it be set up by a structural division, a rich surface, or what have you, reduces the public, external quality of the object and tends to eliminate the viewer to the degree that details pull him into an intimate relation with the work and out of the space in which the object exists.

Much of the new sculpture makes a positive value of large size. It is one of the necessary conditions of avoiding intimacy. Larger than body size has been exploited in two specific ways: either in terms of length or of volume. The objection to current work of large volume as monolith is a false issue. It is false not because identifiable hollow material is used—this can become a focused detail and an objection in its own right—but because no one is dealing with obdurate solid masses and everyone knows this. If larger than body size is necessary to the establishment of the more public mode, nevertheless it does not follow that the larger the object the better it does this. Beyond a certain size the object can overwhelm and the gigantic scale becomes the loaded term. This is a delicate situation. For the space of the room itself is a structuring factor both in its cubic shape and in terms of the kinds of compression different sized and proportioned rooms can effect upon the object-subject terms. That the space of the room becomes of such importance does not mean that an environmental situation is being established. The total space is hopefully altered in certain desired ways by the presence of the object. It is not controlled in the sense of being ordered by an aggregate of objects or by some shaping of the space surrounding the viewer. These considerations raise an obvious question. Why not put the work outside and further change the terms? A real need exists to allow this next step to become practical. Architecturally designed sculpture courts are not the answer nor is the placement of work outside cubic architectural forms. Ideally, it is a space without architecture as background and reference, that would give different terms to work with.

While all the esthetic properties of work which exists in a more public mode have not yet been articulated, those which have been dealt with here seem to have a more variable nature than the corresponding esthetic terms of intimate works. Some of the

vom Ganzen lösen und damit innerhalb der Arbeiten Beziehungen zustande kommen. Einwände gegen das Herausstreichen der Farbe als eines Mediums, das der Materialität der Skulptur in Wirklichkeit fremd ist, wurden ebenfalls bereits vorgebracht, doch im Hinblick auf ihre Funktion als Detail läßt sich ein weiterer Einwand erheben. Nämlich dieser: Intensive Farbe als spezifisches Element löst sich vom Ganzen der Arbeit ab, um zu einer weiteren internen Beziehung zu werden. Das gleiche läßt sich von einem spezifischen, kulinarischen Material oder von eindrucksvoll glänzenden Polituren sagen. Eine gewisse Anzahl dieser Intimität erzeugenden Beziehungen ist man in der neuen Skulptur losgeworden. Dinge wie das Sichtbarwerden des Herstellungsprozesses durch Spuren der ›Handschrift‹ des Künstlers hat man offensichtlich hinter sich. Doch eine der übelsten und prätentiösesten dieser für Intimität verantwortlichen Situationen in gewissen Beispielen neuer Arbeiten ist das szientistische Element, das sich im allgemeinen in der Anwendung mathematischer oder technischer Prinzipien zur Erzeugung oder zur Modulation von Bildern manifestiert. Das mag sich glänzend für Jasper Johns (und er ist der Prototyp dieser Denkweise) bei seinen Zahlen- und Alphabetbildern bewährt haben, in denen die Ausschöpfung eines logischen Systems die Bildhaftigkeit ausschließt und beendet und das Gemälde hervorbringt. Doch Bezugnahmen auf binäre Mathematik, Tensegritätstechniken, mathematisch abgeleitete Module, Progressionen und dergleichen innerhalb einer Arbeit sind nichts als eine neuerliche Anwendung der kubistischen Ästhetik, den aufeinander bezogenen Teilen Vernünftigkeit oder Logik zu verschaffen. Die besseren neuen Arbeiten nehmen die Beziehungen aus der Arbeit selber heraus und machen sie zu einer Funktion des Raums, des Lichts und des Beschauergesichtsfelds. Das Objekt ist in der neueren Ästhetik nur eines der Elemente. Auf gewisse Weise ist es reflexiver, weil das Gewahrwerden, daß man im selben Raum existiert wie die Arbeit, stärker als bei früheren Werken mit ihren zahlreichen inneren Beziehungen ist. Man erkennt deutlicher als ehedem, daß man selber die Beziehungen herstellt, indem man das Objekt aus verschiedenen Positionen und unter wechselnden Lichtbedingungen und räumlichen Zusammenhängen erfaßt. Jede innere Beziehung, komme sie durch eine strukturelle Unterteilung, durch eine reich gegliederte Oberfläche oder was immer zustande, beeinträchtigt die öffentliche, äußere Qualität der Arbeit und tendiert dazu, den Betrachter bis zu dem Punkt auszuschließen, daß ihn die Details in eine intime Beziehung zu der Arbeit zerren und ihn aus dem Raum herausreißen, in dem das Objekt existiert.

Viele Beispiele der neuen Skulptur gewinnen dem Großformat positiven Wert ab. Es ist eine der notwendigen Vorbedingungen dafür, Intimität zu vermeiden. Das über die Körpergröße hinausgehende Format findet auf zwei spezifische Weisen Anwendung: entweder im Sinn der Länge oder in dem des Volumens. Der Einwand gegen zeitgenössische Arbeiten von großem Volumen, sie seien monolithisch, ist nicht deshalb falsch, weil erkennbar hohles Material verwendet wird – dies kann zu einem hervorgehobenen Detail werden und damit einen gesonderten Einwand möglich machen –, sondern weil sich niemand mit widerspenstigen festen Massen einläßt und jedermann

best of the new work, being more open and neutral in terms of surface incident, is more sensitive to the varying context of space and light in which it exists. It reflects more acutely these two properties and is more noticeably changed by them. In some sense it takes these two things into itself as its variation is a function of their variation. Even its most patently unalterable property, shape, does not remain constant. For it is the viewer who changes the shape constantly by his change in position relative to the work. Oddly, it is the strength of the constant, known shape, the gestalt, which allows this awareness to become so much more emphatic in these works than in previous sculpture. A baroque figurative bronze is different from every side. So is a six-foot cube. The constant shape of the cube held in the mind, but which the viewer never literally experiences, is an actuality against which the literal changing perspective views are related. There are two distinct terms: the known constant and the experienced variable. Such a division does not occur in the experience of the bronze.

While the work must be autonomous in the sense of being a self-contained unit for the formation of the gestalt, the indivisible and undissolvable whole, the major esthetic terms are not in but dependent upon this autonomous object and exist as unfixed variables which find their specific definition in the particular space and light and physical viewpoint of the spectator. Only one aspect of the work is immediate: the apprehension of the gestalt. The experience of the work necessarily exists in time. *The intention is diametrically opposed to Cubism with its concern for simultaneous views in one plane.* Some of the new work has expanded the terms of sculpture by a more emphatic focusing on the very conditions under which certain kinds of objects are seen. The object itself is carefully placed in these new conditions to be but one of the terms. The sensuous object, resplendent with compressed internal relations has had to be rejected. That many considerations must be taken into account in order that the work keep its place as a term in the expanded situation hardly indicates a lack of interest in the object itself. But the concerns now are for more control of and/or cooperation of the entire situation. Control is necessary if the variables of object, light, space, body, are to function. The object itself has not become less important. It has merely become less *self*-important. By taking its place as a term among others the object does not fade off into some bland, neutral, generalized or otherwise retiring shape. At least most of the new works do not. Some, which generate images so readily by innumerably repetitive modular units do perhaps bog down in a form of neutrality. Such work becomes dominated by its own means through the overbearing visibility of the modular unit. So much of what is positive in giving to shapes the necessary but non-dominating, non-compressed presence has not yet been articulated. Yet much of the judging of these works seems based on the sensing of the rightness of the specific, non-neutral weight of the presence of a particular shape as it bears on the other necessary terms.

The particular shaping, proportions, size, surface of the specific object in question are still critical sources for the particular quality the work generates. But it is now not

das weiß. Falls ein Format über Körpergröße für das Zustandekommen des mehr öffentlichen Modus unerläßlich ist, folgt daraus dennoch nicht, daß dies einem Objekt um so besser gelingt, je größer es ist. Jenseits einer bestimmten Größe kann das Objekt überwältigend und das gigantische Ausmaß zum überladenen Element werden. Dies ist eine heikle Situation. Denn die Gestalt des Raums selber ist ein strukturierender Faktor, und zwar sowohl durch ihre kubische Beschaffenheit wie auch im Sinn der verschiedenartigen Verdichtung, mit der sich unterschiedlich große und unterschiedliche proportionierte Räume auf das Objekt-Subjekt-Verhältnis auswirken können. Daß die Gestalt des Raums eine solche Bedeutung gewinnt, besagt nicht, daß sich eine Environment-Situation herstellt. Der Gesamtraum wird, so steht zu hoffen, durch die Anwesenheit des Objekts auf eine bestimmte erwünschte Weise verändert. Er wird nicht in dem Sinn beeinflußt, daß man ihn durch eine Anhäufung von Objekten oder durch eine Gestaltung der Betrachterumgebung ordnet. Diese Überlegungen werfen eine naheliegende Frage auf: Warum die Arbeit nicht im Freien aufstellen und die Elemente noch mehr verändern? Es besteht ein wirkliches Bedürfnis, das es gestattet, diesen nächsten Schritt in die Praxis umzusetzen. Architektonisch angelegte Skulpturhöfe sind keine Lösung, ebensowenig ist es die Aufstellung von Arbeiten vor kubischen Architekturformen. Ideal wäre ein Freiraum ohne Architektur als Hintergrund und Bezugspunkt; er lieferte andere Elemente, mit denen zu arbeiten wäre.

Obgleich sämtliche ästhetischen Eigenschaften von Arbeiten, die auf mehr öffentliche Weise existieren, noch nicht zur Sprache gekommen sind, scheinen doch jene, von denen hier die Rede war, von variablerer Natur zu sein als die entsprechenden ästhetischen Elemente intimer Arbeiten. Einiges vom Besten unter den neuen Arbeiten ist offener und im Hinblick auf die Oberflächenbeschaffenheit neutraler und daher empfänglicher für die wechselnden Kontexte des Raums und des Lichts, in denen es existiert. Es spiegelt nachhaltiger diese beiden Eigenschaften und wird merklicher von ihnen verändert. In gewissem Sinn nimmt es diese beiden Dinge in sich auf, da seine Veränderung eine Funktion ihrer Veränderung ist. Selbst seine offenbar unveränderlichste Eigenschaft, die Gestalt, bleibt nicht konstant. Denn der Betrachter selber verändert beständig die Gestalt, indem er seine Position relativ zur Arbeit wechselt. Seltsamerweise gestattet es gerade die Kraft der konstanten, bekannten Gestalt, daß sich ein solches Bewußtsein bei diesen Arbeiten stärker geltend macht als bei der früheren Skulptur. Eine figurative Barockbronze sieht von jeder Seite anders aus. Ebenso ein 180-Zentimeter-Kubus. Die konstante Gestalt des Kubus behält man im Gedächtnis; was aber der Betrachter niemals buchstäblich erfährt, ist eine Gegebenheit, auf die sich die buchstäblich wechselnde Perspektive bezieht. Es gibt zwei unterschiedliche Bedingungen: die bekannte Konstante und die erfahrene Variable. Eine derartige Trennung findet bei der Erfahrung der Bronze nicht statt. Obgleich die Arbeit autonom im Sinn einer selbständigen Einheit für das Zustandekommen der ›Gestalt‹, des unteilbaren und unauflöslichen Ganzen sein muß, liegen die ästhetischen Hauptbedingungen nicht in diesem autonomen Objekt, sie sind vielmehr von ihm abhängig und existieren als nicht

possible to separate these decisions, which are relevant to the object as a thing in itself, from those decisions external to its physical presence. For example, in much of the new work in which the forms have been held unitary, placement becomes critical as it never was before in establishing the particular quality of the work. A beam on its end is not the same as the same beam on its side.

It is not surprising that some of the new sculpture which avoids varying parts, polychrome, etc., has been called negative, boring, nihilistic. These judgments arise from confronting the work with expectations structured by a Cubist esthetic in which what is to be had from the work is located strictly within the specific object. The situation is now more complex and expanded.

fixierte Variablen, die ihre spezifische Definition im jeweiligen Raum und Licht und im physischen Blickpunkt des Betrachters erfahren. Nur ein Aspekt der Arbeit ist unvermittelt: das Erfassen der ›Gestalt‹. Die Erfahrung der Arbeit geschieht notwendig zeitlich. *Die Intention steht diametral dem Kubismus mit seinem Streben nach simultanen Ansichten auf einer Fläche entgegen.* Einiges unter den neuen Arbeiten erweiterte die Elemente der Skulptur dadurch, daß es sich nachdrücklicher auf eben die Umstände konzentrierte, unter denen bestimmte Objektarten gesehen werden. Das Objekt selber ist sorgfältig in diese neuen Umstände einbezogen, so daß es nur eine der Elemente bildet. Das kulinarische, mit verdichteten inneren Beziehungen prunkende Objekt war zurückzuweisen. Daß viele Erwägungen zu berücksichtigen sind, damit die Arbeit ihre Position als ein Element in der erweiterten Situation behauptet, zeigt kaum ein mangelndes Interesse am Objekt selber an. Doch jetzt richtet sich das Interesse mehr auf die Kontrolle der Gesamtsituation beziehungsweise auf deren Koordination. Kontrolle ist unerläßlich, sollen die Variablen des Objekts, des Raums, des Lichts, des Körpers richtig ins Spiel kommen. Das Objekt selber ist nicht unwichtiger geworden. Es hat nur etwas von seiner *Eigen*bedeutung verloren. Indem es seine Position als eine Bedingung unter anderen bezieht, verflüchtigt sich das Objekt nicht zu einer gefälligen, neutralen, verallgemeinerten oder sonstwie zurückhaltenden Gestalt. Zumindest bei den meisten neuen Arbeiten ist das nicht der Fall. Einige, die durch zahllose, sich wiederholende Moduleinheiten so mühelos Bilder erzeugen, bleiben vielleicht in einer Form von Neutralität stecken. Derartige Arbeiten geraten dank der übermäßigen Sichtbarkeit der Moduleinheit unter die Herrschaft ihrer eigenen Mittel. So vieles von dem, was positiv daran mitwirkt, Gestalten die notwendige, doch nicht-beherrschende, nicht-verdichtete Präsenz zu verleihen, ist noch nicht artikuliert. Dennoch stützt sich in der Beurteilung dieser Arbeiten vieles auf die Einsicht, daß das spezifische, nicht-neutrale Präsenzgewicht einer bestimmten Gestalt in ihrem Bezug zu den anderen notwendigen Bedingungen zu Recht besteht.

Die bestimmte Gestaltung, die Proportionen, die Größe, die Oberfläche des jeweiligen zur Debatte stehenden Objekts sind noch immer entscheidende Elemente für die von der Arbeit erzeugte Qualität. Doch jetzt ist es nicht möglich, diese Entscheidungen, die von Belang für das Objekt als Ding an sich sind, von denjenigen zu trennen, die seiner physischen Präsenz äußerlich sind. Beispielsweise wird für viele neuen Arbeiten, in denen die Formen einheitlich gehalten sind, die Aufstellung so wesentlich für das Zustandekommen der spezifischen Qualität einer Arbeit, wie sie es vorher nie war. Ein aufrecht stehender Balken ist nicht dasselbe wie derselbe Balken im Liegen.

Es überrascht nicht, daß man einige Arbeiten der neuen Skulptur, die auf unterschiedliche Teile, Polychromie und dergleichen verzichten, negativ, langweilig, nihilistisch genannt hat. Diese Urteile rühren daher, daß die Arbeiten auf Erwartungen trafen, die durch eine kubistische Ästhetik, nach der alles, was man der Arbeit abgewinnen kann, strikt innerhalb des Objekts angesiedelt ist. Jetzt ist die Situation komplexer und umgreifender.

III

Seeing an object in real space may not be a very immediate experience. Aspects are experienced; the whole is assumed or constructed. Yet it is the presumption that the constructed 'thing' is more real than the illusory and changing aspects afforded by varying perspective views and illumination. We have no apprehension of the totality of an object other than what has been constructed from incidental views under various conditions. Yet this process of 'building' the object from immediate sense data is homogeneous: there is no point in the process where any conditions of light or perspective indicate a realm of existence different from that indicated by other views under other conditions. The presumption of constancy and consistency makes it possible to speak of 'illusionism' at all. It is considered the less than general condition. In fact, illusionism in the seeing of objects is suppressed to an incidental factor.

Structures. Such work is often related to other focuses but further, or more strongly, emphasizes its 'reasons' for parts, inflections, or other variables. The didacticism of projected systems or added information beyond the physical existence of the work is either explicit or implicit. Sets, series, modules, permutations, or other simple systems are often made use of. Such work often transcends its didacticism to become rigorous. Sometimes there is a puritanical scepticism of the physical in it. The lesser work is often stark and austere, rationalistic and insecure.

While most advanced three-dimensional work shares certain premises, distinctions can be made between works. Certain ambitions and intentions vary and can be named. Terms indicating tendencies can be attempted on the basis of there different aims. While the terms arrived at do not constitute classes of objects which are exclusive of each other, they locate distinct focuses.

Objects. Generally small in scale, definitively object-like, potentially handleable, often intimate. Most have high finish and emphasize surface. Those which are monistic or structurally undivided set up internal relations through juxtapositions of materials or sometimes by high reflectiveness incorporating part of the surroundings; sometimes by

III

Das Wahrnehmen eines Objekts im wirklichen Raum braucht keine unmittelbare Erfahrung zu sein. Man erfährt Aspekte; das Ganze nimmt man an oder man konstruiert es. Dennoch besteht Grund zu der Annahme, daß das konstruierte ›Ding‹ wirklicher ist, als es die illusorischen und wechselnden Aspekte sind, die durch sich verändernde Blickperspektiven und Beleuchtungen zustande kommen. Wir erfassen die Gesamtheit eines Objekts nur als das, was aus zufälligen Ansichten unter wechselnden Bedingungen konstruiert wird. Dennoch ist dieses Verfahren, das Objekt aus unmittelbaren Sinnesdaten ›aufzubauen‹, homogen: In dem ganzen Vorgang trifft man auf keinen Punkt, an dem irgendwelche Licht- oder perspektivistische Bedingungen auf eine Existenzsphäre verwiesen, die sich von der unter anderen Blickwinkeln und Bedingungen manifest gewordenen unterschiede. Die Annahme von Konstanz und Konsistenz macht es möglich, überhaupt von ›Illusionismus‹ zu sprechen. Er gilt als alles andere denn als allgemeine Bedingung. Ja, der Illusionismus beim Sehen von Objekten wird zu einem beiläufigen Faktor abgewertet.

Strukturen. Derartige Arbeiten beziehen sich häufig auf andere Brennpunkte, streichen aber zusätzlich oder nachdrücklicher ihre ›Gründe‹ für Teile, Modulationen oder andere Variablen heraus. Der Didaktizismus projektierter Systeme oder zusätzliche Informationen über die physische Existenz der Arbeit hinaus treten entweder explizit oder implizit auf. Zusammenstellungen, Serien, Module, Permutationen oder andere einfache Systeme finden häufig Anwendung. Solche Arbeiten gehen oft über ihren Didaktizismus hinaus und werden rigoros. Zuweilen haben sie einen puritanischen Skeptizismus im Hinblick auf das Materielle an sich. Die weniger guten Arbeiten sind häufig starr, asketisch, rationalistisch und unsicher.

Obgleich die meisten fortschrittlichen dreidimensionalen Arbeiten gewisse Voraussetzungen gemeinsam haben, lassen sich doch Unterscheidungen zwischen den einzelnen Hervorbringungen treffen. Bestimmte Bestrebungen und Absichten kann man benennen. Auf der Grundlage dieser unterschiedlichen Ziele kann man sich um Begriffe zur Bezeichnung der Richtungen bemühen. Zwar schaffen die gefundenen Begriffe keine Objektklassen, die sich gegenseitig ausschlössen, aber sie halten unterschiedliche Orientierungen fest.

Objekte. Im allgemeinen von kleinen Ausmaßen, entschieden gegenstandsartig, potentiell handhabbar, häufig intim. Die meisten sind äußerst fein durchgearbeitet und be-

transparency doing the same thing more literally. Those which are structurally divided often make use of modules or units. Some of these–especially wall-hung works–maintain some pictorial sensibilities: besides making actual the sumptuous physicality which painting could only indicate, there is often a kind of pictorial figure-ground organization. But unlike painting, the shape becomes an actual object against the equally actual wall or ground. Deeply grounded in, and confident of the physical, these objects make great use of the traditional range of plastic values: light, shadow, rhythms, pulses, negative spaces, positive forms, etc. The lesser works often read as a kind of candy box art–new containers for an industrial sensuality reminiscent of the Bauhaus sensibility for refined objects of clean order and high finish. Barbara Rose has noted in her catalog, *A New Esthetic* (Washington Gallery of Modern Art, May, 1967), that such objects might constitute a class of forms amounting to a new convention which is not sculptural in intent, but rather more like the emergence of a rich minor art–much as stained glass and mosaics differed from the conventions of painting. While often unambitious or indulgently focused on surface, the physical presence of these objects is generally strong. They coruscate with the minor brilliance of the 'objet d'art'.

The trouble with painting is not its inescapable illusionism *per se*. But this inherent illusionism brings with it a non-actual elusiveness or indeterminate allusiveness. The mode has become antique. Specifically, what is antique about it is the divisiveness of experience which marks on a flat surface elicit. There are obvious cultural and historical reasons why this happens. For a long while the duality of thing and allusion sustained itself under the force of profuse organizational innovations within the work itself. But it has worn thin and its premises cease to convince. Duality of experience is not direct enough. That which has ambiguity built into it is not acceptable to an empirical and pragmatic outlook. That the mode itself–rather than lagging quality–is in default seems to be shown by the fact that some of the best painting today does not bother to emphasize actuality or literalness through shaping of the support.

At the extreme end of the size range are works on a monumental scale. Often these have a quasi-architectural focus: they can be walked through or looked up at. Some are simple in form but most are baroque in feeling beneath a certain superficial somberness. They share a romantic attitude of domination and burdening impressiveness. They often seem to loom with a certain humanitarian sentimentality.

---

tonen die Oberfläche. Diejenigen, die monistisch oder strukturell ungeteilt sind, stellen interne Beziehungen durch die Gegenüberstellung von Materialien oder zuweilen durch eine starke Spiegelung her, die Teile der Umgebung mit einbezieht; gelegentlich auch durch Transparenz, die das gleiche buchstäblicher erreicht. Diejenigen, die strukturell unterteilt sind, machen oft Gebrauch von Modulen oder Einheiten. Einige von ihnen – zumal die zum Aufhängen an der Wand gedachten – behalten gewisse pittoreske Werte bei: Abgesehen davon, daß die prunkvolle Materialität wirklich wird, die die Malerei nur andeuten könnte, findet sich häufig eine pittoreske Anordnung des Verhältnisses von Figur und Hintergrund. Doch anders als in der Malerei wird die Gestalt zu einem wirklichen Objekt vor der gleichermaßen wirklichen Wand oder vor dem Hintergrund. Tief im Materiellen verwurzelt und voller Zutrauen dazu, machen diese Objekte ausführlich Gebrauch vom traditionellen Spektrum plastischer Werte: Von Licht, Schatten, Rhythmen, Schwingungen, negativen Räumen, positiven Formen und so fort. Die weniger guten Arbeiten sehen oft wie Pralinenschachtel-Kunst aus – wie neue Behälter einer industriellen Sinnlichkeit, die an die Vorliebe des Bauhauses für verfeinerte Objekte von sauberer Geordnetheit und mit letztem Schliff erinnern. Barbara Rose bemerkte in ihrem Katalog *A New Esthetic* (Washington Gallery of Modern Art, Mai 1967), derartige Objekte könnten eine Klasse von Formen bilden, die auf eine neue Konvention hinausläuft und ihrer Absicht nach nicht skulpturell ist, sondern eher etwas vom Aufkommen einer reichen Kleinkunst an sich hat – sehr in dem Sinn, wie Glasmalereien und Mosaiken von den Konventionen der Malerei abwichen. Obgleich sie oftmals anspruchslos oder genügsam oberflächenorientiert sind, ist die materielle Präsenz dieser Objekte im allgemeinen sehr ausgeprägt. Sie funkeln mit dem unbedeutenden Glanz des ›Objet d'art‹.

Die Schwierigkeit mit der Malerei liegt nicht in ihrem unausweichlichen Illusionismus per se. Doch dieser inhärente Illusionismus bringt eine nicht-wirkliche Flüchtigkeit oder eine unbestimmt-ungenaue Andeuterei mit sich. Der Modus ist veraltet. Überholt an ihm ist besonders die Teilbarkeit der Erfahrung, deren Spuren auf einer flachen Oberfläche zutagetreten. Daß dies geschah, hat offensichtlich kulturelle und historische Gründe. Lange Zeit erhielt sich die Dualität von Ding und Andeutung kraft überreicher organisatorischer Neuerungen innerhalb der Arbeit selber. Aber sie ist schäbig geworden, und ihre Prämissen sind nicht mehr überzeugend. Die Dualität der Erfahrung ist nicht unmittelbar genug. Diejenige mit eingebauter Mehrdeutigkeit ist für eine empirische und pragmatische Haltung nicht akzeptabel. Daß der Modus selber hinfällig geworden ist – und nicht nur der Qualität hinderlich –, zeigt sich offenbar daran, daß es einigen der besten zeitgenössischen Malereien nichts ausmacht, die Wirklichkeit oder Buchstäblichkeit durch die Formung des Ausdrucksträgers hervorzuheben.

Sculpture. For want of a better term, that grouping of work which does not present obvious information content or singularity of focus. It is not dominated by the obviousness of looming scale, overly rich material, intimate size, didactic ordering. It neither impresses, dominates, nor seduces. Elements of various focuses are often in it, but in more integrated, relative, and more powerfully organized ways. Successful work in this direction differs from both previous sculpture (and from objects) in that its focus is not singularly inward and exclusive of the context of its spatial setting. It is less introverted in respect to its surroundings. Sometimes this is achieved by literally opening up the form in order that the surroundings must of necessity be seen with the piece. (Transparency and translucency of material function in a different way in this respect since they maintain an inner 'core' which is seen through but is nevertheless closed off.) Other work makes this extroverted inclusiveness felt in other ways—sometimes through distributions of volumes, sometimes through blocking off, or so to speak 'reserving' amounts of space which the work does not physically occupy. Such work which deals with more or less large chunks of space in these and other ways is misunderstood and misrepresented when it is termed 'environmental' or 'monumental'.

It is not in the uses of new, exotic materials that the present work differs much from past work. It is not even in the non-hierarchic, non-compositional structuring, since this was clearly worked out in painting. The difference lies in the kind of order which underlies the forming of this work. This order is not based on previous art orders, but is an order so basic to the culture that its obviousness makes it nearly invisible. The new three-dimensional work has grasped the cultural infrastructure of forming itself which has been in use, and developing, since Neolithic times and culminates in the technology of industrial production.

There is some justification for lumping together the various focuses and intentions of the new three-dimensional work. Morphologically there are common elements: symmetry, lack of traces of process, abstractness, non-hierarchic distribution of parts, non-anthropomorphic orientations, general wholeness. These constants probably provide the basis for a general imagery. The imagery involved is referential in a broad and special way: it does not refer to past sculptural form. Its referential connections are to manufactured objects and not to previous art. In this respect the work has affinities with Pop art. But the abstract work connects to a different level of the culture.

Am äußersten Ende der Größenskala befinden sich Arbeiten von monumentalem Ausmaß. Sie weisen häufig eine quasi-architektonische Orientierung auf: man kann hindurchgehen oder zu ihnen aufblicken. Einige davon sind formal einfach, die meisten jedoch unter einer gewissen oberflächlichen Nüchternheit von barocker Haltung. Sie haben eine romantische Attitüde des Beherrschenden und des gewichtig Eindrucksvollen gemeinsam. Häufig scheinen sie eine gewisse humanitäre Sentimentalität zu verströmen.

Skulptur. In Ermangelung einer besseren Bezeichnung: Jene Gruppierung von Arbeiten, die keinen offenkundigen informatorischen Inhalt oder eine einzige Blickorientierung aufweisen. Sie sind nicht durch die Augenfälligkeit eines großen Maßstabs, durch übermäßig reiche Materialität, intime Größe, didaktische Ordnung bestimmt. Sie beeindrucken nicht, noch beherrschen oder verführen sie. Häufig enthalten sie Elemente verschiedener Orientierungen, doch auf integriertere, relative und gründlicher organisierte Weise. Geglückte Arbeiten dieser Richtung unterscheiden sich insofern von früherer Skulptur (wie von Objekten), als ihre Orientierung nicht ausschließlich nach innen gerichtet ist und den Kontext ihrer räumlichen Unterbringung nicht ignoriert. Sie sind in bezug auf ihre Umgebung weniger introvertiert. Zuweilen wird das durch eine buchstäbliche Öffnung der Form erreicht, so daß man die Umgebung wahrnehmen muß. (Transparenz und Lichtdurchlässigkeit des Materials wirken in diesem Betracht andersartig, da sie einen inneren ›Kern‹ beibehalten, durch den man zwar hindurchsieht, der aber doch abgeschlossen bleibt.) Andere Arbeiten lassen diese extravertierte Einschließlichkeit auf andere Weise wahrnehmbar werden: gelegentlich durch die Volumenverteilung, gelegentlich durch Abschirmen oder sozusagen durch ›Reservieren‹ von Raumteilen, die die Arbeit materiell nicht ausfüllt. Derartige Arbeiten, die auf diese und jene Weise mit größeren oder kleineren Raumabschnitten operieren, versteht man falsch und stellt man unrichtig dar, wenn man sie mit den Etiketten ›Environment‹ oder ›Monument‹ versieht.

Nicht durch die Verwendung neuer, exotischer Materialien unterscheiden sich neue Arbeiten von früheren. Das geschieht nicht einmal durch die nicht-hierarchische, nicht-kompositionelle Strukturierung, da dies eindeutig von der Malerei erarbeitet wurde. Der Unterschied findet ich in der Art der Ordnung, die der Gestaltung dieser Arbeiten zugrunde liegt. Diese Ordnung stütz sich nicht auf frühere Kunstordnung, es ist vielmehr eine für die Kultur so grundlegende Ordnung, daß ihre Offensichtlichkeit sie nahezu unsichtbar macht. Die neuen dreidimensionalen Arbeiten haben die kulturelle Infrastruktur des Gestaltens selber erfaßt, das seit neolithischen Zeiten in Gebrauch ist und entwickelt wurde und das in der Technologie der industriellen Produktion seinen Höhepunkt erreicht.

The ideas of industrial production have not, until quite recently, differed from the Neolithic notions of forming–the difference has been largely a matter of increased efficiency. The basic notions are repetition and division of labor: standardization and specialization. Probably the terms will become absolete with a thoroughgoing automation of production involving a high degree of feedback adjustments.

Much work is made outside the studio. Specialized factories and shops are used–much the same as sculpture has always utilized special craftsmen and processes. The shop methods of forming generally used are simple if compared to the techniques of advanced industrial forming. At this point the relation to machine-type production lies more in the uses of materials than in methods of forming. That is, industrial and structural materials are often used in their more or less naked state, but the methods of forming employed are more related to assisted hand craftsmanship. Metalwork is usually bent, cut, welded. Plastic is just beginning to be explored for its structural possibilities; often it functions as surfacing over conventional supporting materials. Contact molding of reinforced plastics, while expensive, is becoming an available forming method which offers great range for direct structural uses of the material. Vacuum forming is the most accessible method for forming complex shapes from sheeting. It is still expensive. Thermoforming the better plastics–and the comparable method for metal, matched die stamping–is still beyond the means of most artists. Mostly the so-called industrial processes employed are at low levels of sophistication. This affects the image in that the most accessible types of forming lend themselves to the planar and the linear.

The most obvious unit, if not the paradigm, of forming up to this point is the cube or rectangular block. This, together with the right angle grid as method of distribution and placement, offers a kind of 'morpheme' and 'syntax' which are central to the cultural premise of forming. There are many things which have come together to contribute to making rectangular objects and right angle placement the most useful means of forming. The mechanics of production is one factor: from the manufacture of mud bricks to metallurgical processes involving continuous flow of raw material which gets segmented, stacked, and shipped. The further uses of these 'pieces' from continuous forms such as sheets to fabricate finished articles encourage maintenance of rectangularity to eliminate waste.

Die verschiedenen Orientierungen und Intentionen der neuen dreidimensionalen Arbeiten in einen Topf zu werfen, ist einigermaßen gerechtfertigt. Morphologisch gibt es gemeinsame Elemente: Symmetrie, das Fehlen von Spuren des Herstellungsprozesses, Abstraktheit, nicht-hierarchische Anordnung der Teile, nicht-anthropomorphe Orientierungen, allgemeine Ganzheitlichkeit. Diese Konstanten bilden vermutlich die Grundlage für eine umfassende Bildhaftigkeit. Die betreffende Bildhaftigkeit ist im allgemeinen und besonderen Sinn beziehungshaft: Sie bezieht sich nicht auf frühere skulpturelle Form. Sie weist Bezüge zu Industrieprodukten auf, nicht zu älterer Kunst. In dieser Hinsicht haben die Arbeiten Affinitäten zur Pop-Kunst. Die abstrakten Arbeiten sind jedoch mit einer anderen kulturellen Ebene verknüpft.

Die Vorstellungen der industriellen Produktion unterschieden sich bis vor kurzem nicht von den neusteinzeitlichen Begriffen des Gestaltens – die Differenzen waren weithin eine Angelegenheit gesteigerter Effizienz. Die Grundbegriffe sind Wiederholung und Arbeitsteilung: Standardisierung und Spezialisierung. Vermutlich werden die Verhältnisse durch eine durchgreifende Produktionsautomation überholt werden, die in hohem Maß mit Rückkoppelungsvorgängen arbeitet.

Viele Arbeiten werden außerhalb des Ateliers angefertigt. Man verwendet spezialisierte Fabriken und Werkstätten – weithin so, wie sich die Bildhauerei schon immer bestimmter Handwerker und Verfahren bediente. Die allgemein angewandten Methoden der Werkstattgestaltung sind einfach, gemessen an den Techniken fortschrittlicher industrieller Gestaltung. In diesem Punkt liegt die Beziehung zur maschinellen Produktion mehr in der Verwendung von Materialien als in den Herstellungsmethoden. Das besagt: Industrielle und strukturelle Materialien werden mehr oder minder in ihrem Rohzustand verwendet, doch die Fertigungsmethoden haben eher etwas mit der hinzukommenden Handwerksarbeit zu tun. Metallarbeiten werden gewöhnlich gebogen, geschnitten, geschweißt. Kunststoffe werden eben erst auf ihre strukturellen Möglichkeiten hin geprüft; häufig fungieren sie als Überzüge über konventionellem Trägermaterial. Das Kontaktformen verstärkter Kunststoffe ist zwar kostspielig, wird aber zu einer brauchbaren Fertigungsmethode, die einen weiten Spielraum für unmittelbare Materialverwendung bietet. Vakuumformpressung ist die erschwinglichste Methode zur Herstellung komplexer Formen aus Platten. Sie ist auch noch immer teuer. Die Thermoformung besseren Kunststoffs – und die vergleichbare Methode der Metallbehandlung: der Druckguß – liegt jenseits dessen, was sich die meisten Künstler leisten können. Die angewandten sogenannten industriellen Verfahren stehen zumeist noch auf einem niedrigen Entwicklungsstand. Das wirkt sich insofern auf die Bildhaftigkeit aus, als sich die meisten verfügbaren Fertigungsmethoden für ebene und lineare Formen eignen.

Tracing forming from continuous stock to units is one side of the picture. Building up larger wholes from initial bits is another. The unit with the fewest sides which inherently orients itself to both plumb and level and also close packs with its members is the cubic or brick form. There is good reason why it has survived to become the 'morpheme' of so many manufactured things. It also presents perhaps the simplest ordering of part to whole. Rectangular groupings of any number imply potential extension; they do not seem to imply incompletion, no matter how few their number or whether they are distributed as discrete units in space or placed in physical contact with each other. In the latter case the larger whole which is formed tends to be morphologically the same as the units from which it is built up. From one to many the whole is preserved so long as a grid-type ordering is used. Besides these aspects of manipulation, there are a couple of constant conditions under which this type of forming and distributing exists: a rigid base land mass and gravity. Without these two terms stability and the clear orientation of horizontal and vertical might not be so relevant. Under different conditions other systems of physical ordering might occur. Further work in space, as well as deep ocean stations, may alter this most familiar approach to the shaping and placing of things as well as the orientation of oneself with respect to space and objects.

The forms used in present-day three-dimensional work can be found in much past art. Grit patterns show up in Magdalenian cave painting. Context, intention, and organization focus the differences. The similarity of specific forms is irrelevant.

Such work which has the feel and look of openness, extendibility, accessibility, publicness, repeatability, equanimity, directness, immediacy, and has been formed by clear decision rather than groping craft would seem to have a few social implications, none of which are negative. Such work would undoubtedly be boring to those who long for access to an exclusive specialness, the experience of which reassures their superior perception.

The means for production seems to be an accomplished fact. Control of energy and processing of information become the central cultural task. »According to a suggestion by N. S. Kardashev of the State Astronomical Institute ... all civilizations can be divided into three classes according to the amount of energy they consume. The first

Die einleuchtendste Einheit, wenn nicht das Paradigma des Gestaltens ist bislang der Kubus oder der rechtwinklige Block. Dieser liefert, im Verein mit dem rechtwinkligen Gitter als der Verteilungs- und Anordnungsmethode, eine Art ›Morphem‹ und ›Syntax‹, die in der kulturellen Prämisse des Gestaltens eine zentrale Stelle einnehmen. Viele Dinge sind zusammengekommen und haben dazu beigetragen, rechteckige Objekte und rechtwinklige Anordnung zu den nützlichsten Gestaltungsmethoden zu machen. Die Produktionsmechanik ist der eine Faktor: von der Anfertigung von Schlammziegeln bis zu metallurgischen Prozessen mit einem ständigen Zustrom von Rohmaterial, das unterteilt, gestapelt und versandt wird. Die weitere Verarbeitung dieser ›Stücke‹ aus gleichmäßigen Formen wie Platten zu Fertigartikeln begünstigt die Beibehaltung der Rechtwinkligkeit, die die Ineffizienz gering hält.

Die Verarbeitung kontinuierlicher Vorräte zu Einheiten ist die eine Seite des Bildes. Der Aufbau größerer Ganzheiten aus Ausgangselementen ist eine andere. Die Einheit mit den wenigsten Seiten, die sich ihrem Wesen nach zusammen mit ihren Unterteilungen zu sowohl rechtwinkligen wie glatten und auch dichten Stapeln ordnet, ist die kubische oder Ziegelform. Es hat seine guten Gründe, warum sie sich erhalten hat und zum ›Morphem‹ so vieler Fertigwaren wurde. Sie stellt auch die vielleicht einfachste Zuordnung des Teils zum Ganzen dar. Rechtwinklige Anordnungen aus beliebig vielen Einzelteilen implizieren eine potentielle Erweiterung; Unvollständigkeit implizieren sie offenbar nicht, wie gering auch die Anzahl der Teile sein mag, und unabhängig davon, ob man sie als voneinander getrennte Einheiten im Raum verteilt oder sie in physischem Kontakt miteinander aufstellt. Im letzteren Fall tendiert das zustandegekommene größere Ganze dazu, morphologisch den Einheiten zu gleichen, aus denen es aufgebaut ist. Von einer bis zu vielen Einheiten wird das Ganze gewahrt, solange man eine gitterförmige Ordnung anwendet. Neben diesen Aspekten der Manipulation gibt es ein paar konstanter Voraussetzungen, denen diese Art des Gestaltens und Anordnens unterliegt: ein fester Boden als Unterlage und die Schwerkraft. Ohne diese beiden Elemente dürften die Stabilität und die klare Orientierung nach Horizontale und Vertikale nicht so erheblich sein. Unter anderen Voraussetzungen könnten andere Systeme der materiellen Ordnung auftreten. Künftige Arbeiten im Weltraum wie auch in Tiefseestationen mögen diese vertrauteste Haltung des Formens und Anbringens von Dingen ebenso ändern wie die eigene Orientierung im Hinblick auf den Raum und auf Objekte.

Die in heutigen dreidimensionalen Arbeiten verwandten Formen finden sich in einem Großteil der früheren Kunst. Gittermuster treten in der Höhlenmalerei des Magdalénien auf. Kontext, Absicht und Organisation rücken die Unterschiede ins Licht. Die Ähnlichkeit spezifischer Formen ist unerheblich.

---

class would comprise civilizations which in terms of their technological development are close to our civilization, the energy consumed by these civilizations being $\sim 4.10^{19}$ erg/sec. The second class would consist of civilizations with an energy consumption of the order of $\sim 4.10^{33}$ erg/sec. These civilizations have completely harnessed the energy of their stars. Civilizations belonging to the third class would consume as much as $\sim 4.10^{44}$ erg/sec and control the energy supplied by an entire galaxy.« Mutschall, Vladimir E., »Soviet Long-Range Space-Exploration Program,« Aerospace Technology Division, Library of Congress, Washington, D. C. May, 1966, p. 18.

Pointing out that the new work is not based upon previous art ordering but upon a cultural infrastructure is only to indicate its most general nature, as well as its intensely intransigent nature. The work 'sticks' and 'holds' by virtue of its relationship to this infrastructure. But the best as well as some of the worst art uses these premises. The range for particularization and specific quality within the general order of forms is enormous and varies from the more or less specific intentions and focuses indicated above, down to the particular detail of a specific work. These particularities make concrete, tangible differences between works as well as focus the quality in any given work.

The rectangular unit and grid as a method of physical extension are also the most inert and least organic. For the structural forms now needed in architecture and demanded by high speed travel the form is obviously obsolete. The more efficient compression-tension principles generally involve the organic form of the compound curve. In some way this form indicates its high efficiency–i.e., the "work" involved in the design of stressed forms is somehow projected. The compound curve works, whereas planar surfaces–both flat and round–do not give an indication of special strength through design. Surfaces under tension are anthropomorphic: they are under the stresses of work much as the body is in standing. Objects which do not project tensions state most clearly their separateness from the human. They are more clearly objects. It is not the cube itself which exclusively fulfills this role of independent object–it is only the form that most obviously does it well. Other regular forms which invariably involve the right angle at some point function with equal independence. The way these forms are oriented in space is, of course, equally critical in the maintenance of their independence. The visibility of the principles of structural efficiency can be a factor which destroys the object's independence. This visibility impinges on the autonomous quality and alludes

Arbeiten, die den Charakter und das Aussehen der Offenheit, der Erweiterbarkeit, der Zugänglichkeit, der Öffentlichkeit, der Wiederholbarkeit, der Ausgeglichenheit, der Direktheit, der Unmittelbarkeit haben und die durch klare Entscheidungen zustandegekommen sind, nicht durch handwerkliches Herumtasten, dürften ein paar gesellschaftliche Implikationen haben, von denen keine negativ ist. Derartige Arbeiten werden zweifellos jenen langweilig vorkommen, die es nach der Aufnahme in den Status einer exklusiven Besonderheit verlangt, weil deren Erfahrung sie in ihrer überlegenen Einsicht bestätigt.

Die Produktionsmittel sind offenbar ein vollendeter Tatbestand. Die Energiekontrolle und die Informationsverarbeitung werden zur zentralen kulturellen Aufgabe. »Nach einem Vorschlag N. S. Kardashevs vom staatlichen Institut für Astronomie ... lassen sich alle Zivilisationen je nach der Energiemenge, die sie verbrauchen, in drei Klassen aufteilen. Die erste Klasse bildete jene Zivilisationen, die im Hinblick auf ihre technologische Entwicklung unserer Zivilisation nahestehen und deren Energieverbrauch $\sim 4.10^{19}$ erg/sek beträgt. Die zweite Klasse bestände aus Zivilisationen mit einem Energieverbrauch in der Größenordnung von $\sim 4.10^{23}$ erg/sek. Diese Zivilisationen hätten die Energie ihrer Sterne völlig unter ihre Kontrolle gebracht. Zur dritten Klasse gehörige Zivilisationen verbrauchten gar $\sim 4.10^{41}$ erg/sek und kontrollierten die Energievorräte eines ganzen Milchstraßensystems.« Vladimir E. Mutschall, *Soviet Long-Range Space-Exploration Program*, Abteilung für Raumfahrttechnologie, Kongreßbibliothek, Washington D.C. Mai 1966, S. 18.

Die Äußerung, daß sich die neuen Arbeiten nicht auf die frühere Kunstordnung stützen, sondern daß sie sich auf eine kulturelle Infrastruktur gründen, ist nur ein Hinweis auf ihr allgemeinstes Wesen wie auf ihre äußerst unnachgiebige Beschaffenheit. Die Arbeiten ›halten‹ und ›stehen‹ kraft ihrer Beziehungen zu dieser Infrastruktur. Doch sowohl die beste wie Teile der schlechtesten Kunst wenden diese Prämissen an. Der Spielraum für Spezifizierungen und Sonderqualitäten innerhalb der allgemeinen Formordnung ist gewaltig und reicht von den mehr oder minder spezifischen Intentionen, wie sie oben angedeutet wurden, bis zu einzelnen Details einer bestimmten Arbeit. Diese Besonderheiten erzeugen konkrete, handgreifliche Unterschiede zwischen Arbeiten und machen ebenso die Qualität jeder einzelnen Arbeit aus.

Die rechtwinklige Einheit und das rechtwinklige Gitter als Methode der materiellen Erweiterung sind auch am trägsten und am wenigsten organisch. Für die strukturellen Formen, die man jetzt in der Architektur benötigt und die für die hohen Geschwindigkeiten erforderlich sind, ist jene Form veraltet. Die effizienteren Druck-Spannungs-

to performance of service beyond the existence of the object. What the new art has obviously not taken from industry is this teleological focus which makes tools and structures invariably simple. Neither does it wish to imitate an industrial 'look'. This is trivial. What has been grasped is the reasonableness of certain forms which have been in use for so long.

New conditions under which things must exist are already here. So are the vastly extended controls of energy and information and new materials for forming. The possibilities for future forming throw into sharp relief present forms and how they have functioned. In grasping and using the nature of made things the new three-dimensional art has broken the tedious ring of 'artiness' circumscribing each new phase of art since the Renaissance. It is still art. Anything that is used as art must be defined as art. The new work continues the convention but refuses the heritage of still another art-based order of making things. The intentions are different, the results are different, so is the experience.

Prinzipien bedingen im allgemeinen die organische Form der zusammengesetzten Kurve. Auf gewisse Weise deutet diese Form ihre hohe Effizienz an – so wirkt beispielsweise die in den Entwurf gespannter Formen investierte ›Arbeit‹ irgendwie weiter. Die zusammengesetzte Kurve ist effizient, während einfache Oberflächen – flache wie runde – vermittels ihrer Gestaltung nichts von besonderer Kraft erkennen lassen. Flächen unter Spannung sind anthropomorph: Sie unterliegen im gleichen Maß wie der stehende Körper der Arbeitsbelastung. Objekte, die keine Spannung ausstrahlen, artikulieren auf höchst deutliche Weise ihr Getrenntsein vom Menschlichen. Sie sind am eindeutigsten Objekte. Nicht der Kubus an sich fungiert ausschließlich in dieser Rolle des unabhängigen Objekts – er ist nur die Form, die es am offensichtlichsten gut tut. Andere regelmäßige Formen, die an irgendeiner Stelle unvermeidlich den rechten Winkel einsetzen, treten in der gleichen Unabhängigkeit auf. Die Art und Weise, wie sich diese Formen im Raum orientieren, ist natürlich gleichermaßen ausschlaggebend für die Erhaltung ihrer Unabhängigkeit. Daß die Prinzipien der strukturellen Effizienz sichtbar werden, kann ein Faktor sein, der die Unabhängigkeit eines Objekts zerstört. Diese Sichtbarkeit verletzt die Qualität der Autonomie und spielt auf Dienstleistungen jenseits der Objektexistenz an. Eines hat die neue Kunst offensichtlich nicht von der Industrie übernommen, nämlich diese teleologische Ausrichtung, die Werkzeuge und Strukturen gleichbleibend einfach macht. Und sie will auch kein industrielles ›Aussehen‹ imitieren. Das ist trivial. Aufgegriffen wurde die Vernünftigkeit gewisser Formen, die so lange schon in Gebrauch sind.

Neue Voraussetzungen, unter denen Dinge existieren müssen, sind bereits gegeben. Ebenso die erheblich erweiterten Energie- und Informationskontrollen und neue Materialien zur Gestaltung. Die Möglichkeiten künftiger Gestaltung lassen gegenwärtige Formen und ihr Funktionieren deutlich hervortreten. Indem sie das Wesen hergestellter Dinge erfaßt und sich zunutze macht, hat die neue dreidimensionale Kunst den lähmenden Kreis der ›Kunsthaftigkeit‹ durchbrochen, der jedes neue Kunststadium seit der Renaissance umschloß. Sie ist noch immer Kunst. Alles, was als Kunst verwandt wird, ist als Kunst zu definieren. Die neuen Arbeiten setzen die Konvention fort, lehnen aber das Erbe einer nochmals anderen, auf Kunst gegründeten Ordnung ab, Dinge zu machen. Die Intentionen sind anders, die Ergebnisse sind anders, und auch die Erfahrung ist anders.

IV

I

... on the other hand, painterly-artistic elements were cast aside, and the materials arose from the utilitarian purpose itself, as did the form.   K. Malevich

Jasper Johns established a new possibility for art odering. The Flags and Targets imply a lot that could not be realized in two dimensions. The works undeniably achieved a lot in their own terms. More even than in Pollock's case, the work was looked at rather than into and painting had not done this before. Johns took painting further toward a state of non-depiction than anyone else. The Flags were not so much depictions as copies, decorative and fraudulent, rigid, stuffed, ridiculous counterfeits. That is, these works were not depictions according to past terms which had, without exception, operated within the figure-ground duality of representation. Johns took the background out of painting and isolated the thing. The background became the wall. What was previously neutral became actual, while what was previously an image became a thing.

The Flags and Targets were the first paintings to use a strict *a priori* ordering. One of the outcomes of this way of working was to throw a heretofore unimagined weight on the edge. This weight was not one of relational significance to the interior image (Stella later developed this relationship) so much as the assertion of a final, absolute limit which was a part of the experience of the entire work. Painting had previously been a more or less diaphanous surface that ended at the edge. Johns' works were definite shapes that were flat. The whole process was not one of stripping art down but of reconstituting art as an object.

Johns established new rules to the game. These were general rules and, with the exception of Stella's work, were not to be applied further to painting. The coexistence of the image with the physical extension of the object and the *a priori* mode of working are descriptive of three-dimensional objects—what they are and how they get made. Obviously, the acceptance of the art object as a constructed thing and its removal from a depicting ground to a field of real space were more suitable for full development in three dimensions.

The symmetrical internal divisions of Johns, Stella, and much subsequent '60s painting were not as new or as radical as was the holistic structural feature of making the total image congruent with the physical limits of the work. Conversely, the fully three-dimensional work of the '60s that perpetuated symmetrical internal divisions

IV

1.

»... andererseits ließ man malerisch-künstlerische Elemente weg, und die Materialien ergaben sich, wie die Form, aus dem utilitaristischen Zweck selber.«   K. Malevič

Jasper Johns schuf eine neue Möglichkeit, Kunst zu ordnen. Die Flaggen und Zielscheiben enthalten vieles, das sich in zwei Dimensionen nicht verwirklichen ließe. Diese Arbeiten erreichen unter ihren eigenen Bedingungen unbestreitbar eine Menge. Mehr noch als im Fall Pollocks sah man auf die Arbeiten, nicht in sie hinein, und das hatte es in der Malerei bislang nicht gegeben. Johns trieb die Malerei mehr als sonst jemand weiter voran in Richtung auf einen nicht-abbildhaften Zustand. Die Fahnen waren nicht so sehr Abbildungen als Kopien, dekorative und arglistige, strenge, auftrumpfende, lächerliche Nachahmungen. Das will sagen: diese Arbeiten waren keine Abbildungen im Sinn früherer Verhältnisse, die ausnahmslos in der Figur-Hintergrund-Dualität der Darstellung wirksam waren. Johns nahm den Hintergrund aus dem Gemälde heraus und isolierte das Ding. Hintergrund wurde die Wand. Was vorher neutral war, wurde gegenwärtig, während das, was vorher Bild war, zu einem Ding wurde.

Die Flaggen und die Zielscheiben wendeten als erste Gegenstände eine strikte a-priori-Ordnung an. Eines der Ergebnisse dieser Arbeitsweise bestand darin, daß der Rand eine bislang unvorstellbare Gewichtigkeit bekam. Diese Gewichtigkeit war nicht dergestalt, daß sie relationale Bedeutung für das Bildinnere gehabt hätte (diese Beziehung entwickelte später Stella), sie legte vielmehr eine letzte, absolute Grenze fest, die mit zur Erfahrung der Gesamtarbeit gehörte. Die Malerei war zuvor eine mehr oder minder durchscheinende Oberfläche gewesen, die am Rand endete. Johns' Arbeiten waren endgültige flache Gestalten. Das ganze Verfahren bestand nicht darin, Kunst zu demonstrieren, sondern darin, Kunst neu als Objekt einzusetzen.

Johns legte neue Spielregeln fest. Es waren allgemeine Regeln, und sie wurden, von Stella abgesehen, nicht mehr weiter auf Malerei angewendet. Das Zusammenfallen des Bildes mit der materiellen Ausdehnung des Objekts und die a-priorische Arbeitsmethode sind kennzeichnend für dreidimensionale Objekte: für das, was diese sind, und wie sie zustandekommen. Offensichtlich waren die Anerkennung des Kunstobjekts als eines konstruierten Dings und seine Übertragung von einem veranschaulichenden Hintergrund in ein Feld realen Raums eher dazu angetan, in drei Dimensionen voll entwickelt zu werden.

Die symmetrischen inneren Unterteilungen bei Johns, bei Stella und in vielen späteren Malereien der sechziger Jahre waren nicht so neu oder so radikal wie das ganzheitliche strukturelle Vorgehen, das Gesamtbild kongruent mit den materiellen Grenzen der Arbeit zu machen. Im Gegenteil: Die völlig dreidimensionalen Arbeiten der sechziger Jahre wahrten, indem sie die symmetrischen inneren Unterteilungen bei-

maintained painterly, decorative concerns, since these features are applied re-divisions of a more total whole. That is to say, it is a method of setting things beside each other rather than a method of construction which, by its nature, is literally a holistic tying-together of material. It was the structure underlying a constructed object as art that Johns illuminated. The complete manifestation of this structure could never be realized so long as the work remained on the wall. In the most literal way, flags and targets are only half objects: both are flat, targets have only one side. Johns probably never intended the realization of the constructed object. Even the Beer Cans are depictions.

Part of the possibility for the success of the project of reconstituting objects as art had to do with the state of sculpture. It was terminally diseased with figurative allusion. The object mode in three dimensions was a new start. Whereas painting has only been able to mutate, carrying constantly the germ of depiction, sculpture stopped dead and objects began.

There is no question that so far as an image goes, objects removed themselves from figurative allusions. But, in a more underlying way, in a preceptual way, they did not. Probably the main thing we constantly see all at once, or as a thing, is another human figure. Without the concentration of a figure, any given sector of the world is a field. Objects are distinct and differentiated more according to this or that local interest rather than according to any general characteristics. The exception to this is probably moving objects. And this has to be tied to figures again, since they are most always in motion. The specific art object of the '60s is not so much a metaphor for the figure as it is an existence parallel to it. It shares the perceptual response we have toward figures. This is undoubtedly why subliminal, generalized kinesthetic responses are strong in confronting object art. Such responses are often denied or repressed since they seem so patently inappropriate in the face of non-anthropomorphic forms, yet they are there. Even in subtle morphological ways, object-type art is tied to the body. Like the body, it is confined within symmetry of form and homogeneity of material: one form, one material (at the most two) has been pretty much the rule for three-dimensional art for the last few years.

Even though the object is a form not stressed at any particular focus and in its multiple unit aspect approaches a field situation, it invariably asserts a hard order of symmetry that marks it off from the heterogeneous, randomized distributions that characterize figureless sectors of the world. Symmetrical images are perceived and held in the mind with a distinctness and tenacity not brought to the perception and retention of asymmetrical forms. Once seen, the Model A and the Varga Girl can never be forgotten.

So-called Minimal art fulfilled the project of reconstituting art as objects while at the same time sharing the same perceptual conditions as figurative sculpture. Both

behielten, malerische, dekorative Interessen, da diese Züge angewandte Neuaufteilungen eines mehr totalen Ganzen bilden. Das will besagen: Es handelt sich um eine Methode, Dinge nebeneinander zu stellen, nicht um eine Methode des Konstruierens, das seinem Wesen nach buchstäblich ein ganzheitliches Zusammenfügen von Material ist. Johns erhellte die einem konstruierten Objekt als Kunst zugrundeliegende Struktur. Die vollständige Manifestation dieser Struktur ließ sich niemals verwirklichen, solange die Arbeit an der Wand blieb. Wortwörtlich genommen sind Flaggen und Zielscheiben nur halbe Objekte: beide sind flach, Zielscheiben haben nur eine Seite. Johns strebte wahrscheinlich niemals die Verwirklichung des konstruierten Objekts an. Selbst die Bierdosen sind Abbildungen.

Zum Teil haben die Erfolgschancen des Projekts, Objekte neu als Kunst einzusetzen, etwas mit der Beschaffenheit der Skulptur zu tun. Sie war letztlich zusammen mit der figurativen Anspielung erkrankt. Der Objektmodus in drei Dimensionen war ein Neubeginn. Während die Malerei lediglich imstande war, sich zu wandeln, weil sie ständig den Keim des Abbildnerischen in sich trug, hörte die Bildhauerei plötzlich auf, und die Objekte begannen.

Es ist keine Frage, daß sich Objekte, soweit es sich ums Bildhafte handelt, von figurativen Anspielungen freimachten. Aber auf grundlegendere Weise, im Sinn der Wahrnehmung, taten sie es nicht. Der vermutlich hauptsächlichste Gegenstand, den wir beständig unvermittelt oder als Ding sehen, ist eine andere menschliche Figur. Ohne Zusammenfassung in einer Figur ist jeder beliebige Weltausschnitt ein Feld. Objekte unterscheiden und differenzieren sich eher aufgrund dieses oder jenes partikulären Interesses als aufgrund irgendwelcher allgemeiner Merkmale. Eine Ausnahme davon bilden vermutlich bewegte Objekte. Und dies ist abermals mit Figuren in Zusammenhang zu bringen, da sie sich fast immer in Bewegung befinden. Das spezifische Kunstobjekt der sechziger Jahre ist nicht so sehr eine Metapher für die Figur als vielmehr eine Parallelexistenz dazu. Ihr gilt die gleiche Wahrnehmungsreaktion wie menschlichen Figuren. Unzweifelhaft sind aus diesem Grund unterschwellige, generalisierte kinästhetische Reaktionen bei Begegnungen mit Objektkunst so stark. Derartige Reaktionen werden häufig geleugnet oder unterdrückt, da sie angesichts nicht-anthropomorpher Formen so offenkundig unangemessen scheinen, aber dennoch sind sie vorhanden. Selbst auf subtile morphologische Weise ist Kunst vom Objekttypus mit dem Körper verknüpft. Wie der Körper ist sie von der Formsymmetrie und von homogener Materialität bestimmt: Eine Form, ein Material (höchstens zwei) waren in den letzten paar Jahren bei dreidimensionaler Kunst so ziemlich die Regel.

Obgleich das Projekt nicht eine auf einen bestimmten Blickwinkel festgelegte Form ist und obwohl es in seinem Aspekt multipler Einheiten einer Feldsituation nahekommt, behauptet es doch unveränderlich eine strenge Symmetrieordnung, und sie grenzt es gegen die heterogenen, zufälligen Anordnungen ab, die figurenlose Weltausschnitte kennzeichnen. Symmetrische Bilder werden mit einer Deutlichkeit und Zuverlässigkeit wahrgenommen und im Gedächtnis behalten, wie sie bei der Wahrnehmung und

objects and figures in real space maintain a figure-ground relation. This is not a depicted relation as in representational painting, but an actual one of differentiated subject within a neutral field. When the human figure itself is no longer viable, the continuing impulse to isolate a thing must find another subject. Structural clues for this were supplied by Johns and even certain aspects of an image were given by him–a certain public, common, general type of image. Three-dimensional work seized on the structure of construction which coincided with forms as general and as ubiquitous as the figure: geometric ones from the industrial environment.

2

Then, the field of vision assumes a peculiar structure. In the center there is the favored object, fixed by our gaze; its form seems clear, perfectly defined in all its details. Around the object, as far as the limits of the field of vision, there is a zone we do not look at, but which, nevertheless, we see with an indirect, vague, inattentive vision ... If it is not something to which we are accustomed, we cannot say what it is, exactly, that we see in this indirect vision. Ortega y Gasset

Our attempt at focusing must give way to the vacant all-embracing stare ... Anton Ehrenzweig

If one notices one's immediate visual field, what is seen? Neither order nor disorder. Where does the field terminate? In an indeterminate peripheral zone, none the less actual or unexperienced for its indeterminacy, that shifts with each movement of the eyes. What are the contents of any given sector of one's visual field? A heterogeneous collection of substances and shapes, neither incomplete nor especially complete (except for the singular totality of figures or moving things). Some new art now seems to take the conditions of the visual field itself (figures excluded) and uses these as a structural basis for the art. Recent past art took the conditions within individual things–specific extension and shape and wholeness of one material–for the project of reconstituting objects as art. The difference amounts to a shift from a figure-ground perceptual set to that of the visual field. Physically, it amounts to a shift from discrete, homogeneous objects to accumulations of things or stuff, sometimes very heterogeneous. It is a shift that it on the one hand closer to the phenomenal fact of seeing the visual field and on the other is allied to the heterogeneous spread of substances that make up that field. In another era, one might have said that the difference was between a figurative and landscape mode. Fields of stuff which have no central contained focus and extend into or beyond the peripheral vision offer a kind of "landscape" mode as opposed to a self-contained type of organization offered by the specific object.

Most of the new work under discussion is still a spread of substances or things that is clearly marked off from the rest of the environment and there is not any confusion

beim Bewahren asymmetrischer Formen nicht auftreten. Hat man sie einmal gesehen, kann man das Modell A und das Varga-Mädchen nicht mehr vergessen.

Die sogenannte Minimal Art verwirklichte das Projekt, Kunst in Objektform neu zu schaffen, während sie zugleich dieselben Wahrnehmungsbedingungen aufwies wie die figurative Skulptur. Im wirklichen Raum behalten sowohl Objekte wie Figuren eine Figur-Hintergruund-Beziehung bei. Das ist keine abbildhafte Beziehung wie in der darstellenden Malerei, sondern eine reale des jeweilig-einmaligen Sujets in einem neutralen Feld. Wenn die menschliche Figur nicht mehr brauchbar ist, muß der fortwirkende Impuls, ein Ding zu isolieren, ein anderes Sujet finden. Strukturelle Hinweise darauf lieferte Johns, und er vermittelte sogar gewisse Aspekte einer Bildhaftigkeit – eines gewissen öffentlichen, gemeinsamen, allgemeinen Typus von Bildhaftigkeit. Dreidimensionale Arbeiten griffen die Konstruktionsstruktur auf, die mit Formen zusammenfällt, welche so allgemein und so allgegenwärtig sind, wie die menschliche Figur: mit geometrischen aus der industriellen Umwelt.

2.

»Das Gesichtsfeld nimmt also eine besondere Struktur an. Im Mittelpunkt befindet sich das bevorzugte, von unserem Blick fixierte Objekt; seine Form erscheint eindeutig, in all seinen Einzelheiten völlig bestimmt. Rings um das Objekt erstreckt sich bis an die Grenzen des Gesichtsfeldes eine Zone, die wir nicht ins Auge fassen, die wir aber dennoch mit einem indirekten ungenauen, unaufmerksamen Blick sehen ... Wenn es sich nicht um etwas handelt, woran wir gewöhnt sind, können wir nicht sagen, was es ist, das wir mit diesem indirekten Blick sehen.«
Ortega y Gasset

»Unser Versuch, den Blick scharf einzustellen, muß dem interesselosen, allumfassenden Staunen weichen ...«
Anton Ehrenzweig

Wenn jemand sein unmittelbares Gesichtsfeld bemerkt: was wird da gesehen? Weder Ordnung noch Unordnung. Wo endet das Feld? In einer unbestimmten Randzone, die nichtsdestoweniger wirklich ist oder in ihrer Unbestimmbarkeit nicht erfahren wird und die sich mit jeder Augenbewegung verschiebt. Welches sind die Inhalte jedes bestimmten Sektors in jemandes Gesichtsfeld? Eine heterogene Ansammlung von Substanzen und Formen, die weder unvollständig noch besonders vollständig ist (ausgenommen die einzigartige Totalität von Figuren oder bewegten Dingen). Gewisse Arbeiten der neuen Kunst übernehmen nun offenbar die Bedingungen des Gesichtsfeldes selber (Figuren ausgenommen) und verwenden sie als Grundlage für die Kunst. Arbeiten der jüngeren Vergangenheit griffen die Bedingungen innerhalb einzelner Dinge – spezifische Ausdehnung und Gestalt samt der auf einem einzigen Material beruhenden Ganzheit – für das Projekt auf, Objekte als Kunst neu einzusetzen. Der Unterschied läuft auf einen Wechsel von einem Figur-Hintergrund-Wahrnehmungskomplex zu dem des Gesichtsfelds hinaus. Materiell führt er zu einem Wechsel von einzelnen, homoge-

about where the work stops. In this sense, it is discrete but not object-like. It is still separate from the environment so in the broadest sense is figure upon a ground. Except for some outside work which removes even the frame of the room itself, here the "figure" is literally the "ground". But work that extends to the peripheral vision cannot be taken in as a distinct whole and in this way has a different kind of discreteness from objects. The lateral spread of some of the work subverts either a profile or plan view reading. (In the past I have spread objects or structures into a 25 to 30 foot square area and the work was low enough to have little or no profile and no plan view was possible even when one was in the midst of the work. But in these instances, the regularity of the shape and homogeneity of the material held the work together as a single chunk.) Recent work with a marked lateral spread and no regularized units or symmetrical intervals tends to fracture into a continuity of details. Any overall wholeness is a secondary feature often established only by the limits of the room. It is only with this type of recent work that heterogeneity of material has become a possibility again; now any substances or mixtures of substances and the forms or states these might take–rods, particles, dust, pulpy, wet, dry, etc., are potentially useable. Previously, it was one or two materials and a single or repetitive form to contain them. Any more and the work began to engage in part to part and part to whole relationships. Even so, Minimal art, with two or three substances, gets caught in plays of relationships between transparencies and solids, voids and shadows and the parts separate and the work ends in a kind of demure and unadmitted composition.

Besides lateral spread, mixing of materials, and irregularity of substances, a reading other than a critical part to part or part to whole is emphasized by the indeterminate aspect of work which has physically separate parts or is loose or flexible. Implications of constant change are in such work. Previously, indeterminacy was a characteristic of perception in the presence of regularized objects–i.e., each point of view gave a different reading due to perspective. In the work in question indeterminacy of arrangement of parts is a literal aspect of the physical existence of the thing.

The art under discussion relates to a mode of vision which Ehrenzweig terms variously as scanning, syncretistic, or dedifferentiated–a purposeful detachment from holistic readings in terms of gestalt-bound forms. This perceptual mode seeks significant clues out of which wholeness is sensed rather than perceived as an image and neither randomness, heterogeneity of content, nor indeterminacy are sources of confusion for this mode. It might be said that the work in question does not so much acknowledge this mode as a way of seeing as it hypostatizes it into a structural feature of the work itself. By doing this, it has used a perceptual accommodation to replace specific form or image control and projection. This is behind the sudden release of materials that are soft or indeterminate or in pieces which heretofore would not have met the gestalt-oriented demand for an imagistic whole. It is an example of art's restructuring of perceptual

nen Objekten zu Anhäufungen zuweilen sehr heterogener Dinge oder Stoffe. Es handelt sich um eine Verschiebung, die einerseits näher an den phänomenalen Sachverhalt des Gesichtsfeldes heranführt und die sich andererseits mit der heterogenen Ausbreitung von Substanzen assoziiert, die dieses Gesichtsfeld ausmachen. In anderen Zeiten hätte man sagen können, es handle sich um den Unterschied zwischen figürlichem und Landschaftsmodus. Materiefelder, die keinen zentralen, begrenzten Brennpunkt haben, die ihn vielmehr in die Randzone hinein oder darüber hinaus ausweiten, liefern eine Art ›Landschafts‹-Modus im Gegensatz zum selbstgenügsamen Organisationstypus des spezifischen Objekts.

Die meisten der zur Debatte stehenden neuen Arbeiten bilden noch immer eine Streuung von Substanzen und Dingen, die sich deutlich von der übrigen Umgebung absetzt, und es gibt keine Verwirrung darüber, wo die Arbeit endet. In diesem Sinn ist sie abgesondert, doch nicht objekthaft. Sie ist noch immer von der Umgebung geschieden und damit im ganz allgemeinen Verständnis eine Figur vor einem Hintergrund. Abgesehen von einigen Freiluft-Arbeiten, die auch noch den Rahmen des Raums selber entfernen, ist hier die ›Figur‹ buchstäblich der ›Hintergrund‹. Doch Arbeiten, die sich bis zum Rand des Gesichtsfeldes erstrecken, lassen sich nicht als Ganzheiten aufnehmen und haben auf diese Weise eine andere Art von Abgesondertheit als Objekte. Die seitliche Erstreckung gewisser Arbeiten eliminiert entweder eine Seitenansicht oder eine Grundrißbetrachtung. (In der Vergangenheit habe ich Objekte oder Strukturen über eine Fläche von 7,5 bis 9 Meter im Quadrat ausgebreitet, und die Arbeiten waren niedrig genug, um nur eine geringfügige oder gar keine Seitenansicht zu haben, und selbst wenn man sich in der Mitte der Arbeit befand, war kein Grundriß ablesbar. Doch bei diesen Beispielen hielten die Regelmäßigkeit der Form und die Homogenität des Materials die Arbeiten als Gesamtstücke zusammen.) Neuere Arbeiten mit ausgeprägter seitlicher Erstreckung und ohne festgelegte Einheiten oder symmetrische Zwischenräume tendieren dazu, in eine Abfolge von Details auseinanderzubrechen. Jede umfassende Ganzheit ist ein sekundäres Merkmal, das häufig allein durch die Grenzen des Raums zustandekommt. Nur bei diesem Typus neuerer Arbeiten wird die Heterogenität des Materials wieder zu einer Möglichkeit; jetzt sind alle Substanzen oder Substanzgemische und die Formen und Zustände, die sie annehmen mögen – Stäbe, Partikel, Staub, breiartig, naß, trocken und so fort –, potentiell verwendbar. Vorher waren es nur ein oder zwei Materialien und eine einzelne oder eine Wiederholungsform, um sie aufzunehmen. Abermals begannen die Arbeiten, sich auf Teil-zu-Teil- und auf Teil-zu-Ganzheit-Verhältnisse einzulassen. Selbst unter diesen Umständen verfängt sich die Minimal Art mit zwei oder drei Substanzen in Beziehungsspielen zwischen Transparenten und Festkörpern, Leerräumen und Schatten, und die Teile trennen sich, und die Arbeiten enden in einer Art gezierter und uneingestandener Komposition.

Eine andere Lesart als kritisches Vorgehen von Teil zu Teil oder vom Teil zum Ganzen legt neben der seitlichen Erstreckung, der Materialmischung und der Unregelmäßigkeit in der Substanz den Unbestimmtheitsaspekt der Arbeiten nahe, die materiell

relevance which subsequently results in an almost effortless release of a flood of energetic work.

3

Yet perception has a history; it changes during our life and even within a very short span of time; more important, perception has a different structure on different levels of mental life and varies according to the level which is stimulated at one particular time. Only in our conscious experience has it the firm and stable structure which the gestalt psychologists postulated. Anton Ehrenzweig

... catastrophies of the past accompanied by electrical discharges and followed by radioactivity could have produced sudden and multiple mutations of the kind achieved today by experimenters ... The past of mankind, and of the animal kingdoms, too, must now be viewed in the light of the experience of Hiroshima and no longer from the portholes of the Beagle. Immanuel Velikovsky

Changes in form can be thought of as a vertical scale. When art changes, there are obvious form changes. Perceptual and structural changes can be thought of as a horizontal scale, a horizon even. These changes have to go with relevance rather than forms. And the sense of a new relevance is the aspect that quickly fades. Once a perceptual change is made, one does not look at it but uses it to see the world. It is only visible at the point of recognition of the change. After that, we are changed by it but have also absorbed it. The impossibility of reclaiming the volitivity of perceptual change leaves art historical explanations to pick the bones of dead forms. In this sense, all art dies with time and is impermanent whether it continues to exist as an object or not. A comparison of '50s and '60s art that throws into relief excessive organic forms opposed to austere geometric ones can only be a lifeless formal comparison. And the present moves away from Minimal art are not primarily formal ones. The changes involve a restructuring of what is relevant.

What was relevant to the '60s was the necessity of reconstituting the object as art. Objects were an obvious first step away from illusionism, allusion and metaphor. They are the clearest type of artificial independent entity, obviously removed and separate from the anthropomorphic. It is not especially surprising that art driving toward greater concreteness and away from the illusory would fasten on the essentially idealistic imagery of the geometric. Of all the conceivable or experienceable things, the symmetrical and geometric are most easily held in the mind as forms. The demand for images that could be mentally controlled, manipulated, and above all, isolated was on the one hand an esthetic preconception and on the other a methodological necessity. Objects provided the imagistic ground out of which '60s at was materialized. And to construct objects demands preconception of a whole image. Art of the '60s was an art

getrennte Teile haben oder locker und flexibel sind. Derartige Arbeiten implizieren eine ständige Veränderung. Bislang war Unbestimmtheit ein Merkmal der Wahrnehmung beim Vorhandensein festgelegter Objekte – das heißt, jeder Blickwinkel lieferte je nach der Perspektive eine andere Lesart. Bei den zur Debatte stehenden Arbeiten ist die Unbestimmtheit in der Anordnung von Teilen buchstäblich ein Aspekt der materiellen Existenz des Dinges.

Die Kunst, von der die Rede ist, bezieht sich auf eine Sehweise, die Ehrenzweig abwechselnd flüchtig, sykretistisch oder entdifferenzierend nennt: eine zielstrebige Abkehr von ganzheitlichen Lesarten im Sinn ›gestalt‹-verpflichteter Formen. Diese Wahrnehmungsweise sucht nach bedeutsamen Hinweisen, aus denen man die Ganzheit eher erspürt, als daß dann sie als Bild wahrnähme, und weder Zufälligkeit, Heterogenität des Inhalts noch Unbestimmtheit sind bei diesem Modus Quellen der Verwirrung. Man könnte sagen, daß die betreffenden Arbeiten diesen Modus nicht so sehr als Sehweise gelten lassen, daß sie ihn vielmehr zu einem strukturellen Zug ihrer selbst hypostasieren. Indem sie dies tun, verwenden sie eine Wahrnehmungspraxis, um eine spezifische Kontrolle und Projektion von Form oder Bild abzulösen. Das steckt hinter der plötzlichen Freigabe von Materialien, die weich oder unentschieden oder gestückelt sind und die bislang nicht die ›gestalt‹-orientierte Forderung nach einem bildhaften Ganzen erfüllt hatten. Hier liegt ein Beispiel dafür vor, wie Kunst die Wahrnehmungsbedeutung umstrukturiert, was anschließend dazu führt, daß eine Flut kraftvoller Arbeiten fast mühelos freigesetzt wurde.

3.

»Dennoch hat die Wahrnehmung eine Geschichte; sie verändert sich während unseres Lebens und sogar innerhalb einer sehr kurzen Zeitspanne; wichtiger noch: Die Wahrnehmung hat auf den verschiedenen Ebenen des geistigen Lebens unterschiedliche Strukturen und wechselt je nach der Ebene, die zu einer bestimmten Zeit stimuliert ist. Nur in unserer bewußten Erfahrung hat sie die kräftige und stabile Struktur, die die Gestaltspsychologen postulieren.«   Anton Ehrenzweig

». . . Katastrophen der Vergangenheit, begleitet von elektrischen Entladungen und gefolgt von Radioaktivität hätten plötzliche und vielfältige Mutationen von der Art bewirken können, wie sie heute Experimentatoren gelingen . . . Die Vergangenheit der Menschheit und auch der Tierreiche ist nun im Licht der Erfahrung von Hiroshima und nicht mehr durch die Bullaugen der Eagle zu sehen.«   Immanuel Velikorsky

Veränderungen der Form kann man sich als vertikalen Maßstab vorstellen. Wenn sich die Kunst verändert, kommt es zu offensichtlichen Formveränderungen. Veränderungen der Wahrnehmung und der Struktur lassen sich als horizontaler Maßstab, sogar als ein Horizont denken. Diese Veränderungen hängen mit der Relevanz zusammen, nicht mit Formen. Und die Einsicht in eine neue Relevanz ist ein Aspekt, der wieder

of depicting images. But depiction as a mode seems primitive because it involves implicitly asserting forms as being prior to substances.[3] If there is no esthetic investment in the priority of total images then projection or depiction of form is not a necessary mode. And if the method of working does not demand prethought images, then geometry, and consequently objects, is not a preferential form and certainly not a necessary one to any method except construction.

Certain art is now using as its beginning and as its means, stuff, substances in many states—from chunks, to particles, to slime, to whatever—and pre-thought images are neither necessary nor possible. Alongside this approach is chance, contingency, indeterminacy—in short, the entire area of process. Ends and means are brought together in a way that never existed before in art. In a very qualified way, Abstract Expressionism brought the two together. But with the exception of a few artists, notably Pollock and Louis, the formal structure of Cubism functioned as an end toward which the activity invariably converged and in this sense was a separate end, image, or form prior to the activity. Any activity, with perhaps the exception of unfocused play, projects some more or less specific end and in this sense separates the process from the achievement. But images need not be identified with ends in art. Although priorities do exist in the work under discussion, they are not preconceived imagistic ones. The priorities have to do with acknowledging and even predicting perceptual conditions for the work's existence. Such conditions are neither forms nor ends nor part of the process. Yet they are priorities and can be intentions. The work illustrated here involves itself with these considerations—that which is studio-produced as well as that which deals with existing exterior zones of the world. The total separation of ends and means in the production of objects, as well as the concern to make manifest idealized mental images, throws extreme doubt on the claim that the Pragmatic attitude informs Minimal art of the '6os. To begin with the concrete physicality of matter rather than images allows for a change in the entire profile of three-dimensional art: from particular forms, to ways of ordering, to methods of production and, finally, to perceptual relevance.

So far all art has made manifest images whether it arrived at them (as the art in question) or began with them. The open, lateral, random aspect of the present work does in fact provide a general sort of image. Even more than this, it recalls an aspect of Pollock's imagery by these characteristics. Elsewhere I have made mention of methodological ties to Pollock through emphasis in the work on gravity and a direct use of materials.[4] But to identify its resultant "field" aspect very closely with Pollock's work is to focus on too narrow a formalistic reading. Similar claims were made when Minimal art was identified with the forms found in previous Constructivism.

One aspect of the work worth mentioning is the implied attack on the ironic character of how art has always existed. In a broad sense art has always been an object,

verschwindet. Sowie eine Wahrnehmungsveränderung stattgefunden hat, richtet man den Blick nicht auf sie selber, sondern verwendet sie, um die Welt zu sehen. Sie ist nur an dem Punkt sichtbar, wo die Veränderung erfahren wird. Danach werden wir durch sie verändert, haben sie aber auch in uns aufgenommen. Dank der Unmöglichkeit, die Willkür des Wahrnehmungswandels rückwirkend in den Griff zu bekommen, bleiben kunsthistorische Erklärungen nichts weiter, als die Knochen toter Formen abzunagen. In diesem Sinn stirbt alle Kunst im Lauf der Zeit, ist sie nicht dauerhaft, ob sie nun als Objekt weiterbesteht oder nicht. Eine Gegenüberstellung der Kunst aus den fünfziger und den sechziger Jahren, die exzessive organische Formen im Gegensatz zu asketischen geometrischen sichtbar werden läßt, kann lediglich ein lebloser formaler Vergleich sein. Und die gegenwärtigen Arten der Abkehr von Minimal Art sind nicht primär formale. Die Veränderungen beinhalten eine Neustrukturierung dessen, was relevant ist.

Relevant für die sechziger Jahre war die Notwendigkeit, das Objekt als Kunst neu einzusetzen. Objekte bildeten einen offensichtlichen Schritt weg von Illusionismus, Anspielungen und Metapher. Sie stellen den eindeutigsten Typus einer unabhängigen künstlichen Gegebenheit dar, die offenbar vom Anthropomorphen distanziert und getrennt ist. Dabei ist nicht besonders überraschend, daß eine Kunst, die sich in Richtung größerer Konkretheit und weg vom Illusorischen bewegt, sich mit der wesentlich idealistischen Bildlichkeit des Geometrischen verknüpfte. Unter allen vorstellbaren oder erfahrbaren Dingen behält man die symmetrischen und die geometrischen am leichtesten als Formen im Gedächtnis. Das Verlangen nach Bildern, die sich geistig kontrollieren, manipulieren und vor allem isolieren ließen, beruhte einerseits auf einer ästhetischen Vorentscheidung und war andererseits eine methodologische Notwendigkeit. Objekte lieferten den bildnerischen Nährboden, aus dem heraus sich die Kunst der sechziger Jahre materialisierte. Und die Konstruktion von Objekten verlangt die vorherige Vorstellung eines Gesamtbildes. Die Kunst der sechziger Jahre war eine, die innere Bildvorstellungen abbildete. Doch die Abbildung als Modus erscheint primitiv, weil sie implizit auch die Behauptung mit umschließt, Formen gingen den Substanzen voran.[3] Gibt es keine ästhetische Vorentscheidung für die Priorität von Gesamtbildern, dann ist Projektion oder Form-Abbildung kein notwendiger Modus. Und falls die Arbeitsmethode keine vorgedachten Bilder erfordert, dann bilden Geometrie und damit auch Objekte für keine Methode, ausgenommen die Konstruktion, eine bevorzugte Form und schon gewiß keine notwendige.

Eine bestimmte Kunst verwendet jetzt als Ausgangspunkt und als Mittel Materie, Substanzen in vielerlei Zuständen – von Brocken bis zu Partikeln, bis zu Schlamm und was immer –, und vorgedachte Bilder sind weder nötig noch möglich. Neben diesem Ansatz finden sich Zufall, Kontingenz, Unbestimmtheit – kurzum der Gesamtbereich der Prozesse. Zwecke und Mittel werden auf eine Weise zusammengebracht, wie es sie vorher in der Kunst nie gab. Auf sehr spezifische Art vereinigte der abstrakte Expressionismus die beiden. Doch mit Ausnahme weniger Künstler, zumal Pollocks und Louis', fungierte die formale Struktur des Kubismus als Ziel, auf das sich die Tätigkeit

static and final, ever though structurally it may have been a depictior or existed as a fragment. What is being attacked however, is something more than art as icon. Under attack is the rationalistic notion that art is a form of work that results in a finished product Duchamp, of course, attacked the Marxist notion that labor was an index of value, but Readymades are traditionally iconic art objects. What art now has in its hands is mutable stuff which need no arrive at the point of being finalized with respect to either time or space. The notion that work is an irreversible process ending in a static icon-object no longer has much relevance.[5]

The detachment of art's energy from the craft of tedious object production has further implications. This reclamation of process refocuses art as an energy driving to change perception. (From such a point of view the concern with "quality" in art can only be another form of consumer research–a conservative concern involved with comparisons between static, similar objects within closed sets.) The attention given to both matter and its inseparableness from the process of change is not an emphasis on the phenomenon of means. What is revealed is that art itself is an activity of change, of disorientation and shift, of violent discontinuity and mutability, of the willingness for confusion even in the service of discovering new perceptual modes.

At the present time the culture is engaged in the hostile and deadly act of immediate acceptance of all new perceptual art moves, absorbing through institutionalized recognition every art act. The work discussed has not been excepted.

Footnotes

1 »Thus 'Strukturforschung' presupposes that the poets and artists of one place and time are the joint bearers of a central pattern of sensibility from which their various efforts all flow like radial expressions. This position agrees with the iconologist's, to whom literature and art seem approximately interchangeable.« George Kubler, ›The Shape of Time‹, Yale University, 1962, p. 27.

2 Both Clement Greenberg and Michael Fried have dealt with this evolution. Fried's discussion of »deductive structure« in his catalog, ›Three American Painters‹ deals explicitly with the role of the support in painting.

3 This reflects a certain cultural experience as much as a philosophic or artistic assertion. An advanced, technological, urban environment is a totally manufactured one. Interaction with the environment tends more and toward information processing in one form or another and away from interactions involving transformations of matter. The very means and visibility for material transformations become more remote and recondite. Center for production are increasingly located outside the urban environment in what are euphemistically termed "industrial parks". In these grim, remote areas the objects of daily use are producer by increasingly obscure processes and the matter transformed is increasingly synthetic and unidentifiable. As a consequence our immediate surroundings tend to be read as "forms" that have been punched out of unidentifiable, indestructible plastic or unfamiliar metal alloys. It is interesting to note that in an urban environment construction sites become small theatrical arenas the only places where raw substances and processes of its transformation are visible and the only places where random distributions are tolerated.

4 R. Morris, "Antiform", *Artforum*, April, 1968.

5 Barbara Rose in her forthcoming article, "Art and Politics, Part III", finds the only way of making the type of work under discussion permanent is through media's "freezing" it into a static form. Such

gleichbleibend zubewegte, und in diesem Sinn war ein getrenntes Ziel, ein Bild oder eine Form der Tätigkeit vorgeordnet. Jede Tätigkeit – vielleicht das zwecklose Spiel ausgenommen – nimmt sich ein mehr oder minder ausgeprägtes Ziel vor, und in diesem Sinn trennt sie den Prozeß vom Erreichten. Doch in der Kunst braucht man Bilder nicht mit Zielen zu identifizieren. Obgleich bei den zur Debatte stehenden Arbeiten Prioritäten bestehen, sind sie nicht vorab imaginiert und bildhaft. Die Prioritäten haben etwas mit der Erkenntnis und sogar der Vorhersage von Wahrnehmungsbedingungen für die Existenz der Arbeiten zu tun. Derartige Bedingungen sind weder Formen noch Ziele, noch Teile des Prozesses. Dennoch sind sie Prioritäten und können Intentionen sein. Die hier erläuterten Arbeiten lassen sich auf diese Erwägungen ein – die im Atelier hergestellten ebenso wie jene, die sich mit vorgegebenen Zonen der Außenwelt befassen. Die vollständige Trennung von Zielen und Mitteln bei der Anfertigung von Objekten läßt gleicherweise wie das Bemühen, idealisierte geistige Bilder manifest zu machen, die Behauptung als äußerst zweifelhaft erscheinen, die Minimal Art der sechziger Jahre sei durch eine pragmatische Haltung bestimmt. Der Ausgang von der konkreten Materialität der Materie statt von Bildern ist für einen Wechsel in der ganzen Erscheinung der dreidimensionalen Kunst verantwortlich: Von bestimmten Formen zu Ordnungsweisen, zu Produktionsmethoden und schließlich zur Wahrnehmungsrelevanz.

Bislang hat alle Kunst Bilder manifest gemacht, sei es, daß sie bei ihnen anlangte (wie die zur Debatte stehende Kunst), sei es, daß sie von ihnen ausging. Der offene, beiläufige, zufällige Aspekt der gegenwärtigen Arbeiten liefert in der Tat eine allgemeine Art von Bildlichkeit. Und noch mehr als dies: Er ruft durch diese Merkmale einen Aspekt von Pollocks Bildhaftigkeit in Erinnerung. Anderswo habe ich darauf verwiesen, daß die Arbeiten dank dem Akzent auf der Schwerkraft und einer direkten Verwendung des Materials methodologisch in Beziehung zu Pollock stehen.[4] Wollte man freilich ihren daraus resultierenden ›Feld‹-Aspekt sehr stark mit den Arbeiten Pollocks identifizieren, kaprizierte man sich allzusehr auf eine formalistische Lesart. Ähnliche Behauptungen stellte man auf, als man die Minimal Art mit den Formen identifizierte, die sich im früheren Konstruktivismus finden.

Ein erwähnenswerter Aspekt der Arbeiten ist der implizite Angriff auf die ikonische Beschaffenheit dessen, wie Kunst stets existierte. Cum grano salis war Kunst immer objekthaft, statisch und endgültig, auch wenn sie strukturell eine Abbildung gewesen sein oder als Fragment existiert haben mag. Allerdings wird noch etwas mehr angegriffen als Kunst qua Ikone. Der Kritik unterzogen wird die rationalistische Vorstellung, wonach Kunst eine Form von Arbeit ist, die in einem fertigen Produkt resultiere. Natürlich griff Duchamp die marxistische Auffassung an, nach der Arbeit ein Wertindex ist, doch Ready-mades sind traditionell ikonische Kunstobjekte. Was die Kunst jetzt in Händen hat, ist verwandelbarer Stoff, der nicht am Punkt des Fertigseins entweder in räumlicher oder in zeitlicher Hinsicht anzukommen braucht. Die Vorstellung, Kunst sei ein nicht umkehrbarer Prozeß, der in einem statischen Ikonenobjekt seinen Abschluß finde, ist nicht mehr sehr belangvoll.[5]

a conclusion identifies the record with the thing but work involving indeterminacy can have any number of "records"–the work itself does not come to rest with any of them. It physical presence at any given point should not be confused with the record of it. The present art will be no more impermanent than older art that is already dead, having lost through time all of its relevance. Physical art which involves indeterminacy should be distinguished from "idea" art which intends to exist primarily as media (e.g., Oldenburg's monuments, Joseph Kosuth's definitions). The work under discussion has an expansive parameter that is media-like: *i.e.*, the same work might be set up in ten different parts of the world simultaneously. Since much of the work involves non-transformed substances that are readily available or the earth itself, it can be brought into existence through specifications. Work that might exist any time and any place and then literally recede back into the world has the mobility and dispersibility of media. Both media- and performance-like, it is neither of these: it is physical; its changes are not performances.

Daß Kunst ihre Energie nicht mehr für das Handwerk ermüdender Objektproduktion verausgabt, hat noch weitere Implikationen. Dieses Nutzbarmachen des Prozesses konzentriert Kunst erneut als eine Energie, die danach drängt, die Wahrnehmung zu verändern. (Unter einem solchen Blickwinkel kann das Kaprizieren auf ›Qualität‹ in der Kunst nur eine Form der Konsumforschung sein – ein konservatives Interesse, das sich auf Vergleiche zwischen statischen, ähnlichen Objekten innerhalb geschlossener Komplexe einläßt.) Die Aufmerksamkeit, die sich sowohl auf die Materie wie auf deren unlösliche Verbundenheit mit dem Wandlungsprozeß richtet, bedeutet nicht, das Phänomen der Mittel hervorzuheben. Vielmehr enthüllt sich, daß Kunst selber eine Tätigkeit des Veränderns, der Desorientierung, des Verschiebens, der heftigsten Diskontinuität, der Verwandelbarkeit und der Bereitschaft ist, sogar noch im Dienst des Entdeckens von neuen Wahrnehmungsweisen Verwirrung zu stiften.

Zur gegenwärtigen Zeit hat sich die Kultur auf das bösartige und tödliche Verfahren eingelassen, augenblicklich alle neuen perzeptuellen Kunstvorgänge zu akzeptieren, indem sie durch institutionalisierte Anerkennung jedes Kunstereignis absorbiert. Die hier erörterten Arbeiten hat man nicht erwartet.

Anmerkungen

1 »So geht die ›Strukturforschung‹ davon aus, daß Dichter und Künstler an einem Ort und zu einer Zeit die gemeinsamen Träger eines zentralen Sensibilitätsmusters sind, von dem ihre verschiedenen Bemühungen wie strahlenförmige Manifestationen ausgehen. Diese Position stimmt mit der der Ikonologen überein, für die Literatur und Kunst annähernd austauschbar erscheinen.« George Kubler, *The Shape of Time*, Yale University, 1962, S. 27.

2 Sowohl Clement Greenberg wie Michael Fried beschäftigten sich mit dieser Entwicklung. Frieds Erörterung der ›deduktiven Struktur‹ in seinem Katalog *Three American Painters* befaßt sich ausdrücklich mit der Rolle des Ausdrucksträgers in der Malerei.

3 Das spiegelt ebensosehr eine gewisse kulturelle Erfahrung wie auch eine philosophische oder künstlerische Behauptung wider. Eine hoch entwickelte, technologische, urbane Umwelt ist eine total fabrizierte. Die Interaktion mit der Umwelt tendiert immer mehr in Richtung auf diese oder jene Weise der Informationsverarbeitung und weg von Interaktionen, die mit Materieumwandlungen zu tun haben. Die eigentlichen Mittel für Materieumwandlung und deren Sichtbarwerden erweisen sich als immer abseitiger und undurchschaubarer. Die Produktionszentren werden in immer höherem Maß außerhalb der urbanen Umwelt angesiedelt, und zwar in ›Industrieparks‹, wie man euphemistisch dazu sagt. In diesen abstoßenden, weit abgelegenen Gebieten werden die Objekte des täglichen Gebrauchs in zunehmend obskursen Verfahren hergestellt, und die umgewandelte Materie wird immer synthetischer und unidentifizierbarer. Die Folge davon ist, daß unsere unmittelbare Umgebung dazu tendiert, als eine Ansammlung von ›Formen‹ verstanden zu werden, die aus unidentifizierbaren, unzerstörbaren Kunststoffen oder unvertrauten Metallverbindungen herausgestanzt sind. Es ist interessant festzustellen, daß Baustellen in einer urbanen Umwelt zu kleinen Freilufttheatern werden – zu den einzigen Orten, wo Rohmaterialien und ihre Umwandlung sichtbar sind, und zu den einzigen Orten, wo man Zufallsanordnungen duldet.

4 R. Morris: ›Antiform‹, *Artforum*, April 1968.

5 Barbara Rose sieht in ihrem noch unveröffentlichten Artikel ›Art and Politics, Part III‹ die einzige Möglichkeit, den hier zur Debatte stehenden Typus von Arbeiten dauerhaft zu machen, darin, sie durch ›Einfrieren‹ des Mediums in statische Form zu bringen. Eine derartige Schlußfolgerung identifiziert die ›Niederschrift‹ mit dem Ding, doch eine mit Unbestimmtheit operierende Arbeit kann eine

beliebige Anzahl von ›Niederschriften‹ haben – in keiner von ihnen kommt die Arbeit selber zu endgültiger Ruhe. Ihre materielle Präsenz an dieser oder jener Stelle ist nicht mit der jeweiligen ›Niederschrift‹ zu verwechseln. Die gegenwärtige Kunst wird nicht weniger dauerhaft sein als die bereits tote ältere, die im Lauf der Zeit ihre ganze Relevanz verloren hat. Materielle Kunst, die mit Unbestimmtheit operiert, sollte man von einer ›Ideenkunst‹ unterscheiden, die primär medial existieren möchte (beispielsweise Oldenburgs Monumente, Joseph Kosuths Definitionen). Die zur Debatte stehenden Arbeiten haben einen medienartigen expansiven Parameter, das heißt, eine und dieselbe Arbeit kann gleichzeitig an zehn verschiedenen Stellen der Welt etabliert werden. Da viele dieser Arbeiten mit nicht umgewandelten Substanzen, die leicht verfügbar sind, oder mit der Erde selber operieren, lassen sie sich durch Spezifikation verwirklichen. Eine Arbeit, die jederzeit und an jedem Ort existieren und dann buchstäblich in die Erde zurückkehren könnte, hat die Mobilität und die Streubarkeit von Medien. Sowohl medien- wie darbietungsartig, ist sie doch weder Medium noch Darbietung: Sie ist materiell; ihre Verwandlungen sind keine Darbietungen.

Peter Roehr

Whether what I do is art, I don't know; on the other hand I wouldn't know what else it could be.
[1964/1965]

I alter material by organizing it unchanged. Each work is an organized area of identical elements.
Neither successive nor additive, there is no result or sum.
Nov. '64

My pictures cover regions which lie beyond activity and passivity.
9. 7. '64

The creative process is reduced through the limitation of choice and the concentration on a system (pattern).
My work seeks to be more reproductive than creative. I use prefabricated elements in order to minimize my participation in the process of production.
May 1967

What do we see? A structural order, no composition. A surface is filled with identical objects, which cannot be distinguished. . . . The picture has no focal point, it happens everywhere.
. . . The picture could expand itself in all directions and continue, being itself endless—but then it would not be this but another picture. Therefore the selection of objects and the decision how many to use are the only arbitrary acts of the producer.
What does the picture say to us? It expresses no subjective opinion. The message is the object itself: content and form are identical.
[1965]

Reter Roehr

Ob das, was ich mache, Kunst ist, weiß ich nicht; andererseits wüßte ich aber auch nicht, was es sonst sein könnte.
[1964/1965]

Ich verändere Material, indem ich es unverändert organisiere. Jede Arbeit ist organisiertes Gebiet aus Gleichem.
Weder sukzessiv noch summarisch, es gibt kein Fazit und keine Summe unter dem Strich.
Nov. '64

Meine Bilder umfassen Bereiche, die sich außerhalb von Aktivität und Passivität befinden.
9. 7. '64

In der Beschränkung der Auswahlmöglichkeiten und der Konzentration auf ein System (Muster) wird der schöpferische Prozeß reduziert.
Meine Arbeit versucht, mehr reproduktiv als kreativ zu sein. Ich verwende präfabrizierte Elemente, um meine Beteiligung am Herstellungsprozeß zu verringern.
Mai 1967

Was sehen wir? Ein Ordnungsgefüge, keine Komposition. Eine Fläche ist angefüllt mit gleichartigen Objekten, man kann sie nicht unterscheiden ... Das Bild hat keinen Ereignisort, es ereignet sich überall.
... Das Bild, es könnte sich nach allen Seiten ausbreiten und fortsetzen, ist an sich unendlich, aber dann wäre es eben nicht dieses, sondern ein anderes Bild. Also: die Auswahl der Objekte und die Bestimmung der Anzahl ist die einzig willkürliche Arbeit des Herstellers.
Was sagt uns das Bild? Es besitzt keine subjektive Stellungnahme. Die Aussage ist der Gegenstand: Inhalt und Form sind deckungsgleich (identisch).
[1965]

I feel identical with what I do. In the "Montages" I realize in an unrestricted manner everything that is important to me. I believe, I am free.
[1964/1965]

The event is not only the making of art but also the showing. I do not make works for myself. People are important. Not only the act of making brings insight, but also the works made, the exhibition etc. We must get away from the notion that idea and execution are the only decisive phases. The attitude of the artist is important–as is the material, its presentation, or the critic and the press.
1964

In a certain sense made objects are language–if vocabulary and its usage are language.
1965

Created pictures, as soon as they are thought of, are already created. Realization is the second part of the unfolding process.
19. 9. 1966

Size is related to beauty as material is to quality.
1966

Art is what changes existing aesthetic and social conditions by aesthetic means. Thus art is what puts in question the previous definition of art.
[1967]

Ich fühle mich identisch mit dem, was ich tue. In den ›Montagen‹ verwirkliche ich uneingeschränkt alles, was mir wichtig ist. Ich glaube, ich bin frei.
[1964/1965]

Ereignis ist nicht nur das Machen von Kunst, sondern auch das Zeigen. Ich mache die Arbeiten nicht für mich. Leute sind wichtig. Nicht allein das Machen bringt Einsichten, auch die gemachten Arbeiten, die Ausstellung usw. Man muß weg von der Auffassung, daß Idee und Ausführung die einzig entscheidenden Phasen seien. Die Haltung des Künstlers ist wichtig wie das Material, die Präsentation oder die Kritik und die Presse.
1964

In gewisser Weise sind gemachte Objekte Sprache – wenn Sprache Vokabular und die Art und Weise seines Gebrauchs sind.
1965

Erfundene Bilder sind, wenn sie gedacht werden, schon erfunden. Die Realisierung ist der zweite Teil des Entstehungsprozesses.
19. 9. 1966

Größe verhält sich zu Schönheit wie Material zu Qualität.
1966

Das ist Kunst, was mit ästhetischen Mitteln bestehende ästhetische und soziale Zustände verändert. Somit ist das Kunst, was die jeweils bisherige Definition der Kunst in Frage stellt.
[1967]

Lawrence Weiner

1. The artist may construct the work
2. The work may be fabricated
3. The work need not to be built

Each being equal and consistent with the intent of the artist
the dicision as to condition rests with the receiver upon the occasion of receivership

If for to exist within a cultural context

1. An art may be constructed by an artist
2. An art may be fabricated
3. An art need not to be built

A reasonable assumption would be
that all are equal and consistent with the condition of art
and the relevant decisions as to condition
upon receivership are not

Lawrence Weiner

1. Der Künstler kann die Arbeit machen
2. Die Arbeit kann von einer anderen Person hergestellt werden
3. Die Arbeit muß nicht realisiert werden

Jede dieser Möglichkeiten ist gleichwertig und entspricht der Intention des Künstlers
die Entscheidung über den Zustand liegt beim Empfänger nach der Übernahme

Wenn um in einem kulturellen Kontext zu existieren

1. Kunst vom Künstler gemacht werden kann
2. Kunst von einer anderen Person hergestellt werden kann
3. Kunst nicht realisiert werden muß

scheint die Auffassung angemessen
daß alle Möglichkeiten gleichwertig sind und der Beschaffenheit von Kunst entsprechen
die Entscheidungen über den Zustand nach der Übernahme hingegen nicht

Bibliography/Bibliographie

Carl Andre
* 1935 in Quincy (Mass.)
lives in New York

Catalogues:
Städtisches Museum, Mönchengladbach 1968
Haags Gemeentemuseum, The Hague 1969
Guggenheim Museum, New York 1970
Addison Gallery of American Art, Phillips
Academy, Andover (Mass.) 1973

Bibliography:
Frank Stella, in: 16 Americans, New York: The
Museum of Modern Art 1959, p. 76
First Five Poems, New York 1961
Contribution *(Art is what we do . . .)* for: Barbara
Rose/Irving Sandler, Sensibility of the Sixties,
in: Art in America LV/1, January/February
1967, p. 49
Novros, in: 57th Street Review, April 1967
New in New York: Line Work, in: Arts Magazine
XLI/7, May 1967, pp. 49–50 (statements by
Marden, Mogensen and Novros, compiled by
Andre)
Interview with Dode Gust in: The Aspen
Times (Colorado), July 18, 1968; extracts in
catalogue The Hague 1969
Statement *(A man climbs . . .)* in: Catalogue
Mönchengladbach 1968; in: When Attitudes
Become Form, Kunsthalle Bern 1969; in:
Ars povera, edited by Germano Celant,
Tübingen: Studio Wasmuth 1969, p. 204
Flags: An Opera for Three Voices, in: Studio
International CLXXVII/910, April 1969,
p. 176
*Questions and Answers, Antwerpen: A 379089,
September 1969; as titlepage for: Interfunk-
tionen No. 4, Cologne 1970; in: Idee und
Material, catalogue Das Progressive Museum,
Basel 1973; French in: VH 101 No. 1, Prin-
temps 1970, pp. 105–106
Contribution for: Time: A Panel Discussion, in:
Art International XIII/9, November 1969,
pp. 20–23 and 39
7 books: *Passport* (1960); *Shape and Structure*

(1960–65); *A Theory of Poetry* (1960–65); *One
Hundred Sonnets* (1963); *America Drill* (1963–
68); *Three Operas* (1964); *Lyrics and Odes*
(1969); New York: Seth Siegelaub/Dwan
Gallery 1969
Interview with Phyllis Tuchman in: Artforum
VIII/10, June 1970, pp. 55–61
Statement in: Sol LeWitt, catalogue Haags
Gemeentlemuseum, The Hague 1970, p. 14
Statement in: The Artist and Politics: A Sym-
posium, in: Artforum IX/1, September 1970,
p. 35
Interview (with Willoughby Sharp) in: Ava-
lanche No. 1, Fall 1970, p. 18–27
Interview with Jeanne Siegal in: Studio Inter-
national CLXXX/927, November 1970, pp.
175–179
Statement (›Three Vectors‹) in: Sonsbeek 71,
catalogue Arnheim 1971, p. 35
Interview with Achille Bonito Oliva in: Domus,
Ottobre 1972, pp. 53–56
A Note on Bernhard and Hilla Becher, in: Art-
forum XI/4, December 1972, pp. 59–61

Art & Language

Terry Atkinson
* 1939 in Thurnscoe (Rotherham), Yorkshire
lives in Leamington Spa, Warwickshire

David Bainbridge
* 1941 in Sheffield, Yorkshire
lives in Birmingham, Staffordshire

Michael Baldwin
* 1945 in Chipping Norton, Oxfordshire
lives in Horley, Oxfordshire

Ian Burn→ Burn/Ramsden

Charles Harrison
* 1942 in England
lives near Wallingford, Berkshire

Carl Andre
* 1935 in Quincy (Mass.)
lebt in New York

Kataloge:
Städtisches Museum, Mönchengladbach 1968
Haags Gemeentemuseum, Den Haag 1969
Guggenheim Museum, New York 1970
Addison Gallery of American Art, Phillips
  Academy, Andover (Mass.) 1973

Bibliographie:
Frank Stella, in: 16 Americans, New York: The
  Museum of Modern Art 1959, S. 76
First Five Poems, New York 1961
Beitrag *(Art is what we do . . .)* für: Barbara Rose/
  Irving Sandler, Sensibility of the Sixties, in:
  Art in America LV/1, January/February 1967,
  S. 49
Novros, in: 57th Street Review, April 1967
New in New York: Line Work, in: Arts Magazine
  XLI/7, May 1967, S. 49–50 (Statements von
  Marden, Mogensen and Novros, herausgege-
  ben von Andre)
Interview mit Dode Gust in: The Aspen Times
  (Colorado), July 18, 1968; Auszüge in: Kata-
  log Den Haag 1969
Statement *(A man climbs . . .)*, in: Katalog Mön-
  chengladbach 1968; in: When Attitudes Become
  Form, Kunsthalle Bern 1969; in: Ars povera,
  herausgegeben von Germano Celant, Tübin-
  gen: Studio Wasmuth 1969, S. 204
Flags: An Opera for Three Voices, in: Studio
  International CLXXVII/910, April 1969,
  S. 176
* *Questions and Answers*, Antwerpen: A 379089,
  September 1969; als Titelblatt für: Interfunk-
  tionen Nr 4, Köln 1970; in: Idee und Material,
  Katalog Das Progressive Museum, Basel 1973;
  französisch in: VH 101 Nr 1, Printemps 1970,
  S. 105–106
Beitrag für: Time: A Panel Discussion, in: Art
  International XIII/9, November 1969, S.
  20–23 und 39
7 Bücher: *Passport* (1960); *Shape and Structure*

(1960–65); *A Theory of Poetry* (1960–65); *One
Hundred Sonnets* (1963); *America Drill* (1963–
68); *Three Operas* (1964); *Lyrics and Odes*
(1969); New York: Seth Siegelaub/Dwan
Gallery 1969
Interview mit Phyllis Tuchman in: Artforum
  VIII/10, June 1970, S. 55–61
Statement in: Sol LeWitt, Katalog Haags
  Gemeentemuseum, Den Haag 1970, S. 14
Statement in: The Artist and Politics: A Sympo-
  sium, in: Artforum IX/1, September 1970,
  S. 35
Interview (mit Willoughby Sharp) in: Avalanche
  Nr 1, Fall 1970, S. 18–27
Interview mit Jeanne Siegal in: Studio Inter-
  national CLXXX/927, November 1970, S.
  175–179
Statement (›Three Vectors‹) in: Sonsbeek 71,
  Katalog Arnheim 1971, S. 35
Interview mit Achille Bonito Oliva in: Domus,
  Ottobre 1972, S. 53–56
A Note on Bernhard and Hilla Becher, in: Art-
  forum XI/4, December 1972, S. 59–61

Art & Language

Terry Atkinson
* 1939 in Thurnscoe (Rotherham), Yorkshire
lebt in Leamington Spa, Warwickshire

David Bainbridge
* 1941 in Sheffield, Yorkshire
lebt in Birmingham, Staffordshire

Michael Baldwin
* 1945 in Chipping Norton, Oxfordshire
lebt in Horley, Oxfordshire

Ian Burn→ Burn/Ramsden

Charles Harrison
* 1942 in England
lebt in der Nähe von Wallingford, Berkshire

Graham Howard
* 1948 in Winchester, Hampshire
lives in Winchester, Hampshire

Harold Hurrell
* 1940 in Bolton-upon-Dearne (Rotherham),
Yorkshire
lives in Hull, Yorkshire

Joseph Kosuth→ Kosuth

Philip Pilkington
* 1949 in Coventry, Warwickshire
lives in Coventry, Warwickshire

Mel Ramsden→ Burn/Ramsden

David Rushton
* 1950 in Guildford, Surrey
lives in Birmingham

Catalogues:
Proceedings I–VI, Kunstmuseum Luzern 1974
(English/German [Proceedings I–V])

Bibliography:
Art-Language, Volume I: No. 1, May 1969;
No. 2, February 1970; No. 3, June 1970;
No. 4, November 1971
Volume II: No. 1, February 1972; No. 2,
Summer 1972
Statements, edited by Philip Pilkington and David
Rushton, No. 1, January 1970; No. 2, No-
vember 1970
Analytical Art, edited by Kevin Lole, Philip
Pilkington and David Rushton, No. 1, July
1971; No. 2, June 1972
Art & Language, edited by Paul Maenz and
Gerd de Vries, Cologne: Verlag M.DuMont
Schauberg 1972, =DuMont Kunst=Praxis,
=DuMont International (English/German)
Atkinson/Bainbridge/Baldwin/Hurell: *Catalogue
raisonné, November 1965–February 1969*, Lea-
mington Spa/Zurich: Art & Language Press/
Galerie Bischofberger [1973]

Atkinson/Baldwin: *Air-Conditioning Show/Air
Show/Frameworks*, Art & Language Press
1967; in: Art & Language, Cologne 1972,
pp. 18–47
Atkinson/Baldwin: *Hot, Warm, Cool, Cold*, Art
& Language Press 1967
Baldwin: *Remarks on Air-Conditioning*, in: Arts
Magazine, November 1967
Atkinson/Baldwin: *22 Sentences: The French
Army*, Coventry: Precinct Publications 1968
Hurell: *Fluidic Device*, Art & Language Press
1968
* Art & Language, *Introduction*, in: Art-Lan-
guage I/1, May 1969, pp. 1–10; in: Ursula
Meyer, Conceptual Art, New York: E.P.
Dutton & Co., Inc. 1972, =A Dutton Paper-
back D 271, pp. 9–21
Bainbridge: *Notes on M1 (1)*, in: Art-Language
I/1, May 1969, pp. 19–22; in: Art & Language,
Cologne 1972, pp. 48–57; in: Ursula Meyer,
Conceptual Art, New York: E.P. Dutton &
Co., Inc. 1972, =A Dutton Paperback D 271,
pp. 27–31
Baldwin/Hurell: *Handbook to ›Ingot‹*, New York
Cultural Center/Art & Language Press 1970;
in: Art & Language, Cologne 1972, pp. 108–
123
Atkinson/Bainbridge/Baldwin/Hurell: *Status
and Priority*, in: Studio International CLXXIX/
918, January 1970, pp. 28–31
Atkinson/Bainbridge/Baldwin/Hurell: *Notes on
Substance Concepts (Art Objects), 368 Year Old
Spectator, Notes: Harold Hurrell* und *Sunny-
bank*, in: Conceptual Art & Conceptual
Aspects, catalogue New York Cultural
Center 1970, pp. 10–20
Atkinson/Bainbridge/Baldwin/Hurell: *Lecher
System*, in: Idea Structures, catalogue Camden
Arts Centre, London 1970; in: July/August
Exhibition Book, =Studio International
CLXXX/924, July/August 1970, pp. 26–27;
in: Art & Language, Cologne 1972, pp. 124–
133; in: Ursula Meyer, Conceptual Art, New
York: E.P. Dutton & Co., Inc. 1972, =A
Dutton Paperback D 271, pp. 22–25

Graham Howard
* 1948 in Winchester, Hampshire
lebt in Winchester, Hampshire

Harold Hurrell
* 1940 in Bolton-upon-Dearne (Rotherham),
Yorkshire
lebt in Hull, Yorkshire

Joseph Kosuth→ Kosuth

Philip Pilkington
* 1949 in Coventry, Warwickshire
lebt in Coventry, Warwickshire

Mel Ramsden→ Burn/Ramsden

David Rushton
*1950 in Guildford, Surrey
lebt in Birmingham

Kataloge:
Proceedings I–VI, Kunstmuseum Luzern 1974
(englisch/deutsch [Proceedings I–V])

Bibliographie:
Art-Language, Volume I: Nr 1, May 1969; Nr 2,
February 1970; Nr 3, June 1970; Nr 4, No-
vember 1971
Volume II: Nr 1, February 1972; Nr 2, Sum-
mer 1972
Statements, herausgegeben von Philip Pilkington
und David Rushton, Nr 1, January 1970;
Nr 2, November 1970
Analytical Art, herausgegeben von Kevin Lole,
Philip Pilkington und David Rushton, Nr 1,
July 1971; Nr 2, June 1972
Art & Language, Texte zum Phänomen Kunst
und Sprache, herausgegeben von Paul Maenz
und Gerd de Vries, Köln: Verlag M. DuMont
Schauberg 1972, =DuMont Kunst-Praxis,
=DuMont International (englisch/deutsch)
Atkinson/Bainbridge/Baldwin/Hurrell: *Catalogue
raisonné, November 1965 – February 1969*,
Leamington Spa/Zürich: Art & Language
Press/Galerie Bischofberger [1973]

Atkinson/Baldwin: *Air-Conditioning Show/Air
Show/Frameworks*, Art & Language Press
1967; in: Art & Language, Köln 1972, S. 18–
47
Atkinson/Baldwin: *Hot, Warm, Cool, Cold*, Art
& Language Press 1967
Baldwin: *Remarks on Air-Conditioning*, in: Arts
Magazine, November 1967
Atkinson/Baldwin: *22 Sentences: The French
Army*, Coventry: Precinct Publications 1968
Hurrell: *Fluidic Device*, Art & Language Press
1968
* Art & Language, *Introduction*, in: Art-Langu-
age I/1, May 1969, S. 1–10; in: Ursula Meyer,
Conceptual Art, New York: E.P. Dutton &
Co., Inc. 1972, =A Dutton Paperback D 271,
S. 9–21
Bainbridge: *Notes on M1 (1)*, in: Art-Language
I/1, May 1969, S. 19–22; in: Art & Language,
Köln 1972, S. 48–57; in: Ursula Meyer,
Conceptual Art, New York: E.P. Dutton &
Co., Inc. 1972, =A Dutton Paperback D 271,
S. 27–31
Baldwin/Hurrell: *Handbook to ›Ingot‹*, New York
Cultural Center/Art & Language Press 1970;
in: Art & Language, Köln 1972, S. 108–123
Atkinson/Bainbridge/Baldwin/Hurrell: *Status
and Priority*, in: Studio International
CLXXIX/918, January 1970, S. 28–31
Atkinson/Bainbridge/Baldwin/Hurrell: *Notes on
Substance Concepts (Art Objects), 368 Year Old
Spectator, Notes: Harold Hurrell* und *Sunny-
bank*, in: Conceptual Art & Conceptual
Aspects, Katalog New York Cultural Center
1970, S. 10–20
Atkinson/Bainbridge/Baldwin/Hurrell: *Lecher
System*, in: Idea Structures, Katalog Camden
Arts Centre, London 1970; in: July/August
Exhibition Book, =Studio International
CLXXX/924, July/August 1970, S. 26–27; in:
Art & Language, Köln 1972, S. 124–133; in:
Ursula Meyer, Conceptual Art, New York:
E.P. Dutton & Co., Inc. 1972, =A Dutton
Paperback D 271, S. 22–25
Atkinson/Baldwin: *Theories of Ethics*, New York

Atkinson/Baldwin: *Theories of Ethics*, New York Cultural Center/Art & Language Press 1971

Atkinson/Baldwin: *De Legibus Naturae*, in: The British Avant Garde, catalogue New York Cultural Center 1971, pp. 26–32, =Studio International CLXXXI/933, May 1971, pp. 226–232; in: Art & Language, Cologne 1972, pp. 240–279

Pilkington/Rushton/Lole/Smith: *Concerning the Paradigm of Art*, Zurich: Bruno Bischofberger 1971

Pilkington/Rushton/Lole: *Some Concerns in Fine-Art Education*, in: Studio International CLXXXIII/937, October 1971, pp. 120–121

Atkinson/Baldwin: *Question Sequences*, in: Prospects No. 1, Marzo-Aprile 1972 (Italian)

Atkinson/Baldwin: *Some Post-War American Work and Art & Language: Ideological Responsiveness*, in: Studio International CLXXXIII/943, April 1972, pp. 164–167

Atkinson/Bainbridge/Baldwin/Hurrell: *A Reiteration of an Old Art Language View*, in: De Europa, catalogue John Weber Gallery, New York 1972

Art & Language: *Suggestions for a Map*, in: documenta 5, catalogue Kassel 1972 (English/German)

Art & Language: *Documenta Memorandum (Indexing)* and *Alternate Map for Documenta (Based on Citation A)*, The Art & Language Institute/Paul Maenz, Cologne 1972

Contributions for: The New Art, catalogue Hayward Gallery, London 1972

Lole/Pilkington/Rushton: *Possible Models for Propositional Attitudes*, in: Studio International CLXXXV/951, January 1973, pp. 29–31

Atkinson/Baldwin/Pilkington/Rushton: *Introduction to a Partial Problematic*, in: Joseph Kosuth, retrospective catalogue Kunstmuseum Lucerne 1973 and elsewhere (English/German/Italian/French)

Baldwin: *The Problem of Context*, in: Frameworks I/2, June 1973

Art & Language: Contribution for: Art Theory & Practice, in: Studio International CLXXXVI/961, December 1973, pp. 261–266

Daniel Buren
* 1938 in Boulogne (Seine)
lives in Paris

Catalogues:
Städtisches Museum, Mönchengladbach 1971
Museum of Modern Art, Zagreb 1974

Bibliography:
Es malt, Düsseldorf: Konrad Fischer [1973]
Five Texts, New York/London: The John Weber Gallery/The Jack Wendler Gallery 1973
Please refer to bibliography in catalogue documenta 5, Kassel 1972.

Mise en garde, in: Konzeption/Conception, catalogue Städtisches Museum Leverkusen, Schloß Morsbroich 1969 (French); German/English/French Antwerpen: A 379089 1969; German in: Interfunktionen No. 4, Cologne 1970, pp. 83–85 (not authorized)

Mise en garde No. 2, Brussels: Galerie MTL 1970 (revised version)

Mise en garde No. 3, in: VH 101 No. 1, Printemps 1970, pp. 97–103 (revised version)

Mise au point (mise en garde No. 4), in: Les lettres françaises, 17 Juin 1970 (final version)

* *Beware!*, in: Studio International CLXXIX/920, March 1970, pp. 100–104 (English version); in: Ursula Meyer, Conceptual Art, New York: E.P. Dutton & Co., Inc. 1972, =A Dutton Paperback D 271 pp. 61–77; in: Five Texts, New York/London 1973, pp. 10–22

It Rains, It Snows, It Paints, in: Arts Magazine, April 1970; in: Idea Art, A Critical Anthology, edited by Gregory Battcock, New York: E.P. Dutton & Co., Inc. 1973, =A Dutton Paperback D 344, pp. 175–179 (not authorized); in: Five Texts, New York/London 1973, pp. 24–26; French/German in: Bilder, Objekte, Filme, Konzepte, catalogue Herbig

Cultural Center/Art & Language Press 1971
Atkinson/Baldwin: *De Legibus Naturae*, in: The
British Avant Garde, Katalog New York
Cultural Center 1971, S. 26–32, =Studio
International CLXXXI/933, May 1971, S.
226–232; in: Art & Language, Köln 1972,
S. 240–279

Pilkington/Rushton/Lole/Smith: *Concerning the
Paradigm of Art*, Zürich: Bruno Bischofberger 1971

Pilkington/Rushton/Lole: *Some Concerns in
Fine-Art Education*, in: Studio International
CLXXXIII/937, October 1971, S. 120–121

Atkinson/Baldwin: *Question Sequences*, in: Prospects Nr 1, Marzo-Aprile 1972 (italienisch)

Atkinson/Baldwin: *Some Post-War American
Work and Art & Language: Ideological Responsiveness*, in: Studio International CLXXXIII/
943, April 1972, S. 164–167

Atkinson/Bainbridge/Baldwin/Hurrell: *A Rei-
teration of an Old Art Language View*, in: De
Europa, Katalog John Weber Gallery, New
York 1972

Art & Language, *Suggestions for a Map*, in:
documenta 5, Katalog Kassel 1972 (englisch/
deutsch)

Art & Language: *Documenta Memorandum
(Indexing)* und *Alternate Map for Documenta
(Based on Citation A)*, The Art & Language
Institute/Paul Maenz, Köln 1972

Beiträge für: The New Art, Katalog Hayward
Gallery, London 1972

Lole/Pilkington/Rushton: *Possible Models for
Propositional Attitudes*, in: Studio International
CLXXXV/951, January 1973, S. 29–31

Atkinson/Baldwin/Pilkington/Rushton: *Introduction to a Partial Problematic*, in: Joseph
Kosuth, Katalog zur Retrospektive, Kunstmuseum Luzern 1973 u.a. (englisch/deutsch/
italienisch/französisch)

Baldwin: *The Problem of Context*, in: Frameworks I/2, June 1973

Art & Language: Beitrag für: Art Theory &
Practice, in: Studio International CLXXXVI/
961, December 1973, S. 261–266

Daniel Buren

* 1938 in Boulogne (Seine)
lebt in Paris

Kataloge:
Städtisches Museum, Mönchengladbach 1971
Museum für moderne Kunst, Zagreb 1974

Bibliographie:
Es malt, Düsseldorf: Konrad Fischer [1973]
Five Texts, New York/London: The John
Weber Gallery/The Jack Wendler Gallery
1973
Wir verweisen auf die Bibliographie im Docu-
menta-Katalog, Kassel 1972:
Mise en garde, in: Konzeption/Conception, Kata-
log Städtisches Museum Leverkusen, Schloß
Morsbroich 1969 (französisch); deutsch/
englisch/französisch Antwerpen: A 379089
1969; deutsch in: Interfunktionen Nr 4,
Köln 1970, S. 83–85 (nicht autorisiert)
Mise en garde No. 2, Brüssel: Galerie MTL 1970
(revidiert)
Mise en garde No. 3, in: VH 101 Nr 1, Printemps
1970, S. 97–103 (revidiert)
Mise au point (Mise en garde No. 4), in: Les
lettres françaises, 17 juin 1970 (endgültige
Fassung)
* *Beware!* in: Studio International CLXXIX/
920, March 1970, S. 100–104 (englische Fas-
sung); in: Ursula Meyer, Conceptual Art,
New York: E.P. Dutton & Co., Inc. 1972,
=A Dutton Paperback D 271, S. 61–77; in:
Five Texts, New York/London 1973, S. 10–22
It Rains, It Snows, It Paints, in: Arts Magazine,
April 1970; in: Idea Art, A Critical Anthology,
herausgegeben von Gregory Battcock, New
York: E.P. Dutton & Co., Inc. 1973, =A
Dutton Paperback D 344, S. 175–179 (nicht
autorisiert); in: Five Texts, New York/London
1973, S. 24–26; französisch/deutsch in: Bilder,
Objekte, Filme, Konzepte, Katalog der Samm-
lung Herbig, Städtische Galerie im Lenbach-
haus, München 1973; deutsch in: Es malt,
Düsseldorf [1973], S. 16–20

collection, Städtische Galerie im Lenbach-
haus, Munich 1973; German in: Es malt,
Düsseldorf [1973], pp. 16–20

Limites critiques, Paris: Yvon Lambert 1970;
German in: catalogue Mönchengladbach
1971; Italian in: Data II/5–6, Estate 1972,
pp. 42–53; English in: Five Texts, New York/
London 1973, pp. 43–57

Position-Proposition, in: catalogue Mönchen-
gladbach 1971; French in: VH 101 No. 5,
Printemps 1971, pp. 28–39; English in: Studio
International CLXXXI/932, April 1971, pp.
181–185; English in: Five Texts, New York/
London 1973, pp. 28–41; Italian in: Data
II/5–6, Estate 1972, pp. 34–41

Autour d'un détour, in: OPUS international, Mai
1971; English in: Studio International
CLXXXI/934, June 1971, pp. 246–247;
Italian in: Data I/1, Settembre 1971, pp. 26–29;
Spanish in: ARTINF No. 7, (Buenos Aires)
July 1971

Passage, 7 volumes, Macerata: Arte studio 1972

Une exposition exemplaire, in: Flash Art No. 35/36,
September/October 1972, p. 24

Legend/Légende/Bildtext . . ., 2 volumes, London:
Warehouse Publications 1973

Function of the Museum, Oxford: Museum of
Modern Art 1973; in: Artforum XII/1, Sep-
tember 1973, p. 68; in: Five Texts, New
York/London 1973, pp. 58–61; German in:
Es malt, Düsseldorf [1973], pp. 8–15

Die Funktion einer Ausstellung, in: Es malt, Düsseldorf [1973], pp. 2–6; English in: Studio
International CLXXXVI/961, December 1973,
p. 216; French in: artitudes international
III/6–8, Décembre 1973–Mars 1974, pp. 38–39

Victor Burgin

* 1941 in Sheffield
lives in London

Bibliography:
Art-Society System, in: Control No. 4, 1968

* *Situational Aesthetics*, in: Studio International
CLXXVIII/915, October 1969, pp. 118–121;
in: Ursula Meyer, Conceptual Art, New York:
E.P. Dutton & Co., Inc. 1972, =A Dutton
Paperback D 271, pp. 79–87

Thanks for the Memory . . ., in: Architectural
Design, August 1970

Contribution for: David Lamelas, Publication,
London: Nigel Greenwood 1970, pp. 11–14

Rules of Thumb, in: The British Avant Garde,
catalogue New York Cultural Center 1971,
pp. 37–39, =Studio International CLXXXI/
933, May 1971, pp. 237–239

Contribution (*Art's primary situation . . .*) for:
documenta 5, catalogue Kassel 1972 (English/
German); German in: Karin Thomas, Kunst
=Praxis heute, Cologne: Verlag M.DuMont
Schauberg 1972, =DuMont Aktuell, p. 229;
German in: ›Konzept‹-Kunst, catalogue
Kunstmuseum Basel 1972

In Reply, in: Art-Language II/2, Summer 1972,
pp. 32–34

Margin Note, in: The New Art, catalogue Hayward Gallery, London 1972, pp. 22–25

Work and Commentary, edited by Elizabeth Glazebrook, London: Latimer New Dimensions
1973

Ian Burn

* 1939 in Geelong, Australien
lives in New York

Mel Ramsden

* 1944 in Nottingham
lives in New York

Bibliography:
Burn: *Dialogue*, in: Art-Language I/2, February
1970, p. 22
Burn: *Read Premiss*, in: Conceptual Art and
Conceptual Aspects, catalogue New York
Cultural Center 1970, pp. 22–25
Ramsden: *Notes on Genealogies*, in: Art-Language
I/2, February 1970, pp. 84–88

Limites critiques, Paris: Yvon Lambert 1970; deutsch in: Katalog Mönchengladbach 1971; italienisch in: Data II/5–6, Estate 1972, S. 42–53; englisch in: Five Texts, New York/London 1973, S. 43–57

Position-Proposition, in: Katalog Mönchengladbach 1971; französisch in: VH 101 Nr 5, Printemps 1971, S. 28–39; englisch in: Studio International CLXXXI/932, April 1971, S. 181–185; englisch in: Five Texts, New York/London 1973, S. 28–41; italienisch in: Data II/5–6, Estate 1972, S. 34–41

Autour d'un détour, in: Opus International, Mai 1971; englisch in: Studio International CLXXXI/934, June 1971, S. 246–247; italienisch in: Data I/1, Settembre 1971, S. 26–29; spanisch in: ARTINF Nr 7, (Buenos Aires) Juli 1971

Passage, 7 Bände, Macerata: Arte studio 1972

Une exposition exemplaire, in: Flash Art Nr 35/36, September/October 1972, S. 24

Legend/Légende/Bildtext . . ., 2 Bände, London: Warehouse Publications 1973

Function of the Museum, Oxford: Museum of Modern Art 1973; in: Artforum XII/1, September 1973, S. 68; in: Five Texts, New York/London 1973, S. 58–61; deutsch in: Es malt, Düsseldorf [1973], S. 8–15

Die Funktion einer Ausstellung, in: Es malt, Düsseldorf [1973], S. 2–6; englisch in: Studio International CLXXXVI/961, December 1973, S. 216; französisch in: artitudes international III/6–8, Décembre 1973–Mars 1974, S. 38–39

Victor Burgin
* 1941 in Sheffield
lebt in London

Bibliographie:
Art-Society System, in: Control Nr 4, 1968

* *Situational Aesthetics*, in: Studio International CLXXVIII/915, October 1969, S. 118–121; in: Ursula Meyer, Conceptual Art, New York: E. P. Dutton & Co., Inc. 1972, =A Dutton Paperback D 271, S. 79–87

Thanks for the Memory . . ., in: Architectural Design, August 1970

Beitrag für: David Lamelas, Publication, London: Nigel Greenwood 1970, S. 11–14

Rules of Thumb, in: The British Avant Garde, Katalog New York Cultural Center 1971, S. 37–39, =Studio International CLXXXI/933, May 1971, S. 237–239

Beitrag *(Art's primary situation . . .)* für: documenta 5, Katalog Kassel 1972 (englisch/deutsch); deutsch in: Karin Thomas, Kunst =Praxis heute, Köln: Verlag M. DuMont Schauberg 1972, =DuMont Aktuell, S. 229; deutsch in: ›Konzept‹-Kunst, Katalog Kunstmuseum Basel 1972

In Reply, in: Art-Language II/2, Summer 1972, S. 32–34

Margin Note, in: The New Art, Katalog Hayward Gallery, London 1972, S. 22–25

Work and Commentary, herausgegeben von Elizabeth Glazebrook, London: Latimer New Dimensions 1973

Ian Burn
* 1939 in Geelong, Australien
lebt in New York

Mel Ramsden
* 1944 in Nottingham
lebt in New York

Bibliographie:
Burn: *Dialogue*, in: Art-Language I/2, February 1970, S. 22

Burn: *Read Premiss*, in: Conceptual Art and Conceptual Aspects, Katalog New York Cultural Center 1970, S. 22–25

Ramsden: *Notes on Genealogies*, in: Art-Language I/2, February 1970, S. 84–88

Ramsden: *Inquiry No. 5*, in: Conceptual Art and Conceptual Aspects, catalogue New York Cultural Center 1970, pp. 26–28

Ramsden: *Art-Inquiry (2)*, in: Art-Language I/3, June 1970, pp. 4–6

Ramsden: *A Preliminary Proposal for the Directing of Perception (Inquiry 1)*, in: Art-Language I/3, June 1970, p. 29

Burn/Ramsden: *The Grammarian*, New York 1970; in: Analytical Art Nr 1, July 1971, pp. 43–49; extracts in: Ursula Meyer, Conceptual Art, New York: E.P. Dutton & Co., Inc. 1972, =A Dutton Paperback D 271, pp. 96–103

The Society for Theoretical Art and Analyses (Burn/Cutforth/Ramsden): *Proceedings*, in: Art-Language I/3, June 1970, pp. 1–3; in: Conceptual Art and Conceptual Aspects, catalogue New York Cultural Center 1970, pp. 21–22

Burn/Ramsden: *Proceedings*, in: Information, catalogue Museum of Modern Art, New York 1970, pp. 32–34

Burn/Ramsden: *A Question of Epistemic Adequacy*, in: Studio International CLXXXIII/937, October 1971, pp. 132–135

Burn/Ramsden: *Four Wages of Sense*, in: Art-Language II/1, February 1972, pp. 28–37

Burn/Ramsden: *Some Questions on the Characterization of Questions*, in: Art-Language II/2, Summer 1972, pp. 1–10

Burn/Ramsden: *Art Language and Art-Language*, in: Art-Language II/2, Summer 1972, pp. 21–28

[Burn/Ramsden:] *Blurting in A&L: an Index...*, New York/Halifax: Art & Language Press/The Mezzanine, Nova Scotia College of Art & Design 1973

* Burn/Ramsden: *The Role of Language*, September 1968

* Burn/Ramsden: *Some Notes on Practice and Theory*, December 1969

* Burn/Ramsden: *The Artist as Victim*, Transcript of a talk given March 28, 1972 in Melbourne

Douglas Huebler

* 1924 in Ann Arbor (Mich.)
lives in Bradford (Mass.)

Catalogues:
Seth Siegelaub, New York 1968
Addison Gallery of American Art, Andover (Mass.) 1970
Museum of Fine Arts, Boston (Mass.) 1972
Westfälischer Kunstverein, Münster 1972

Bibliography:
Statements in: Primary Structures, catalogue Jewish Museum, New York 1966

Catalogue New York 1968; in: Germano Celant, Ars povera, Tubingen: Studio Wasmuth 1969, p. 43

* January 5–31, 1969, *(The world...)*, Seth Siegelaub, New York; in: Germano Celant, Ars povera, Tübingen: Studio Wasmuth 1969, p. 43; in: Conceptual Art, Arte Povera, Land Art, catalogue Galleria civica d'arte moderna, Turin 1970, p. 199; in: Ursula Meyer, Conceptual Art, New York: E.P. Dutton & Co., Inc. 1972, =A Dutton Paperback D 271, p. 137

When Attitudes Become Form, catalogue Kunsthalle Bern 1969

* Artists & Photographs, *(I would define...)*, Box, Multiples New York 1969,

Software, catalogue Jewish Museum, New York 1970

L'art conceptuel, =VH 101 No. 3, Automne 1970, p. 25 (French); Dutch/English in: Sonsbeek 71, catalogue Arnheim 1971, volume I, p. 141

Interview with Arthur R. Rose in: Four Interviews, Arts Magazine XLIII/4, February 1969, p. 23

Interview in: Prospect 69, catalogue Kunsthalle Dusseldorf 1969, p. 26

Contribution for: Time: A Panel Discussion, in: Art International XIII/9, November 1969, pp. 20–23 and 39

Durata/Duration, Turin: Sperone editore 1970

Ramsden: *Inquiry No. 5*, in: Conceptual Art and Conceptual Aspects, Katalog New York Cultural Center 1970, S. 26–28

Ramsden: *Art-Inquiry (2)*, in: Art-Language I/3, June 1970, S. 4–6

Ramsden: *A Preliminary Proposal for the Directing of Perception (Inquiry 1)*, in: Art-Language I/3, June 1970, S. 29

Burn/Ramsden: *The Grammarian*, New York 1970, in: Analytical Art Nr 1, July 1971, S. 43–49; Auszüge in: Ursula Meyer, Conceptual Art, New York: E.P. Dutton & Co., Inc. 1972, =A Dutton Paperback D 271, S. 96–103

The Society for Theoretical Art and Analyses (Burn/Cutforth/Ramsden): *Proceedings*, in: Art-Language I/3, June 1970, S. 1–3; in: Conceptual Art and Conceptual Aspects, Katalog New York Cultural Center 1970, S. 21–22

Burn/Ramsden: *Proceedings*, in: Information, Katalog Museum of Modern Art, New York 1970, S. 32–34

Burn/Ramsden: *A Question of Epistemic Adequacy*, in: Studio International CLXXXIII/937, October 1971, S. 132–135

Burn/Ramsden: *Four Wages of Sense*, in: Art-Language II/1, February 1972, S. 28–37

Burn/Ramsden: *Some Questions on the Characterization of Questions*, in: Art-Language II/2, Summer 1972, S. 1–10

Burn/Ramsden: *Art Language and Art-Language*, in: Art-Language II/2, Summer 1972, S. 21–28

[Burn/Ramsden:] *Blurting in A&L: an Index...*, New York/Halifax: Art & Language Press/The Mezzanine, Nova Scotia College of Art & Design 1973

* Burn/Ramsden: *The Role of Language*, September 1968

* Burn/Ramsden: *Some Notes on Practice and Theory*, December 1969

* Burn/Ramsden: *The Artist as Victim*, Manuskript für einen Vortrag gehalten am 28. März 1972 in Melbourne

Douglas Huebler

* 1924 in Ann Arbor (Mich.)
lebt in Bradford (Mass.)

Kataloge:
Seth Siegelaub, New York 1968
Addison Gallery of American Art, Andover (Mass.) 1970
Museum of Fine Arts, Boston (Mass.) 1972
Westfälischer Kunstverein, Münster 1972

Bibliographie:
Statements in: Primary Structures, Katalog Jewish Museum, New York 1966
Katalog New York 1968; in: Germano Celant, Ars povera, Tübingen: Studio Wasmuth 1969, S. 43
* January 5–31, 1969, *(The world...)*, Seth Siegelaub, New York; in: Germano Celant, Ars povera, Tübingen: Studio Wasmuth 1969, S. 43; in: Conceptual Art, Arte Povera, Land Art, Katalog Galleria civica d'arte moderna, Turin 1970, S. 199; in: Ursula Meyer, Conceptual Art, New York: E.P. Dutton & Co., Inc. 1972, =A Dutton Paperback D 271, S. 137
When Attitudes Become Form, Katalog Kunsthalle Bern 1969
* Artists & Photographs, *(I would define...)*, Box, Multiples New York 1969, Software, Katalog Jewish Museum, New York 1970
L'art conceptuel, =VH 101 Nr 3, Automne 1970, S. 25 (französisch); niederländisch/englisch in: Sonsbeek 71, Katalog Arnheim 1971, Band I, S. 141
Interview mit Arthur R. Rose in: Four Interviews, Arts Magazine XLIII/4, February 1969, S. 23
Interview in: Prospect 69, Katalog Kunsthalle Düsseldorf 1969, S. 26
Beitrag für: Time: A Panel Discussion, in: Art International XIII/9, November 1969, S. 20–23 und 39
Durata/Duration, Turin: Sperone editore 1970
Interview mit Budd Hopkins in: Arts Magazine, April 1972, S. 50–53

Interview with Budd Hopkins in: Arts Magazine, April 1972, pp. 50–53
Interview with Irmelin Lebeer in: Chroniques de l'art vivant No. 38, April 1973, pp. 21–23

Donald Judd
* 1928 in Excelsior Springs (Miss.)
lives in New York

Catalogues:
Whitney Museum, New York 1968
Stedelijk van Abbemuseum, Eindhoven 1970
Kunstverein Hannover 1970
Pasadena Art Museum, Pasadena 1971
Galerie Heiner Friedrich, Munich, and Galerie Annemarie Verna, Zürich, 1973

Bibliography:
Kandinsky in His Citadel, in: Arts Magazine XXXVII/6, March 1963, pp. 22–25
Kansas City Report, in: Arts Magazine XXXVIII/3, December 1963, pp. 24–28
Chamberlain: Another View, in: Art International VII/10, January 1964, pp. 38–39
Black, White and Gray, in: Arts Magazine XXXVIII/6, March 1964, pp. 36–38
Letter to the Editor, in: Arts Magazine XXXVIII/6, March 1964, p. 7
Letter to the Editor, in: Arts Magazine XXXVIII/9, May/June 1964, p. 6
Month in Review, in: Arts Magazine XXXIX/1, October 1964, pp. 60–64
Local History, in: New York: The Art World, =Arts Yearbook VII, 1964, pp. 22–35
New York Letter, in: Art International IX/3, March 1965, pp. 74–78
Lee Bontecou, in: Arts Magazine XXXIX/7, April 1965, pp. 16–21
New York Letter, in: Art International IX/4, May 1965, p. 65
* *Specific Objects*, in: Contemporary Sculpture, =Arts Yearbook VIII, 1965, pp. 74–82
Statement in: Primary Structures, catalogue Jewish Museum, New York 1966

Contribution for: Barbara Rose/Irving Sandler, Sensibility of the Sixties, in: Art in America LV/1, January/February 1967, p. 49
Jackson Pollock, in: Arts Magazine XLI/6, April 1967, pp. 32–35
Portfolio: 4 Sculptors, in: Perspecta (The Yale Architectural Journal) XI, 1967, p. 44
Donald Judd Answers Question: 'Can the Present Language of Artistic Research in the United States be Said to Contest the System?', in: Metro No. 14, June 1968, pp. 34–71
Statement in: Art Now: New York I/1, January 1969
Complaints, Part 1, in: Studio International CLXXVII/910, April 1969, pp. 182–184
Barnett Newman, in: Studio International CLXXIX/919, February 1970, pp. 67–69
Aspects of Flavin, in: Art and Artists IV/12, March 1970, pp. 48–49
Statement in: The Artist and Politics: A Symposium, in: Artforum IX/1, September 1970, pp. 36/37
Interview with John Coplans in: Artforum IX/10, June 1971, pp. 40–50
Complaints, Part II, in: Arts Magazine, XLVII/5, March 1973, pp. 30–32

Joseph Kosuth
* 1945 in Toledo (O.)
lives in New York

Catalogues:
Centro de arte y comunicación, Buenos Aires 1971
Paul Maenz, Brussels 1973
Retrospective, Kunstmuseum Lucere 1973 and elsewhere

Bibliography:
Statements in: January 5–31, 1969, Seth Siegelaub, New York; in: When Attitudes Become Form, catalogue Kunsthalle Bern 1969; in:

Interview mit Irmelin Lebeer in: Chroniques de l'art vivant Nr 38, April 1973, S. 21–23

Donald Judd
* 1928 in Excelsior Springs (Miss.)
lebt in New York

Kataloge:
Whitney Museum, New York 1968
Stedelijk van Abbemuseum, Eindhoven 1970
Kunstverein Hannover 1970
Pasadena Art Museum, Pasadena 1971
Galerie Heiner Friedrich, München, und Galerie Annemarie Verna, Zürich, 1973

Bibliographie:
Kandinsky in His Citadel, in: Arts Magazine XXXVII/6, March 1963, S. 22–25
Kansas City Report, in: Arts Magazine XXXVIII/3, December 1963, S. 24–28
Chamberlain: Another View, in: Art International VII/10, January 1964, S. 38–39
Black, White and Gray, in: Arts Magazine XXXVIII/6, March 1964, S. 36–38
Letter to the Editor, in: Arts Magazine XXXVIII/6, March 1964, S. 7
Letter to the Editor, in: Arts Magazine XXXVIII/9, May/June 1964, S. 6
Month in Review, in: Arts Magazine XXXIX/1, October 1964, S. 60–64
Local History, in: New York: The Art World, =Arts Yearbook VII, 1964, S. 22–35
New York Letter, in: Art International IX/3, March 1965, S. 74–78
Lee Bontecou, in: Arts Magazine XXXIX/7, April 1965, S. 16–21
New York Letter, in: Art International IX/4, May 1965, S. 65
* *Specific Objects*, in: Contemporary Sculpture, =Arts Yearbook VIII, 1965, S. 74–82
Statement in: Primary Structures, Katalog Jewish Museum, New York 1966

Beitrag für: Barbara Rose/Irving Sandler, Sensibility of the Sixties, in: Art in America LV/1, January/February 1967, S. 49
Jackson Pollock, in: Arts Magazine XLI/6, April 1967, S. 32–35
Portfolio: 4 Sculptors, in: Perspecta (The Yale Architectural Journal) XI, 1967, S. 44
Donald Judd Answers Question: 'Can the Present Language of Artistic Research in the United States be Said to Contest the System?', in: Metro Nr 14, June 1968, S. 34–71
Statement in: Art Now: New York I/1, January 1969
Complaints, Part 1, in: Studio International CLXXVII/910, April 1969, S. 182–184
Barnett Newman, in: Studio International CLXXIX/919, February 1970, S. 67–69
Aspects of Flavin, in: Art and Artists IV/12, March 1970, S. 48–49
Statement in: The Artist and Politics: A Symposium, in: Artforum IX/1, September 1970, S. 36–37
Interview mit John Coplans in: Artforum IX/10, June 1971, S. 40–50
Complaints, Part II, in: Arts Magazine, March 1973, S. 30–32

Joseph Kosuth
* 1945 in Toledo (O.)
lebt in New York

Kataloge:
Centro de arte y comunicación, Buenos Aires 1971
Paul Maenz, Brüssel 1973
Retrospektive, Kunstmuseum Luzern 1973 u.a.

Bibliographie:
Statements in: January 5–31, 1969, Seth Siegelaub, New York; in: When Attitudes Become Form, Katalog Kunsthalle Bern 1969; in:

Germano Celant, Ars povera, Tubingen: Studio Wasmuth 1969, p. 98

Annual Exhibition, Whitney Museum, New York 1969

Information, catalogue Museum of Modern Art, New York 1970

Software, catalogue Jewish Museum, New York 1970

Interview with Arthur R. Rose in: Four Interviews, Arts Magazine XLIII/4, February 1969, p. 23

Interview in: Prospect 69, catalogue Kunsthalle Dusseldorf 1969, p. 27

* *Art after Philosophy*, in: Studio International CLXXVIII/915, October 1969, pp. 134–137; in: Conceptual Art and Conceptual Aspects, catalogue New York Cultural Center, 1970, pp. 1–8; English/German in: Art & Language, edited by Paul Maenz and Gerd de Vries, Cologne: Verlag M. DuMont Schauberg 1972, =DuMont Kunst-Praxis, =DuMont International, pp. 74–99; in: Ursula Meyer, Conceptual Art, New York: E. P. Dutton & Co., Inc. 1972, =A Dutton Paperback D 271, pp. 155–170; Italian in: Data II/3, Aprile 1972, pp. 39–45; French in: Art Press No. 1, Décembre 1972/Janvier 1973, pp. 25–29

* *Art after Philosophy, Part II: 'Conceptual Art' and Recent Art*, in: Studio International CLXXVIII/916, November 1969, pp. 160–161; part 1 and 2 in: Idea Art, A Critical Anthology, edited by Gregory Battcock, New York: E. P. Dutton & Co., Inc. 1973, =A Dutton Paperback D 344, pp. 70–92 and 92–101

* *Art after Philosophy: Part 3*, in: Studio International CLXXVIII/917, December 1969, pp. 212–213

Function/Funzione/Funcion/Fonction/Funktion, Turin: Sperone editore 1970

Introductory Note by the American Editor, in: Art-Language I/2, February 1970, pp. 1–4; in: Conceptual Art, Arte Povera, Land Art, catalogue Galleria civica d'arte moderna, Turin 1970, pp. 211–212; English/German in:

Art & Language, edited by Paul Maenz and Gerd de Vries, Cologne: Verlag M. DuMont Schauberg 1972, =DuMont Kunst-Praxis, =DuMont International, pp. 100–107; French in VH 101 No. 3, Automne 1970, pp. 49–53; Italian in: Data II/3, Aprile 1972, pp. 46–47

An Answer to Criticism, in: Studio International CLXXIX/923, June 1970, p. 245

The Sixth Investigation (Art as Idea as Idea), *Proposition 2*, Buenos Aires: Centro de arte y comunicación 1971 (English/Spanish)

Sol LeWitt

* 1928 in Hartford (Conn.)
lives in New York

Catalogues:
Ace Gallery, Los Angeles 1968
Museum Haus Lange, Krefeld 1969
Haags Gemeentemuseum, The Hague 1970
Pasadena Art Museum, Pasadena 1970
Nova Scotia College of Art & Design, Halifax 1972
Cusack Gallery, Houston (Tex.) 1973

Bibliography:
Serial Project No. 1, in: Aspen, The Magazine in a Box I/5–6, offprint section 17, 1967; in: catalogue The Hague 1970, pp. 54–55

Ziggurats, in: Arts Magazine XLI/1, November 1966, p. 24

* *Paragraphs on Conceptual Art*, in: Artforum V/10, Summer 1967, pp. 79–83; in: catalogue The Hague 1970, pp. 56–57

49 Three-Part Variations Using Three Different Kinds of Cubes, 1967–68, Zurich: Bruno Bischofberger 1969

Drawing Series 1968 (Fours), in: Studio International CLXXVII/910, April 1969, p. 189; in: catalogue The Hague 1970, pp. 58–59

Four Basic Kinds of Straight Lines, London: Studio International 1969

Germano Celant, Ars povera, Tübingen: Studio Wasmuth 1969, S. 98

Annual Exhibition, Whitney Museum, New York 1969

Information, Katalog Museum of Modern Art, New York 1970

Software, Katalog Jewish Museum, New York 1970

Interview mit Arthur R. Rose in: Four Interviews, Arts Magazine XLIII/4, February 1969, S. 23

Interview in: Prospect 69, Katalog Kunsthalle Düsseldorf 1969, S. 27

* *Art after Philosophy*, in: Studio International CLXXVIII/915, October 1969, S. 134–137; in: Conceptual Art and Conceptual Aspects, Katalog New York Cultural Center, 1970, S. 1–8; englisch/deutsch in: Art & Language, herausgegeben von Paul Maenz und Gerd de Vries, Köln: Verlag M.DuMont Schauberg 1972, =DuMont Kunst=Praxis, =DuMont International, S. 74–99; in: Ursula Meyer, Conceptual Art, New York: E.P. Dutton & Co., Inc. 1972, =A Dutton Paperback D 271, S. 155–170; italienisch in: Data II/3, Aprile 1972, S. 39–45; französisch in: Art Press Nr 1, Décembre 1972/Janvier 1973, S. 25–29

* *Art after Philosophy, Part II:* 'Conceptual Art' and Recent Art, in: Studio International CLXXVIII/916, November 1969, S. 160–161; Teil 1 und 2 in: Idea Art, A Critical Anthology, herausgegeben von Gregory Battcock, New York: E.P. Dutton & Co., Inc. 1973, =A Dutton Paperback D 344, S. 70–92 und 92–101

* *Art after Philosophy: Part 3*, in: Studio International CLXXVIII/917, December 1969, S. 212–213

Function/Funzione/Funcion/Fonction/Funktion, Turin: Sperone editore 1970

Introductory Note by the American Editor, in: Art-Language I/2, February 1970, S. 1–4; in: Conceptual Art, Arte Povera, Land Art, Katalog Galleria civica d'arte moderna, Turin 1970, S. 211–212; englisch/deutsch in: Art & Language, herausgegeben von Paul Maenz und Gerd de Vries, Köln: Verlag M.DuMont Schauberg 1972, =DuMont Kunst=Praxis, =DuMont International, S. 100–107; französisch in: VH 101 Nr 3, Automne 1970, S. 49–53; italienisch in: Data II/3, Aprile 1972, S. 46–47

An Answer to Criticism, in: Studio International CLXXIX/923, June 1970, S. 245

The Sixth Investigation (Art as idea as idea), Proposition 2, Buenos Aires: Centro de arte y comunicación 1971 (englisch/spanisch)

Sol LeWitt

* 1928 in Hartford (Conn.)
lebt in New York

Kataloge:
Ace Gallery, Los Angeles 1968
Museum Haus Lange, Krefeld 1969
Haags Gemeentemuseum, Den Haag 1970
Pasadena Art Museum, Pasadena 1970
Nova Scotia College of Art & Design, Halifax 1972
Cusack Gallery, Houston (Tex.) 1973

Bibliographie:
Serial Project No. 1, in: Aspen, The Magazine in a Box I/5–6, offprint section 17, 1967; in: Katalog Den Haag 1970, S. 54–55

Ziggurats, in: Arts Magazine XLI/1, November 1966, S. 24

* *Paragraphs on Conceptual Art*, in: Artforum V/10, Summer 1967, S. 79–83; in: Katalog Den Haag 1970, S. 56–57

49 Three-Part Variations Using Three Different Kinds of Cubes, 1967–68, Zürich: Bruno Bischofberger 1969

Drawing Series 1968 (Fours), in: Studio International CLXXVII/910, April 1969, S. 189; in: Katalog Den Haag 1970, S. 58–59

Four Basic Kinds of Straight Lines, London: Studio International 1969

* *Sentences on Conceptual Art*, in: Art-Language I/1, May 1969, pp. 11–13; English/German in: Konzeption/Conception, catalogue Städtisches Museum Leverkusen, Schloß Morsbroich 1969; in: catalogue The Hague 1970, p. 60; in: Conceptual Art, Arte Povera, Land Art, catalogue Galleria civica d'arte moderna, Turin 1970, pp. 215–216; in: Ursula Meyer, Conceptual Art, New York: E. P. Dutton & Co., Inc. 1972, =A Dutton Paperback D 271, pp. 174–175; German in: Idee und Material, catalogue Das Progressive Museum, Basel 1973

On Wall Drawings, in: Arts Magazine XLIV/6, April 1970, p. 45; in: catalogue The Hague 1970, p. 61; in: Idea Art, A Critical Anthology, edited by Gregory Battcock, New York: E. P. Dutton & Co., Inc. 1973, =A Dutton Paperback D 344, pp. 182–183

Interview with Louwrien Wijers in: Museumjournaal XV/3, June 1970, pp. 140–147 (Dutch)

I am Still Alive, On Kawara, in: July/August Exhibition Book, =Studio International CLXXX/924, July/August 1970, p. 37

Ruth Vollmer: Mathematical Forms, in: Studio International CLXXX/928, December 1970, pp. 256–257

Four Basic Colours: Yellow, Black, Red, Blue and Their Combinations, London: Lisson Publications 1971

Arcs, Circles and Grids, Bern: Kunsthalle/Paul Bianchini 1972

All Wall Drawings, in: Arts Magazine, XLVI/4, February 1972, pp. 39–44

Doing Wall Drawings, in: documenta 5, catalogue Kassel 1972 (English/German); Italian in: Data II/4, Maggio 1972, p. 19

Letter *(I would like to comment ...)* in: Flash Art No. 41, June 1973, p. 2

Robert Morris

* 1931 in Kansas City (Miss.)
lives in New York

Catalogues:
Galerie Ileana Sonnabend, Paris 1968
Corcoran Gallery of Art, Washington 1969
Whitney Museum, New York 1970
Tate Gallery, London 1971

Bibliography:
Notes on Dance, in: Tulane Drama Review X/2, Winter 1965, pp. 179–186

Dance, in: The Village Voice, February 3, 1966, p. 8 and 24–25 and February 19, 1966, p. 15

* *Notes on Sculpture*, in: Artforum IV/6, February 1966, pp. 42–44

* *Notes on Sculpture, Part 2*, in: Artforum V/2, October 1966, pp. 20–23; both in: Minimal Art, A Critical Anthology, edited by Gregory Battcock, New York: E. P. Dutton & Co., Inc. 1968, =A Dutton Paperback D 211, pp. 222–228 and 228–235

* *Notes on Sculpture, Part 3: Notes and Nonsequiturs*, in: Artforum V/10, Summer 1967, pp. 24–29

Portfolio: 4 Sculptors, in: Perspecta (The Yale Architectural Journal) XI, 1967, p. 53

A Method for Sorting Cows, in: Art & Literature No. 11, (Lausanne) Winter 1967, p. 180; in: Information, catalogue Museum of Modern Art, New York 1970, p. 87

Anti Form, in: Artforum VI/8, April 1968, pp. 33–35

* *Notes on Sculpture, Part 4: Beyond Objects*, in: Artforum VII/8, April 1969, pp. 50–54

Statement in: Art Now: New York I/6, June 1969

Some Notes on the Phenomenology of Making: The Search for the Motivated, in: Artforum VIII/8, April 1970, pp. 62–66

Interview with E. C. Goossen in: Art in America LVIII/3, May/June 1970, pp. 104–111

The Art of Existence. Three Extra Visual Artists:

* *Sentences on Conceptual Art*, in: Art-Language I/1, May 1969, S. 11–13; englisch/deutsch in: Konzeption/Conception, Katalog Städtisches Museum Leverkusen, Schloß Morsbroich 1969; in: Katalog Den Haag 1970, S. 60; in: Conceptual Art, Arte Povera, Land Art, Katalog Galleria civica d'arte moderna, Turin 1970, S. 215–216; in: Ursula Meyer, Conceptual Art, New York: E.P. Dutton & Co., Inc. 1972, =A Dutton Paperback D 271, S. 174–175; deutsch in: Idee und Material, Katalog Das Progressive Museum, Basel 1973

On Wall Drawings, in: Arts Magazine XLIV/6, April 1970, S. 45; in: Katalog Den Haag 1970, S. 61; in: Idea Art, A Critical Anthology, herausgegeben von Gregory Battcock, New York: E.P. Dutton & Co., Inc. 1973, =A Dutton Paperback D 344, p. 182–183

Interview mit Louwrien Wijers in: Museumjournal XV/3, June 1970, S. 140–147 (niederländisch)

I am Still Alive, On Kawara, in: July/August Exhibition Book, =Studio International CLXXX/924, July/August 1970, S. 37

Ruth Vollmer: Mathematical Forms, in: Studio International CLXXX/928, December 1970, S. 256–257

Four Basic Colours: Yellow, Black, Red, Blue and Their Combinations, London: Lisson Publications 1971

Arcs, Circles and Grids, Bern: Kunsthalle/Paul Bianchini 1972

All Wall Drawings, in: Arts Magazine, February 1972, S. 39–44

Doing Wall Drawings, in: documenta 5, Katalog Kassel 1972 (englisch/deutsch); italienisch in: Data II/4, Maggio 1972, S. 19

Brief *(I would like to comment ...)* in: Flash Art Nr 41, June 1973, S. 2

Robert Morris

* 1931 in Kansas City (Miss.)
lebt in New York

Kataloge:
Galerie Ileana Sonnabend, Paris 1968
Corcoran Gallery of Art, Washington 1969
Whitney Museum, New York 1970
Tate Gallery, London 1971

Bibliographie:
Notes on Dance, in: Tulane Drama Review X/2, Winter 1965, S. 179–186

Dance, in: The Village Voice, February 3, 1966, S. 8 und 24–25 sowie February 19, 1966, S. 15

* *Notes on Sculpture*, in: Artforum IV/6, February 1966, S. 42–44

* *Notes on Sculpture, Part 2*, in: Artforum V/2, October 1966, S. 20–23; beide in: Minimal Art, A Critical Anthology, herausgegeben von Gregory Battcock, New York: E.P. Dutton & Co., Inc. 1968, =A Dutton Paperback D 211, S. 222–228 und 228–235

* *Notes on Sculpture, Part 3: Notes and Nonsequiturs*, in: Artforum V/10, Summer 1967, S. 24–29

Portfolio: 4 Sculptors, in: Perspecta (The Yale Architectural Journal) XI, 1967, S. 53

A Method for Sorting Cows, in: Art & Literature Nr 11, (Lausanne) Winter 1967, S. 180; in: Information, Katalog Museum of Modern Art, New York 1970, S. 87

Anti Form, in: Artforum VI/8, April 1968, S. 33–35

* *Notes on Sculpture, Part 4: Beyond Objects*, in: Artforum VII/8, April 1969, S. 50–54

Statement in: Art Now: New York I/6, June 1969

Some Notes on the Phenomenology of Making: The Search for the Motivated, in: Artforum VIII/8, April 1970, S. 62–66

Interview mit E.C. Goossen in: Art in America LVIII/3, May/June 1970, S. 104–111

The Art of Existence. Three Extra Visual Artists:

Works in Process, in: Artforum IX/5, January 1971, pp. 28–33
Interview with Achille Bonito Oliva in: Domus, Novembre 1972

Peter Roehr

* 1944 in Lauenburg (Pommern)
† 1968 in Frankfurt/Main

Catalogues:
Adam Seide, Frankfurt/Main 1967
Retrospective, Städtisches Museum Leverkusen, Schloß Morsbroich 1971

Bibliography:
Montagen, Frankfurt/Main: Paul Maenz 1965
Ziffern (10 Typomontagen), Cologne: Gerd de Vries 1970
Statements in:
* Catalogue Leverkusen 1971; extracts in: Sonsbeek 71, catalogue Arnheim 1971, volume I, p. 112.23 (Dutch/English); documenta 5, catalogue Kassel 1972; Karin Thomas, Kunst=Praxis heute, Cologne: Verlag M. DuMont Schauberg 1972, =DuMont Aktuell, p. 227
* Handwritten notes in the estate
Sämtliche Textmontagen, Cologne: Gerd de Vries 1972

Lawrence Weiner

* 1940 in Bronx, New York
lives in Amsterdam and New York

Catalogues:
Gegenverkehr, Aachen 1970
Westfälischer Kunstverein, Münster 1972
Städtisches Museum, Mönchengladbach 1973

Bibliography:
Statements, New York: Seth Siegelaub/The Louis Kellner Foundation 1968; in Art-Language I/1, May 1969, pp. 17–18

* Statement *(The artist may . . .)* in: January 5–31, 1969, Seth Siegelaub, New York; numerous reprints; enlarged version, reprinted here, in: documenta 5, catalogue Kassel 1972
Interview with Arthur R. Rose in: Four Interviews, Arts Magazine XLIII/4, February 1969, p. 23
Interview in: Prospect 69, catalogue Kunsthalle Düsseldorf 1969, p. 27
Contribution for: Sol LeWitt, catalogue The Hague 1970, p. 35
Statement in: The Artist and Politics: A Symposium, in: Artforum IX/1, September 1970, p. 37
Flowed, Halifax: Nova Scotia College of Art & Design 1970
10 Works, Paris: Yvon Lambert éditeur 1970 (English/French); Spanish/English Buenos Aires: Centro de arte y comunicación 1971
Tracce/Traces, Turin: Sperone editore 1970
Interview with Michel Claura in: VH 101 No. 5, Printemps 1971, pp. 64–65
Interview (with Willoughby Sharp) in: Avalanche No. 3, Fall 1971, pp. 66–73
Untitled *(Perhaps when removed . . ./misschien door verwijdering . . .)*, Amsterdam: art & project 1971; Spanish/English Buenos Aires: Centro de arte y comunicación 1971
Causality: Affected and/or Effected, New York: Leo Castelli Gallery 1971
And/or: Green as Well as Blue as Well as Red, London: Jack Wendler Editor 1972
A Primer, Kassel: Documenta GmbH 1972 (English/German); also in: catalogue Mönchengladbach 1973
Having Been Done At, Turin: Lawrence Weiner/ Editions Sperone 1972
Once Upon a Time/C'erà una volta, Mailand: Franco Toselli 1973
Within Forward Motion/Innerhalb vorwärtsgerichteter Bewegung, Bremerhaven: Kabinett für aktuelle Kunst 1973
Interview with Irmelin Lebeer in: Chroniques de l'art vivant No. 45, Décembre 1973, pp. 6–8

Works Process, in: Artforum IX/5, January 1971, S. 28–33
Interview mit Achille Bonito Oliva in: Domus, Novembre 1972

Peter Roehr
* 1944 in Lauenburg (Pommern)
† 1968 in Frankfurt/Main

Kataloge:
Adam Seide, Frankfurt/Main 1967
Retrospektive, Städtisches Museum Leverkusen, Schloß Morsbroich 1971

Bibliographie:
Montagen, Frankfurt/Main: Paul Maenz 1965
Ziffern (10 Typomontagen), Köln: Gerd de Vries 1970
Statements in: * Katalog Leverkusen 1971; Auszüge in: Sonsbeek 71, Katalog Arnheim 1971, Band I, S. 112. 23 (niederländisch/englisch); documenta 5, Katalog Kassel 1972; Karin Thomas, Kunst=Praxis heute, Köln: Verlag M.DuMont Schauberg 1972, =DuMont Aktuell, S. 227
Handschriftliche Notizen im Nachlaß
Sämtliche Textmontagen, Köln: Gerd de Vries 1972

Lawrence Weiner
* 1940 in Bronx, New York
lebt in Amsterdam und New York

Kataloge:
Gegenverkehr, Aachen 1970
Westfälischer Kunstverein, Münster 1972
Städtisches Museum, Mönchengladbach 1973

Bibliographie:
Statements, New York: Seth Siegelaub/The Louis Kellner Foundation 1968; in: Art-Language I/1, May 1969, S. 17–18

* Statement *(The artist may . . .)* in: January 5–31, 1969, Seth Siegelaub, New York; zahlreiche Wiederabdrucke; erweiterte, hier abgedruckte Fassung in: documenta 5, Katalog Kassel 1972
Interview mit Arthur R. Rose in: Four Interviews, Arts Magazine XLIII/4, February 1969, S. 23
Interview in: Prospect 69, Katalog Kunsthalle Düsseldorf 1969, S. 27
Beitrag für: Sol LeWitt, Katalog Den Haag 1970, S. 35
Statement in: The Artist and Politics: A Symposium, in: Artforum IX/1, September 1970, S. 37
Flowed, Halifax: Nova Scotia College of Art & Design 1970
10 Works, Paris: Yvon Lambert éditeur 1970 (englisch/französisch); spanisch/englisch Buenos Aires: Centro de arte y comunicación 1971
Tracce/Traces, Turin: Sperone editore 1970
Interview mit Michel Claura in: VH 101 Nr 5, Printemps 1971, S. 64–65
Interview (mit Willoughby Sharp) in: Avalanche Nr 3, Fall 1971, S. 66–73
ohne Titel *(Perhaps when removed . . ./misschien door verwijdering . . .)*, Amsterdam: art & project 1971; spanisch/englisch Buenos Aires: Centro de arte y comunicación 1971
Causality: Affected and/or Effected, New York: Leo Castelli Gallery 1971
And/or: Green as Well as Blue as Well as Red, London: Jack Wendler Editor 1972
A Primer, Kassel: Documenta GmbH 1972 (englisch/deutsch); auch in: Katalog Mönchengladbach 1973
Having Been Done At, Turin: Lawrence Weiner/ Editions Sperone 1972
Once Upon a Time/C'erà una volta, Mailand: Franco Toselli 1973
Within Forward Motion/Innerhalb vorwärtsgerichteter Bewegung, Bremerhaven: Kabinett für aktuelle Kunst 1973
Interview mit Irmelin Lebeer in: Chroniques de l'art vivant Nr 45, Décembre 1973, S. 6–8

Index (english)

Abbildungen

Illustrations

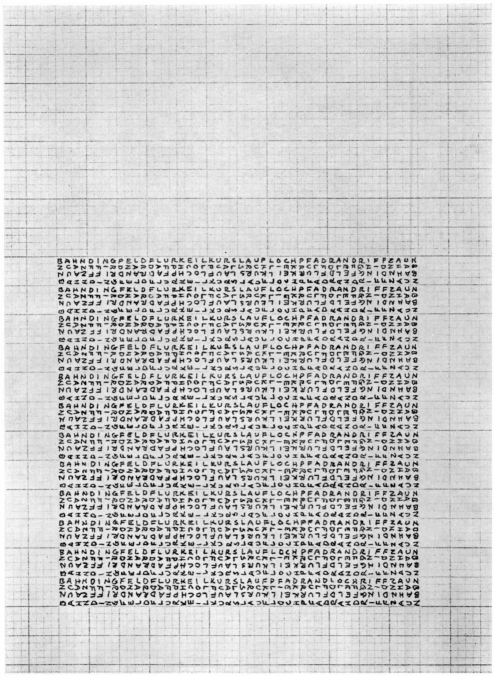

1 ANDRE, ›Poem‹, 1966/67 (Paul Maenz, Köln)

2   ANDRE, ›120 Bricks‹, 1966 (Tibor de Nagy, New York)

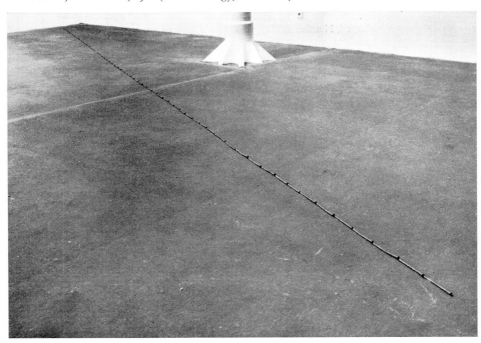

3   ANDRE, ›62 Straight Nail 'Run'‹, 1969 (Paul Maenz, Köln)

8   ART & LANGUAGE, ›Chart‹, 1972 (Paul Maenz, Brüssel)

9   ART & LANGUAGE, ›Chart‹, 1972, Detail

10 ART & LANGUAGE, ›Lexical Items‹, 1973 (Paul Maenz, Köln)

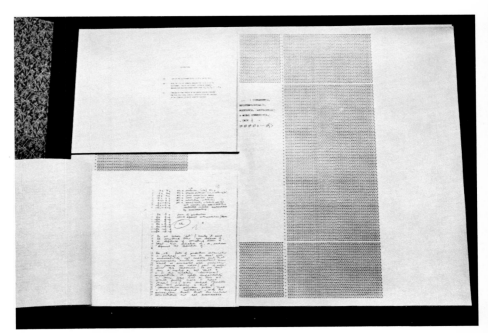

11 ART & LANGUAGE, ›Lexical Items‹, 1973, Detail

12   BUREN, ohne Titel/Untitled, Paris 1968

13   BUREN, ohne Titel/Untitled, Paris 1968

14   BUREN, ohne Titel/Untitled, Paris 1969

15   BUREN   ▷

16   BURGIN, ›Photo Path‹, 1967/68 (Gerd de Vries, Köln)

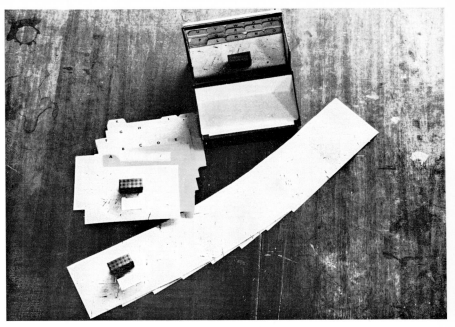

17 BURGIN, ›25 Feet Two Hours‹, 1969 (Paul Maenz, Köln)

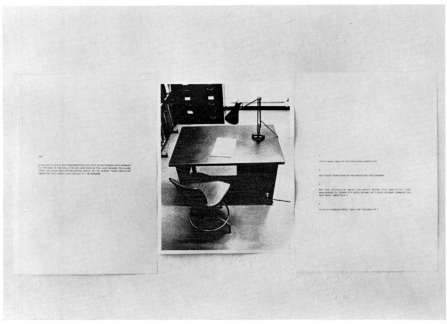

18 BURGIN, ›Performative/Narrative‹, 1971 (Paul Maenz, Köln)

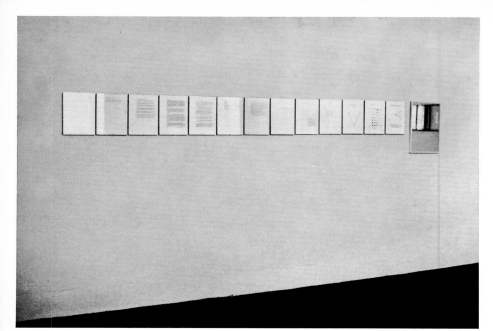

19   BURN, ›Mirror Piece‹, 1967 (Paul Maenz, Köln)

20   BURN, ›Xerox Book‹, 1968 (Gerd de Vries, Köln)

21   BURN/RAMSDEN, ›Annotations‹, 1972 (Paul Maenz, Köln)

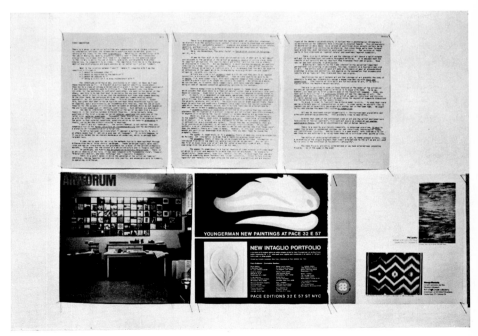

22   BURN/RAMSDEN, ›Annotations‹, 1972, Detail

THE ABOVE SURFACE IS ABSORBING AN
INDETERMINATE AMOUNT OF WARMTH
RADIATING FROM THE BODY OF THE
PERCIPIENT.

DIE OBIGE FLÄCHE ABSORBIERT EINE
UNBESTIMMTE MENGE DER VOM KÖRPER
DES BETRACHTERS AUSGESTRAHLTEN
WÄRME.

VARIABLE PIECE # 46
BRADFORD, MASSACHUSETTS

A CHALLENGE PING PONG MATCH WAS PLAYED WITH DONALD BURGY ON FEB 3, 1971 AND WAS WON BY THE ARTIST BY THESE SCORES:
18-21, 27-25, 21-17.
THE EVENT WAS DOCUMENTED BY 15 PHOTOGRAPHS MADE EXACTLY AT ONE MINUTE INTERVALS AND A FINAL ONE TAKEN OUT OF
THAT SEQUENCE IMMEDIATELY AFTER THE LAST GAME.
16 PHOTOGRAPHS, IN NO PARTICULAR SEQUENTIAL ARRANGEMENT, AND THIS STATEMENT CONSTITUTE THE FORM OF THIS PIECE.

FEBRUARY 1971   DOUGLAS HUEBLER

HUEBLER, ›Variable Piece Nr 46‹, 1971 (Leo Castelli, New York)

25   JUDD, ohne Titel/Untitled, 1965 (Henry Geldzahler, New York)

6 JUDD, ohne Titel/Untitled, 1969 (St. Louis City Art Museum)

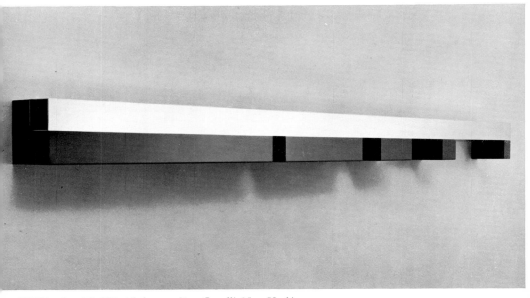

7 JUDD, ohne Titel/Untitled, 1970 (Leo Castelli, New York)

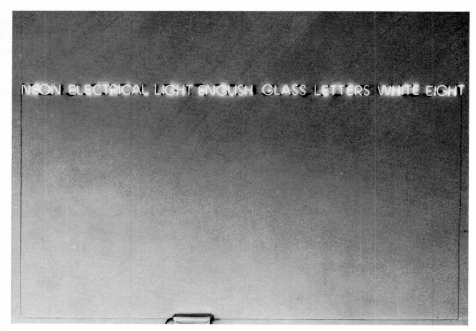

28   KOSUTH, ›Neon Electrical Light . . .‹, 1965

29   KOSUTH, ›One and Three Chairs‹, 1965 (Paul Maenz, Köln)

30   KOSUTH, ›Art as Idea as Idea‹, 1967/68 (Paul Maenz, Brüssel)

31   KOSUTH, ›The Seventh Investigation (A.A.I.A.I)‹, 1969 (Chinatown, New York)

CONTEXT 'A':   DIE VERBINDUNG (1) ZWISCHEN DEN BEIDEN VON DER
               UHR ANGEZEIGTEN ZIFFERN UND DEN ENTSPRECHENDEN
               ZIFFERN IM TEXT ('ZETTEL').

CONTEXT 'B':   DIE VERBINDUNG (2) ZWISCHEN DEN VOM KLEINEN
               ZEIGER EINER UHR UND DEN VOM GROSSEN ZEIGER
               DER UHR RECHTS DAVON ANGEZEIGTEN ZIFFERN
               (DER UHR '3' FOLGT IN DIESEM FALL DIE UHR '1').

CONTEXT 'C':   DIE VERBINDUNG (3) BETRIFFT DEN VERSUCH, DIE
               GLEICHZEITIG BESTEHENDEN, EIN- UND VIELSCHICH-
               TIGEN BEZIEHUNGEN DER EINZELNEN TEILE DIESER
               ARBEIT ZUEINANDER ZU ERFASSEN. DAS HEISST EIN
               VERSTÄNDNIS DER RELATION VON:

          1. CONTEXT 'A' ZU CONTEXT 'B'
          2. CONTEXT 'A' ZU CONTEXT 'C'
          3. CONTEXT 'B' ZU CONTEXT 'C'
          4. CONTEXT 'A/B' (ALS EIN CONTEXT) ZU CONTEXT 'C'
          5. VERBINDUNG (1) INNERHALB CONTEXT 'A'
          6. VERBINDUNG (1) INNERHALB CONTEXT 'B'
          7. VERBINDUNG (1) INNERHALB CONTEXT 'C'
          8. VERBINDUNG (2) INNERHALB CONTEXT 'A'
          9. VERBINDUNG (2) INNERHALB CONTEXT 'B'
         10. VERBINDUNG (2) INNERHALB CONTEXT 'C'
         11. VERBINDUNG (3) INNERHALB CONTEXT 'A'
         12. VERBINDUNG (3) INNERHALB CONTEXT 'B'
         13. VERBINDUNG (3) INNERHALB CONTEXT 'C'
         14. VERBINDUNG (1) ZU VERBINDUNG (2)
         15. VERBINDUNG (1) ZU VERBINDUNG (3)
         16. VERBINDUNG (1) ZU VERBINDUNGEN (2/3)
         17. VERBINDUNG (2) ZU VERBINDUNG (1)
         18. VERBINDUNG (2) ZU VERBINDUNG (3)
         19. VERBINDUNG (2) ZU VERBINDUNGEN (1/3)
         20. VERBINDUNG (3) ZU VERBINDUNG (1)
         21. VERBINDUNG (3) ZU VERBINDUNG (2)
         22. VERBINDUNG (3) ZU VERBINDUNGEN (2/3)

2/33   KOSUTH, ›The Eighth Investigation, Proposition 2‹, 1971 (Paul Maenz, Köln)

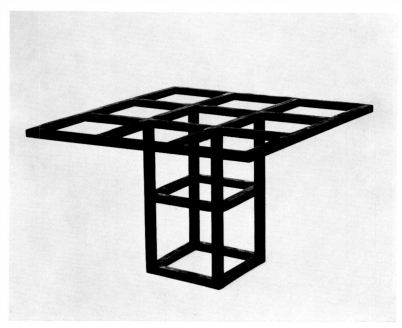

34 LEWITT, ohne Titel/Untitled, 1965 (Paul Maenz, Köln)

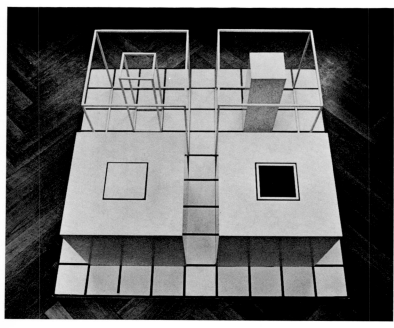

35 LEWITT, ›ABCD 5‹, 1967

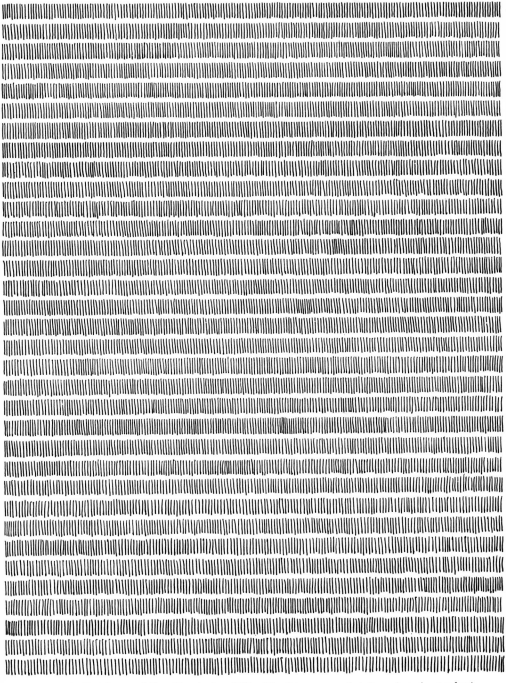

36 LEWITT, ›Six Thousand Two Hundred and Fifty-Five Lines‹, 1970 (art & project, Amsterdam)

37 MORRIS, ohne Titel/Untitled, 1965–67 (Philip Johnson, New York)

38 MORRIS, ohne Titel/Untitled, 1970 (Leo Castelli, New York)

9 MORRIS, ohne Titel/Untitled, 1967/68 (Detroit Institute of Arts)

trace
trace
trace
trace
trace
trace
trace
trace
trace
trace
trace
trace
trace
trace
trace
trace
trace
trace
trace
trace
trace
trace
trace
trace
trace
trace
trace
trace
trace
trace
trace

ROEHR, ohne Titel/Untitled (TE-16), 1963 (Paul Maenz, Köln)

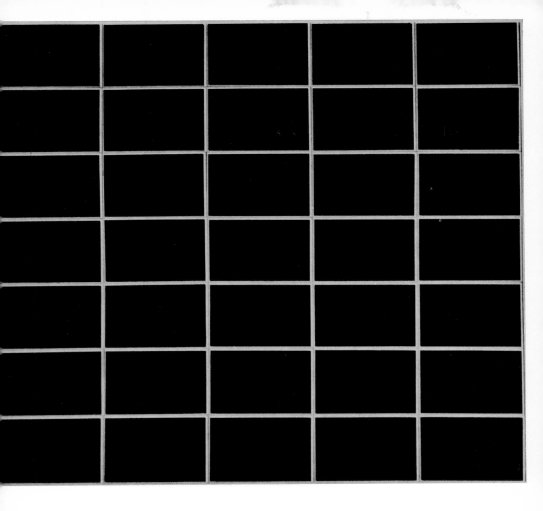

41   ROEHR, ohne Titel/Untitled (OB-124), 1966 (Paul Maenz, Köln)

42 WEINER, ›Two Minutes of Spray Paint Directly upon the Floor from a Standard Aerosol Spray Can‹, 1968

43 WEINER, ›A Square Removal from a Rug in Use‹, 1969 (Wolfgang Hahn, Köln)

A TRANSLATION FROM ONE LANGUAGE TO
ANOTHER

EINE ÜBERSETZUNG AUS EINER SPRACHE
IN EINE ANDERE

PERHAPS WHEN RETRANSLATED

VIELLEICHT WENN RÜCKÜBERSETZT

Index (deutsch)

Fotonachweis/Photographic Credits:

DuMont Kunst ⇄ Praxis

Eine Übersicht über bisher erschienene und lieferbare Titel

Paul Maenz u. Gerd de Vries (Hrsg.)

Art & Language

Texte zum Phänomen Kunst und Sprache
347 S. u. Index

Diese Gruppe beständiger Pendler zwischen
Theorie und Praxis liefert auf ihrem Terrain
beachtliche Untersuchungen; Thesen und Folgerungen, auch widersprüchliche, gibt es in rei-
chem Maße. Sie sind nicht als Verkündigung
angelegt, sondern als Ausgangspunkt für Dis-
kussionen und eigenständiges Weiterdenken.
Insider werden ihr Vergnügen daran haben.
Artis, Konstanz

Edward Fry (Hrsg.)

Hans Haacke

Werkmonographie

136 Seiten mit 76 Abbildungen

Erstmalig wird hier umfangreich das Werk
eines der wichtigsten deutschen Künstler der
jüngeren Generation dokumentiert, gleichzeitig
ist der Band ein Musterbeispiel dafür, wie
solche Bücher zur praktischen Arbeit gemacht
sein sollten. *Frankfurter Allgemeine*

Götz Adriani (Hrsg.)

Klaus Rinke

Zeit Raum Körper Handlungen

Zweisprachige Ausgabe deutsch/englisch (Du
Mont International). 352 Seiten mit 507 z. T.
ganzseitigen Abbildungen

Mit Klaus Rinke muß sich beschäftigen, wer
über progressive Tendenzen der Kunst infor-
miert sein möchte. Seine Selbstdarstellungen
sind sein Medium. Der Verlag DuMont hat sie
in einem umfänglichen Band mit vielen Fotos
vorzüglich illustriert.
Westdeutsche Allgemeine

Ulrich Rückriem

Skulpturen 1968–1973

Mit Texten des Künstlers und einem Beitrag
von Günter Ulbricht. Zweisprachige Ausgabe
deutsch/englisch (DuMont International). 132
Seiten mit 95 Abbildungen und Zeichnungen

Im Foto erscheint die Arbeit, dazu erfährt
man die nüchternen Fakten sowie die exakten
Werkskizzen: eine gute Methode, die ohne
Überredungskünste arbeitet, vielmehr die Wir-
kung ganz dem Werk überläßt.
Der Tagesspiegel

Gerd de Vries (Hrsg.)

Über Kunst – On Art

Mit einem Vorwort des Herausgebers. Zweisprachige Ausgabe deutsch/englisch. 312 Seiten
mit 32 Seiten Abbildungen

Minimal Art und Conceptual Art sind zwei
der wichtigsten Richtungen der zeitgenössischen Kunst. Dieses Buch leistet die erste Zusammenfassung authentischer Beiträge der
international profilierten Vertreter dieser
Kunstrichtungen. Die Künstler waren an allen
richtungsweisenden Ausstellungen beteiligt –
von der Berner ›Attituden‹-Schau bis zur documenta 5.

Götz Adriani (Hrsg.)

Franz Erhard Walther

Werkmonographie

Arbeiten 1957–1963 und Material zum 1.
Werksatz (1963–1969)
281 S. mit 487 Abbildungen

Auf eine ganz ungewöhnlich präzise, metho-
dische Untersuchung über das Frühwerk F. E.
Walthers folgen weit über dreihundert Abbildungen zu diesem Frühwerk, das den 1. Werksatz vorbereitet und begleitet, sowie eine Dokumentation zum 1. Werksatz. Erläuterungen
im Katalogteil erhöhen den Informationswert
des Bandes. *Süddeutscher Rundfunk*

DuMont Aktuell
Eine Übersicht über bisher erschienene und lieferbare Titel

DuMont Dokumente zur Kunst des 20. Jahrhunderts

Hans Richter
Dada – Kunst und Antikunst

Der Beitrag Dadas zur Kunst des 20. Jahrhunderts. Nachwort von Werner Haftmann

259 Seiten mit 113 einfarbigen Abbildungen, 52 Zeichnungen und Faksimiles, Bibliographie und Namensregister

Richter liebt Dada, und er liebt es kritisch. So ist ein faszinierendes, aufschlußreiches und zudem gut lesbares Buch entstanden, das nicht nur über die künstlerischen Impulse Aufschluß gibt, sondern ebenso über das Lebensklima, das Dada bestimmt hat. Ein wichtiges Buch über eine wichtige künstlerische Äußerung des 20. Jahrhunderts. *Westdeutscher Rundfunk*

Patrick Waldberg
Der Surrealismus

Mit Textdokumenten aus La Révolution Surrealiste und von Paul Eluard, Salvador Dali, Max Ernst und André Breton. 202 Seiten mit 8 Farbtafeln, 144 einfarbigen Abbildungen, 45 Zeichnungen, Kurzbiographien und Literaturverzeichnis

Ein vorbildlich gefaßter Exkurs ins Traumreich der surrealistischen Revolution, eine glänzende Dokumentation und ein ideales Nachschlagewerk. *Der Tagesspiegel Berlin*

Kasimir Malewitsch
Suprematismus –
Die gegenstandslose Welt

305 Seiten mit 18 Abbildungen, 12 Zeichnungen, Fotos und Faksimiles

Der Suprematismus ist einer der Schlüssel zum Verständnis der Kunst unseres Jahrhunderts. Malewitsch' Aufzeichnungen sind eine einzigartige Dokumentation der geistigen Vorgänge, die dem Wandel der Kunst vorangingen. *Die Bücherkommentare*

Hans L. C. Jaffé
Mondrian und De Stijl

Mit Textdokumenten von Piet Mondrian, J. J. P. Oud, van Doesburg, A. Kok, G. Rietveld, H. Richter, V. Huszar, El Lissitzky, W. Graeff, H. Arp, C. van Eesteren, F. Vordemberge-Gildewart. 246 Seiten mit 8 Farbtafeln, 58 einfarbigen Abbildungen, 10 Zeichnungen

In diesem Band sind zum erstenmal die Programme des Stijl in einer Dokumentenauswahl zusammengefaßt, die einzelne Künstler zu Wort kommen läßt und an einer beispielhaften Bildauswahl die Ereignisse des Stijl belegt. *Westdeutscher Rundfunk*

Edward Fry
Der Kubismus

Mit vielen Textdokumenten. 215 Seiten mit 8 Farbtafeln, 62 einfarbigen Abbildungen, 7 Zeichnungen, Bibliographie und Register

Der Autor bietet eine Einführung in die Geschichte des Kubismus, die mit vorbildlicher Klarheit die in vielen Beziehungen komplizierten stilistischen und historischen Probleme dieser vielleicht wichtigsten und weittragendsten Kunstrichtung des 20. Jahrhunderts darlegt. *Neue Zürcher Zeitung*

Der Futurismus

Manifeste und Dokumente einer künstlerischen Revolution 1909–1918

Herausgegeben und mit einem Vorwort von Umbro Apollonio. Mit einem Essay von Horst Richter

256 Seiten mit 8 Farbtafeln, 138 einfarbigen Abbildungen, 74 Zeichnungen, Namenverzeichnis und Bibliographie

Der Band bringt alle wichtigen Manifeste und Dokumente der Bewegung und ist mit Werkreproduktionen und Fotodokumenten gut illustriert. In einer brillanten Darstellung werden die Auswirkungen des Futurismus aufgezeichnet. *General-Anzeiger Bonn*

DuMont Dokumente zur Kunst des 20. Jahrhunderts

Bis Heute – Stilgeschichte der bildenden Kunst im 20. Jahrhundert

Von Karin Thomas. Mit 67 mehrfarbigen und 188 einfarbigen Abbildungen, Literaturverzeichnis, Register und lexikalischem Verzeichnis der Fachausdrücke zur zeitgenössischen Kunst

Ein umfassender Überblick über alle wichtigen Tendenzen der bildenden Kunst im 20. Jahrhundert. Eine geschickte Bestandsaufnahme, reich und gut illustriert, mit allem wünschenswerten Registern. Da lohnt sich das Informieren! *Frankfurter Neue Presse*

Apparative Kunst

Vom Kaleidoskop zum Computer
Das Bild aus der Maschine
Theorie – Praxis – Funktion

Von Herbert W. Franke und Gottfried Jäger. Mit 8 farbigen und 100 einfarbigen Abbildungen und Zeichnungen

Mit diesem Band ist eine gründliche Übersicht über die »Kunst aus dem Computer« erschienen, die die Computer-Outputs als eine logische Folge einer Entwicklung aufzeigt, die schon früh mit Wasserspiel, Feuerwerk, Kaleidoskop und Camera obscura begann und heute von programmierten Elektro-Automaten erzeugt wird. Diese Entwicklung aus dem Historischen belegt das Buch mit einer Menge bislang unbekannten Materials. *Südwest-Presse*

Informationstheorie und ästhetische Wahrnehmung

Von Abraham A. Moles. Mit 41 einfarbigen Abbildungen und Zeichnungen und 10 Schautafeln

Das Buch hat eine grundlegende Bedeutung für die Ausarbeitung der modernen nichtphilosophischen Ästhetik. *Süddeutscher Rundfunk*

Neue Formen des Realismus

Kunst zwischen Illusion und Wirklichkeit

Von Peter Sager. Mit 34 farbigen und 163 einfarbigen Abbildungen, Kurzbiographien und Ausstellungsverzeichnis zeitgenössischer Realisten

Sager scheint das beinah Unmögliche geglückt zu sein: Er hat die weltweite Realismus-Szene gültig vermessen. Aufgrund solider Informationen und Interpretationshinweisen kann der Leser weitere Folgerungen ziehen. Als eine Fundgrube bei diesem erklärenden Einkreisen der Œuvres erweisen sich die Künstler-Statements. *DU, Zürich*

Hans Richter
Begegnungen mit Kunst und Künstlern

Von Dada bis heute

Etwa 240 Seiten mit 70 einfarbigen Abbildungen und Zeichnungen

Als Maler, Filmemacher und Filmtheoretiker, Schriftsteller und Mitbegründer der Dada-Bewegung gehörte der Autor jahrzehntelang zur Avantgarde. Große Maler, Bildhauer und Musiker des 20. Jahrhunderts und die Pioniere des Films zählten zu seinem Freundeskreis. Diese Begegnungen zeichnen aus Erinnerungen, Episoden, Briefen und Dokumenten das lebendige Bild einer Zeit, die schon Geschichte geworden ist.

Barbara Rose
Amerikas Weg zur modernen Kunst

Von der Mülltonnenschule zur Minimal Art

304 Seiten mit 37 mehrfarbigen und 244 einfarbigen Abbildungen, alphabetisches Künstlerverzeichnis und Register

Es ist gewiß nicht übertrieben: Ein informativeres, umfassenderes und analytischeres Buch über die amerikanische Malerei in unserem Jahrhundert ist noch nicht gemacht worden. *Das Kunstwerk, Baden-Baden*